Christoph Parry

Menschen
Werke
Epochen

Eine Einführung in die
deutsche Kulturgeschichte

Max Hueber Verlag

Für Mikko, Matti und Hanna

3.	2.	1.			Die letzten Ziffern
1997	96	95	94	93	bezeichnen Zahl und Jahr des Druckes.

Alle Drucke dieser Auflage können, da unverändert,
nebeneinander benutzt werden.
1. Auflage
© 1993 Max Hueber Verlag, D-85737 Ismaning
Umschlaggestaltung: Erentraut Waldau, Ismaning
Satz: Gabriele Stelbrink, Markt Schwaben
Druck: Allgäuer Zeitungsverlag, Kempten
Printed in Germany
ISBN 3–19–001498–1

Inhalt

14 Deutschland in einer schrumpfenden Welt

Zum Gegenstand deutscher Kulturgeschichte

Jedes Land hat sein eigenes Verhältnis zur Geschichte. Seine kulturelle Identität ist historisch gewachsen, seine gegenwärtigen Probleme und Vorlieben sind von der Geschichte bestimmt. Die Geschichte ist überall sichtbar, ob man nun durch den erhaltenen historischen Kern einer Kleinstadt spaziert oder sich im wiederaufgebauten Zentrum zerstörter Großstädte aufhält. Sie ist spürbar in der öffentlichen Diskussion zu politischen und kulturellen Fragen. Sie bedingt Gewohnheiten und Ansichten der Menschen. Die Beschäftigung mit der Kulturgeschichte eines Landes kann daher einen wichtigen Beitrag zum Verständnis seiner Gegenwart leisten. Was soll man aber unter ‚deutscher Kulturgeschichte‘ verstehen? Im weitesten Sinne umfaßt Kultur die Gesamtheit aller menschlichen Tätigkeiten. In einem kurzen Überblick wie diesem muß eine Auswahl getroffen werden. Die ganze Alltagskultur, die in den Sitten und den Gebräuchen zum Ausdruck kommt, kann hier nur am Rande behandelt werden. Dieses Buch konzentriert sich stattdessen auf die kulturellen Erscheinungen der Vergangenheit, die in die Gegenwart hineinwirken. Das sind in der Regel besonders repräsentative Leistungen wie Gebäude, Bücher oder Institutionen, die bleibenden oder länger dauernden Bestand haben. Kulturelle Leistungen in diesem Sinn entstehen gewöhnlich aus dem Bemühen einer Elite. Es sind jedoch von Epoche zu Epoche nicht immer dieselben Gruppen, die sich kulturell artikulieren und sich so dem Blick späterer Generationen erschließen. Daher liegen die repräsentativen Leistungen auch auf verschiedenen Gebieten. Aus einigen Epochen wird die Kunst oder Architektur besonders geschätzt, aus anderen die Musik oder die Philosophie. Die Bedeutung, die diesen Leistungen beigemessen wird, ist immer das Ergebnis späterer Wertungen und schwankt von Generation zu Generation. Dieser Wandel gehört, genau wie das Gerüst der Ereignisse selbst, zum Gegenstand der Geschichte.
Bedingt durch die Lage in der Mitte Europas ist die Kulturgeschichte des deutschen Sprachgebiets im wesentlichen die Kulturgeschichte Europas. Deutschland hat seinen Anteil an den geistigen Strömungen der Nachbarländer. Die eigenen Beiträge, sei es in der Religion, der Philosophie oder der Musik, wirken im ganzen europäischen Kulturraum. Angesichts des langwährenden Gesamtzusammenhangs abendländischer Kultur stellt sich die Frage, ob es überhaupt sinnvoll ist, nationale Differenzierungen vornehmen zu wollen. Eine mögliche Antwort auf diese Frage liegt in der seit dem Mittelalter ausgeprägten Tendenz zur Bildung nationaler Einheiten, wobei das Bewußtsein einer kulturellen Identität oft der Legitimierung eines Staates dient.

Es gibt in Europa Nationen, die schon seit Jahrhunderten eine relativ stabile staatliche Form haben, wo die Identität von Sprache, Volk, Nation und Nationalstaat relativ unproblematisch ist. Frankreich zum Beispiel blickt auf eine lange Geschichte als homogener Zentralstaat mit einer vorherrschenden Kultursprache zurück. Ebenso ist etwa die schwedische Identität in der Geschichte Schwedens nicht allzu problematisch. Die französische oder schwedische Geschichte kann man als Prozeß einer allmählichen Herausbildung eines Nationalstaates mit einer dominierenden Kultursprache interpretieren, die ihm Zusammenhalt gewährt. Dagegen ist der entsprechende Prozeß im deutschen Sprachraum mehrfach gestört.

Deutsch ist nach Russisch die meistgesprochene Sprache Europas. Die äußeren Grenzen des Sprachgebiets sind fließend, während die inneren regionalen Unterschiede recht groß sind. Als Minderheitensprache und als Verkehrssprache erstreckte sich der traditionelle Einfluß des Deutschen weit über Osteuropa, wo es noch heute einige wichtige deutschsprachige Exklaven gibt. Der älteste Staat im heutigen deutschen Sprachraum, die Schweiz, ist das europäische Land, das sich mit seinen vier Landessprachen am wenigsten auf die Sprache als Integrationsfaktor beruft. Die durchaus vorhandene nationale Identität der Schweiz ist vorrangig das Ergebnis der langen gemeinsamen Geschichte dieser heterogenen Interessengemeinschaft. Der Staat ist in diesem Fall älter als die nationale Gemeinschaft, die erst durch ihn zustandekam.

In Deutschland ist die Suche nach einer nationalen Identität und der Versuch, diese in einem staatlichen Rahmen unterzubringen, ein wiederkehrendes Thema der Geschichte. Statt die politische Identität zu begleiten, mußte die kulturelle Identität in Deutschland lange als Ersatz für die politische herhalten. Schon zu Luthers Zeiten war der politische Rahmen, das mittelalterliche Reich, das sich offiziell gar nicht ‚deutsch‘, sondern ‚römisch‘ nannte, zerfallen. Die Idee einer kulturellen Zusammengehörigkeit läßt sich dennoch erkennen. Seit dem Mittelalter, das mit seiner römischen Kirche, seiner lateinischen Bildungssprache und seiner französischen und provenzalischen Kultur eine durchaus europäische Epoche war, wurde zwischen ‚deutsch‘ und ‚welsch‘ (fremd) unterschieden. Aus der Idee des kulturellen Zusammenhangs entstand zu Beginn des 19. Jahrhunderts das Ziel der nationalen Einheit. Die Idee des Nationalismus wucherte in Deutschland lange ohne den mäßigenden Einfluß realer Institutionen. Seine verheerende Entartung im Faschismus unseres Jahrhunderts hängt damit zusammen.

Die zeitliche Abgrenzung des Themas ist kaum weniger problematisch als die räumliche. Soll man mit den frühesten keltischen und germanischen Siedlungen im heutigen deutschen Sprachgebiet beginnen, über welche die Archäologie Auskunft gibt? Oder soll man da beginnen, wo die Geschichte des Gebiets schriftlich dokumentiert ist? Das Gebiet der späteren deutschsprachigen Länder wurde erstmals durch den Vorstoß der Römer in den Einflußbereich einer schriftlichen Kultur gebracht. Vielleicht sollte man aber auch erst da ansetzen, wo eine gewisse, bis heute andauernde Kontinuität vorhanden ist. Doch stellt sich auch da die Frage, welche Kontinuität gemeint ist. In der Zusammensetzung der Bevölkerung gibt es eine solche Kontinuität frühestens seit dem 9. Jahrhundert, als die Völker Europas nach den sogenannten ‚Völkerwanderungen' in ihren späteren Grenzen seßhaft wurden. Andere entscheidende Faktoren für die ganze kulturelle Entwicklung Europas, wie zum Beispiel die christliche Religion, reichen aber viel weiter zurück.

Eine Jahreszahl, die oft als Beginn deutscher Geschichte genannt wird, ist 911. Durch die Teilung des damaligen fränkischen Reichsgebiets entstand zum ersten Mal ein Staat, der sich ungefähr mit den Grenzen des deutschen Sprachgebiets deckte. Daraus wurde das mittelalterliche Reich, das juristisch, wenn auch nicht faktisch, bis 1806 bestand. Doch war diese relative Übereinstimmung mit den Sprachgrenzen keine bewußte Grundlage des Reichs. Die politische Führung berief sich auf ältere Traditionen, die mit ihrer germanischen Herkunft wenig zu tun hatten. Die Bezeichnung ‚Heiliges Römisches Reich' betont die Rolle des Christentums und verrät die besondere Bedeutung der römischen Vergangenheit im Denken des Mittelalters.

Spätere Generationen haben immer ihre eigenen Vorstellungen auf die Vergangenheit projiziert. So hatte die frühe Begegnung zwischen Römern und Germanen im Denken der romantischen Nationalisten des 19. Jahrhunderts eine ganz andere Bedeutung. Sie betrachteten den Widerstand, den die Germanen etwa bei der ‚Hermannsschlacht' im Jahre 9 n. Chr. gegen Rom leisteten, als ein Symbol für ein nationales Bewußtsein.

9

1 Anfänge

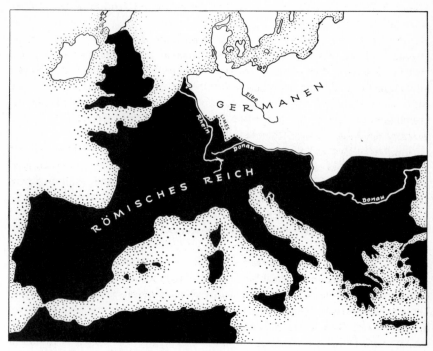

Grenze des Römischen Reiches, Anfang des 1. Jahrhunderts nach Chr.

Römisches Germanien

Die Begegnung der Römer mit den germanischen Stämmen fängt mit der nördlichen Expansion des römischen Imperiums im ersten Jahrhundert vor Christus an. Nördlich der Alpen grenzte die hochentwickelte Zivilisation der Römer an ein Gebiet an, das von verschiedenen germanischen und keltischen Stämmen bewohnt war. Die soziale Struktur dieser locker organisierten Stämme unterschied sich sehr von der römischen. Die Germanen lebten in kleinen ländlichen Siedlungen, betrieben Landwirtschaft und ein wenig Handel. Gemeinschaftsgrundlage der Germanen war die Sippe, die auf erweiterten Verwandtschaftsbeziehungen beruhte. Ihre Religion war naturnah. Sie kannten verschiedene Götter und beteten sie in ausgewählten heiligen Stätten in der freien Natur an. Die Germanen, wie sie vom römischen Historiker Tacitus in seiner *Germania* beschrieben wurden, waren für ihre militärischen Fähigkeiten bekannt, und ihr Ethos war stark von kämpferischen Werten wie Ehre, Treue und Heldenmut geprägt.

Für die Römer war und blieb Germanien Grenzland. Julius Cäsar gelang es im Gallischen Krieg, das Gebiet westlich des Rheins und südlich der Donau zu unterwerfen. Dagegen scheiterten langfristig die römischen Versuche, das rechtsrheinische Germanien zu beherrschen. Die Römer versuchten stattdessen, ihre Position an der Grenze durch einen Wechsel von Krieg und Kooperation mit den benachbarten germanischen Stämmen zu konsolidieren. Der Rhein und die Donau wurden durch einen festen Wall, den Limes, miteinander verbunden.

In ihren germanischen Provinzen verbesserten die Römer das Straßennetz und gründeten mehrere Städte wie Colonia Agrippinensis (Köln), Mogontiacum (Mainz) und Augusta Treverorum (Trier). Zahlreiche Überreste römischer Bautätigkeit sind heute noch erhalten. Das größte erhaltene Bauwerk, die Porta Nigra in Trier, ist noch heute das Wahrzeichen der Stadt.

Der Lebensstil der Römer in ihren Kolonien ähnelte den Gewohnheiten in Rom. Archäologische Funde wie der Fußboden mit dem Dionysos-Mosaik in Köln, zeugen vom Luxus der in den römischen Kolonien anzutreffen war. Es gab Bäder (Thermen), Theater und Tempel jeder Art. In Trier, das im 4. Jahrhundert n. Chr. sogar zeitweilig kaiserliche Residenz wurde, gab es römischen ‚Circus' für Wagenrennen und andere Spiele.

Die Römer brachten ihre eigene Religion mit in die Kolonien, obwohl sie auch bemüht waren, sich den lokalen Begebenheiten anzupassen und Übereinstimmungen zwischen ihren Göttern und denen der Germanen zu betonen. Doch war die Spätantike ein Zeitalter allgemeiner religiöser Unruhe, in der neue Religionen rasch Anhänger gewannen. Im römischen Germanien war der aus Persien stammende Kult des Sonnengottes Mithras weit verbreitet, der in den ersten Jahrhunderten n. Chr. mit dem Christentum konkurrierte. Das Christentum verbreitete sich ebenfalls inoffiziell in den Kolonien, lange bevor es im 4. Jahrhundert offiziell geduldet wurde.

Die Übernahme der christlichen Religion durch die römischen Kaiser kann als ein verzweifelter Versuch verstanden werden, den unaufhaltsamen Zerfall des Imperiums aufzuhalten. Die Rheingrenze war in den Jahrhunderten nach dem Gallischen Krieg nicht bedeutend sicherer geworden. Das Verhältnis zwischen römischen Kolonisten und der germanischen Bevölkerung blieb auch in den römischen Provinzen Germaniens gespannt. Anders als in manchen anderen Provinzen blieb die Anpassung der Germanen an die römische Kultur oberflächlich. Darüber hinaus übten noch nicht seßhafte nord- und ostgermanische Stämme zunehmenden Druck auf die Grenzen aus; und die römische Armee, die schon lange nicht mehr nur römisch war, sondern so international wie das Reich selbst, stellte immer größere politische Forderungen, die ihrerseits das Imperium schwächten. Nachdem eine einheitliche Verwaltung schon lange nicht mehr möglich gewesen war, wurde das Imperium im Jahre 395 endgültig geteilt. Die östliche Hälfte, wo Griechisch die Verkehrssprache war, dauerte als Byzantinisches Reich bis ins 13. Jahrhundert fort und blieb bis nach der Jahrtausendwende die führende Großmacht Europas. Die westliche, lateinische Reichshälfte brach dagegen bald endgültig auseinander. Das Geld verlor an Wert, und die Bevölkerung zog sich aus den Städten aufs Land zurück. Als widerstandsfähigste Institution erwies sich schließlich die Kirche, die den Zerfall des Imperiums überlebte. Sie wurde dadurch zur Hüterin der lateinischen Sprache und des kulturellen Erbes der Römer.

Das karolingische Reich

Die römische Verwaltung brach endgültig zu Beginn des 5. Jahrhunderts zusammen. Über die folgenden Jahrhunderte war ganz Europa von Unruhe erfaßt. In den Völkerwanderungen ab dem 2. Jahrhundert brachen vor allem die germanischen Stämme auf und suchten neue Siedlungsgebiete. In mehreren Wellen überfielen sie die westliche römische Reichshälfte. Aus den alten Stammgebieten Germaniens zogen einige Stämme weiter nach Westen und nach Süden, während ostgermanische Stämme wie die Goten und Wandalen bis nach Italien und Spanien vordrangen. Diese barbarischen Überfälle sind zum Inbegriff blinder Zerstörungswut geworden. So geht das heute gebräuchliche Wort ,Vandalismus' auf den Namen der Wandalen zurück. Durch die Völkerwanderungen fiel Westeuropa auf den Stand der primitiven Agrargesellschaft zurück, in der die Landbevölkerung sich gerade knapp selbst ernähren konnte und nur noch eine sehr dünne Oberschicht vorhanden war.

Trotz des zerstörerischen Charakters dieser Überfälle waren sich viele der germanischen Stammesführer der Überlegenheit der römischen Kultur bewußt. Sie waren von den Überresten römischer Verwaltung und von der institutionellen Standhaftigkeit der Kirche beeindruckt. Sie waren oft mehr als bereit, sich der neuen Heimat anzupassen. Je weiter sie nach Westen kamen, desto eher verzichteten sie auf die eigene Sprache und Religion. Einige Fürsten versuchten sogar, das römische Reich unter eigener Führung wiederherzustellen, wobei die Kirche eine unentbehrliche Verwaltungsstütze war. Ein früher, aber kurzlebiger Versuch dieser Art war das Gotenreich Theoderichs (473-526), der in seiner Hauptstadt Ravenna in Italien bedeutende Baudenkmäler im byzantinischen Stil hinterließ.

Zu den germanischen Stämmen, die bald den katholischen Glauben annahmen und sich mit den eroberten Völkern arrangierten, gehörten die Franken. Allmählich verdrängten sie ihre Rivalen und wurden zur wichtigsten Macht im westlichen Europa. Auf dem Höhepunkt ihrer Macht beherrschten sie unter der Dynastie der Karolinger ein Gebiet, das von der Elbe bis nach Spanien reichte. Im Jahre 800 wurde der fränkische König Karl der Große (768-814) vom Papst in Rom zum Kaiser gekrönt. Das war der symbolische Ausdruck der Wiederherstellung des weströmischen Reichs und Ausdruck der Idee des Kaisers als des weltlichen Beschützers der Kirche. Diese beiden Grundsätze sind in der politischen Geschichte des ganzen deutschen Mittelalters von entscheidender Bedeutung.

Die Ausdehnung der fränkischen Verwaltung ging in der Tat Hand in Hand mit der Expansion der Kirche. Das Christentum breitete sich auf dem ganzen Kontinent rasch aus. Missionen gingen von Rom und von abgelegenen Klöstern Irlands und Britanniens aus. Durch die Mission des Hl. Bonifatius (um 673-754) wurden im 8. Jahrhundert erstmals nennenswerte Gebiete östlich des Rheins in den Einflußbereich westeuropäischer Kultur gebracht.

Inzwischen hatte aber das Christentum einen neuen, gleichwertigen Rivalen im Islam gefunden. Wie das Christentum ist der Islam eine monotheistische Religion, die den Anspruch auf absolute Wahrheit erhebt. In den ersten Jahrhunderten seit seiner Gründung durch den Propheten Mohammed hatte sich der Islam mit einer ähnlichen Energie verbreitet wie das Christentum ein halbes Jahrtausend früher. Die neue Religion beflügelte die arabische Expansion in Nordafrika. Die Araber eroberten schließlich Spanien und wurden erst 732 von den Franken an einer weiteren Expansion nach Frankreich gehindert. Zugleich eroberten die islamischen Ottomanen immer größere Teile des Byzantinischen Reichs.

Verglichen mit der arabischen Welt und dem Byzantinischen Reich war Westeuropa wirtschaftlich und kulturell völlig rückständig. Religiöse Gegensätze standen jedem Austausch mit der arabischen Kultur im Wege. Bei jedem anspruchsvolleren technischen oder kulturellen Vorhaben war der Westen auf die byzantinische Kultur angewiesen. Doch war der Kontakt zwischen den beiden Teilen Europas minimal. Die Karolinger versuchten dennoch, die Überreste von Bildung und Kultur zu konsolidieren, um damit den Zusammenhalt des Reichs zu stärken.

Karl der Große ließ überall in seinem Reich Kaiserpfalzen bauen: Burgen, von denen aus die kaiserliche Verwaltung betrieben werden konnte. Ein besonders wichtiges Zentrum entstand in Aachen, das zeitweilig eine Art geistige Hauptstadt des

Oktogon des Münsters in Aachen

karolingischen Europas wurde. Von der dortigen Kaiserpfalz ist noch die Kapelle erhalten, die heute den Kern des Doms bildet. Mit ihrem oktogonalen Bodenplan und in vielen Einzelheiten der Dekoration, wie etwa dem Wechsel zwischen hellem und dunklem Marmor, weist sie byzantinischen Einfluß auf.

Die Errungenschaften der karolingischen Architektur und Kunst waren Teil einer umfassenden Wiederbelebung der Kultur. Diese sogenannte ‚karolingische Renaissance' hatte weitreichende Folgen, obwohl der Kreis der Gelehrten in der fränkischen Agrargesellschaft winzig klein war. Zum ersten Mal seit dem Zusammenbruch des weströmischen Imperiums waren die Verhältnisse wieder stabil genug, um die Pflege der Sprache und Bildung zu ermöglichen. Diese Aufgabe wurde nun verstärkt von den Klöstern wahrgenommen. Sowohl die fränkische als auch die lateinische Tradition wurden gepflegt.

Die ältesten schriftlichen Dokumente des Althochdeutschen gehen auf die Zeit der fränkischen Herrschaft zurück. Sie sind sehr spärlich. Unter Karl dem Großen wurden die Heldenlieder der Germanen, die bis dahin nur mündlich überliefert waren, gesammelt und niedergeschrieben. Das Ergebnis dieser Arbeit wurde später leider vollständig zerstört, so daß wir heute die alten Sagen der Germanen nur aus späteren Werken rekonstruieren können. Die frühe Heldendichtung muß einen wichtigen Einblick in die germanische Kultur der Völkerwanderungszeit geboten haben. Eine blasse Vorstellung von der weltlichen Epik gibt das fragmentarische *ältere Hildebrandslied* aus dem 9. Jahrhundert. Es stellt den tragischen, eigentlich ungewollten Kampf eines Vaters gegen seinen Sohn dar, bei dem der Sohn ums Leben kommt. Der *Heliand* aus demselben Jahrhundert ist eine Nacherzählung des Neuen Testaments, die Jesus in germanischer Umgebung als Stammesführer zeigt.

Diese ersten Leistungen einer deutschen Literatur waren jedoch nur ein Nebenprodukt der karolingischen Kultur. Viel wichtiger waren die Arbeiten in lateinischer Sprache, denn nur sie wurden im ganzen Reich von den wenigen Gelehrten verstanden. Unter den Franken selbst hatte eine sprachliche Trennung stattgefunden. Die Westfranken auf dem Gebiet des heutigen Frankreich hatten ihre germanische Sprache aufgegeben und den dortigen Dialekt des Lateinischen übernommen, während sich im Osten, dem heutigen Deutschland, das Althochdeutsche herausbildete. Doch war auch das Latein der Westfranken kein richtiges Latein mehr. Die Jahrhunderte, in denen fast

Blatt aus dem Hildebrandslied, Handschrift des 9. Jahrhunderts

die ganze Gesellschaft analphabetisch war, hatten zu einer wachsenden Kluft zwischen der gesprochenen Sprache und dem Latein der Schrift geführt. Parallel zu den Bemühungen Karls des Großen um die Zentralisierung der Verwaltung wurde der Versuch unternommen, die Einheit und Reinheit der lateinischen Sprache wiederherzustellen. Nun mußten sich die schriftkundigen Mönche wieder um die klassische lateinische Grammatik kümmern. Daher wurden auch profane Bücher der nichtchristlichen Antike wieder gelesen und kopiert. Ohne diese Arbeit wäre heute viel weniger von der klassischen Literatur der Römer erhalten.

Das Buch, das am meisten kopiert wurde, war natürlich die Bibel. Auch da mußte der Kulturverfall der vorangegangenen Jahrhunderte überwunden werden. Die meisten vorhandenen Bibelexemplare stammten von sprachlich unbeholfenen Kopisten und wichen stark voneinander ab. So mußte zuerst durch detaillierte philologische Arbeit ein verbindlicher Text hergestellt werden.

Die Bücher waren kunstvoll ausgestattet. In einer Welt, die wenig Raum für Kunst hatte, boten die Illuminationen, d.h. die Ausschmückung der Ränder und Anfangsbuchstaben, eine wertvolle Entfaltungsmöglichkeit. Viele Motive der karolingischen Buchillumination erscheinen später im romanischen Kirchenbau wieder.

Das Reich Karls des Großen zerfiel bald nach seinem Tod. Das typische germanische Erbrecht führte zur Teilung des Gebietes und zu Streitigkeiten unter den Erben. Außerdem wurde Europa von einer letzten großen Welle von Überfällen heimgesucht. Aus dem Osten fielen Magyaren, aus dem Norden Wikinger und Normannen über den Kontinent her. Doch wurden in der karolingischen Epoche Akzente gesetzt, welche die ganze mittelalterliche Kultur bestimmten. In seiner Ausdehnung und Konzeption war dieses Reich jedoch noch an der Antike orientiert. Erst in seinem Zerfall läßt sich der Keim der heutigen Nationalstaaten Europas erkennen.

Fränkische Schreiber,
Elfenbein-Buchdeckel

2 Das Mittelalter

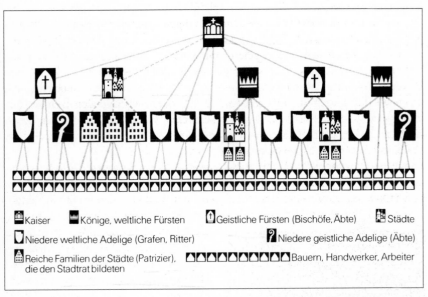

Kaiser   Könige, weltliche Fürsten   Geistliche Fürsten (Bischöfe, Äbte)   Städte

Niedere weltliche Adelige (Grafen, Ritter)   Niedere geistliche Adelige (Äbte)

Reiche Familien der Städte (Patrizier), Bauern, Handwerker, Arbeiter
die den Stadtrat bildeten

Schematische Darstellung des Lehenssystems

„Es waren schöne, glänzende Zeiten, wo Europa ein christliches Land war, wo Eine Christenheit diesen menschlich gestalteten Weltteil bewohnte; Ein großes gemeinschaftliches Interesse verband die entlegensten Provinzen dieses weiten geistlichen Reichs".[1]

Mit diesem Satz beginnt der romantische Dichter Friedrich Hardenberg, genannt Novalis, seine bedeutende kulturphilosophische Betrachtung *Die Christenheit oder Europa* (1799). Ein solches Lob des Mittelalters ist typisch für die Haltung der Romantiker im 19. Jahrhundert, die in ihrem Bestreben nach der Erweckung eines neuen Nationalgefühls auf das Mittelalter zurückblickten als Glanzzeit deutschen Kaisertums und religiöser Eintracht. Die Bejahung des Mittelalters ermöglichte eine positive Einstellung zur eigenen Umgebung, die in Deutschland auch heute noch stark von mittelalterlichen Bauwerken geprägt ist. Das romantische Bild des

---

[1] Novalis: Dichtungen. Rowohlts Klassiker der Literatur und Wissenschaft, Deutsche Literatur Bd. 11. Hg. Ernesto Grassi. Reinbek bei Hamburg 1963. S.37.

Mittelalters war jedoch einseitig und beruhte weit mehr auf Mythos als auf historischer Forschung. Dennoch spielt dieser Mittelalter-Mythos bei der Entstehung des
Nationalbewußtseins in Deutschland eine so große Rolle, daß sich allein schon deswegen die Beschäftigung mit dem deutschen Mittelalter rechtfertigen läßt.

Der Begriff ‚Mittelalter' selbst zeigt an, daß die Romantik über diese Zeit anders
urteilte als andere Epochen. Im Humanismus der Renaissance war die Gewohnheit
aufgekommen, die Zeit zwischen der Antike und der eigenen Epoche ‚Mittelalter'
zu nennen. Damit war die Vorstellung verbunden, daß zwischen den kulturellen
Höhen der Antike und der Neuzeit ein Tiefpunkt lag, wo Aberglaube, Dogma-
tismus und Unwissenschaftlichkeit das Weltbild der Europäer prägten. Diese Vorstellung war ebenso übertrieben wie das spätere maßlose Lob des Mittelalters durch
die Romantiker. Beide sagen überdies mehr über die Geisteshaltung der eigenen
Zeit als über das Mittelalter selbst aus.

Alle Deutungen des Mittelalters haben aber einen gemeinsamen faktischen Ausgangspunkt. Das Christentum und die Institution der katholischen Kirche beherrschten über diesen sehr langen Zeitraum das Weltbild aller gesellschaftlichen
Stände und verliehen einer ansonsten heterogenen Gesellschaft ihren ideologischen
Zusammenhalt. Die Kirche hatte das Monopol über das gesamte Bildungswesen;
die von ihr gepflegte lateinische Schriftsprache blieb lange die Hauptverwaltungs-
sprache der westeuropäischen Länder. Einen politischen Ausdruck fand die besondere Stellung der Kirche in der Idee des ‚Heiligen Römischen Reichs'. Der deutsche Kaiser übernahm theoretisch das Erbe des Römischen Reichs und den weltlichen Schutz des Christentums. Die ideologische Stellung des Kaisers hat später, im
nationalbewußten Klima des 19. Jahrhunderts, dazu geführt, daß der eigentliche,
übernationale Charakter der mittelalterlichen Kultur verkannt wurde.

Der Zeitraum zwischen den Karolingern und der Reformation ist jedoch so lang,
daß jede Verallgemeinerung nur ein sehr ungenaues Bild gibt. Noch heute wird in
Filmen und in der Unterhaltungsliteratur ein ahistorisches Mittelalterbild vermittelt, das dem idealisierten Wunschbild der Romantik entspricht. Tatsächlich gab es
jedoch zwischen dem frühen und dem späten Mittelalter beträchtliche Unterschiede, vor allem in den wirtschaftlichen Grundlagen der Gesellschaft. Parallel dazu
änderten sich Stil und Inhalt von Kunst und Literatur.

Der Feudalismus

Der Zerfall des weströmischen Reichs hatte mit dem Zerfall der Städte und dem Rückgang des Handels begonnen. In der Übergangszeit bis zum 8. Jahrhundert verlor das Geld zunächst an Wert und schließlich ganz an Bedeutung. Der weitaus größte Teil der Bevölkerung war bäuerlich und lebte in größter Armut. Im günstigsten Fall bestand ein knappes Gleichgewicht zwischen der Produktion von Lebensmitteln und dem eigenen Bedarf. Da kein Geld im Umlauf war, mußten alle Dienstleistungen, die ein Gutsbesitzer brauchte, mit Naturalien oder Land bzw. Bodennutzungsrechten bezahlt werden. So entstand allmählich das Lehnswesen, auch Feudalismus genannt. Die Herren bezahlten ihre Diener mit einem Lehen, d.h. mit dem Nutzungsrecht für ein Stück Land, das später immer häufiger vererbt werden konnte. So bildete sich eine starre Hierarchie heraus, die, zumindest von den Bessergestellten, als gottgewollt angesehen wurde. Ganz oben in der Hierarchie befanden sich der Kaiser und die Fürsten, deren Taten Gegenstand traditioneller Geschichtsschreibung sind. Am untersten Ende standen die Leibeigenen, die ihren Lehnsherrn ernähren sollten und dafür etwas Land zur eigenen Verfügung gestellt bekamen. Die Leibeigenen durften das Land nicht ohne weiteres verlassen. Dafür bot aber der Gutshof in unruhigen Zeiten etwas Schutz und Sicherheit.

Von der Notwendigkeit dieses Schutzes zeugen zahllose Burgruinen und Befestigungsanlagen aus dem frühen Mittelalter. Alle größeren Siedlungen und Klöster waren fest ummauert. Der Schutz der Bevölkerung gehörte zu den wichtigsten Funktionen der wenigen vorhandenen Städte. Nach und nach wuchs hier der Bedarf an militärischen Spezialisten. So entstand nach der Jahrtausendwende mit den Rittern eine neue Zwischenschicht zwischen dem Adel und dem unfreien Volk. Es sind vor allem die Eigentümlichkeiten der ritterlichen Kultur, welche die Phantasie der Nachwelt angeregt haben.

Die Kirche im Spannungsfeld zwischen geistlichem Anspruch und weltlicher Macht

Im frühen Mittelalter waren die weltliche Macht und die Kirche aufeinander angewiesen. Mit jeder territorialen Expansion entstanden neue Bistümer. Diese territorialen Einheiten der Kirche bildeten eine primitive, aber funktionierende Verwaltungsstruktur. Die Existenz der Bischöfe in den Bistümern mußte durch Grundbesitz gesichert werden, was zu einer Integration der Kirche in das Feudalsystem führte. Viele Bischöfe erhielten eigene politische Souveränität über ganze Gebiete. In ihrer politischen Eigenschaft verhielten sich die geistlichen Fürsten nicht anders als die weltlichen und hatten keine Hemmungen, auch militärische Gewalt als Druckmittel zu benutzen. Ihren entscheidenden Einfluß übte die Kirche jedoch im ideologischen Bereich aus. Der Kirchenkalender bestimmte das Leben, die Theologie das Weltbild der Menschen. Die Kirche verfügte mit der von ihr gepflegten lateinischen Sprache über das einzige überregionale Verständigungsmittel. Für die Pflege dieser Sprache sowie der Bildung überhaupt waren jahrhundertelang die Klöster zuständig.

Das Klosterwesen war entstanden, um Menschen die Möglichkeit zu geben, der materiellen Welt, die in der christlichen Theologie grundsätzlich als sündhaft betrachtet wird, den Rücken zu kehren und ein kontemplatives Leben zu führen. Die Klöster waren eine Nahtstelle zwischen institutionalisierter Religion und persönlicher Heilssuche, denn es war für die Kirche immer ein Problem, wie sie die Inhalte einer auf Offenbarung und persönlicher Erlösung beruhenden Theologie mit den Formen einer politisch starken Institution vereinbaren sollte.

Die Klöster selbst waren sehr unterschiedlich. Während einige zu den größten Grundbesitzern zählten, lebte man in anderen sehr bescheiden. Der Tagesablauf wechselte auch sehr von Kloster zu Kloster. In einigen wurde die jeweilige Ordensregel sehr genau befolgt, während andere kaum mehr als bequeme Hotels waren. Die Unterbringung von Reisenden gehörte ohnehin zu ihren Aufgaben, besonders auf den Wallfahrtsrouten. Die feudalistische Hierarchie war auch innerhalb der Klostermauern präsent, obwohl dort eine der wenigen Möglichkeiten des sozialen Aufstiegs gegeben war. Häufig nahmen Klöster Mitglieder adliger Familien auf, die in der Erbfolge benachteiligt waren. Für diesen Personenkreis war eine höhere Laufbahn in der Kirche eine standesgerechte Alternative. In den Nonnenklöstern erhielten junge Frauen der höheren Stände eine allgemeine Bildung – was manchmal dazu führte, daß Frauen an mittelalterlichen Höfen ihren Männern an Bildung überlegen waren. Für Frauen, die keinen standesgemäßen Gatten fanden, war das Kloster oft die einzige akzeptable Lebensform.

Von größter kulturgeschichtlicher Bedeutung ist der Benediktinerorden. Die Benediktiner verbanden Gebet und Arbeit (,ora et labora'). Unter Arbeit verstanden sie sowohl körperliche Betätigung als auch Umgang mit Büchern. Als im 10. Jahrhundert die Diskrepanz zwischen dem weltlichen Reichtum einiger Klöster und den geistlichen Werten, die sie vertreten sollten, immer deutlicher wurde, entstand aus dem Benediktinerorden heraus eine Reformbewegung, die nach ihrem Ausgangspunkt, dem französischen Kloster Cluny, die kluniazensische Reform genannt wird. Im südwestlichen Deutschland wurde das Kloster Hirsau zum Zentrum der Reform, die die Autonomie der Klöster stärkte und zur weiteren politischen Aufwertung der Kirche beitrug. Durch diese Reform wurde allerdings das alte Problem, wie die weltabgewandten Inhalte der kirchlichen Doktrin mit ihrer Stellung als große diesseitige Institution zu vereinbaren sind, erneut aktuell.

Vom 11. bis ins 12. Jahrhundert tobte ein unerbittlicher Streit zwischen Papsttum und Kaisertum um das Recht, Bischöfe zu ernennen. Die Kirche wollte diese weltliche Einmischung in ihre Angelegenheiten nicht mehr dulden, während sie aber selber nicht auf ihre politischen Vorteile verzichten wollte.

Im Jahre 1096, noch bevor dieser sogenannte Investiturstreit beigelegt war, rief der Papst zum ersten Kreuzzug gegen den Islam auf. In diesem ‚heiligen‘ Krieg sollte das Christentum vereint und der Vorrang des Religiösen über das Weltliche erneut bestätigt werden. Insgesamt zogen sieben Kreuzzüge nach Osten. Das eigentliche Kriegsziel, Jerusalem in christliche Gewalt zu bringen, wurde nur vorübergehend erreicht. Die Folgen waren verheerend. Schon während des ersten Kreuzzugs kam es zu Pogromen gegen Juden im Rheinland. 1204 verwüstete ein Kreuzzug die damals noch christliche byzantinische Hauptstadt Konstantinopel.

Ritter vor Jerusalem, Mittelalterliche Buchmalerei

Auf lange Sicht hatten die Kreuzzüge, die in ihren eigentlichen Zielen gescheitert waren, Konsequenzen von großer wirtschaftlicher und kultureller Tragweite. Alte Handelswege lebten wieder auf. Die Konfrontation mit dem Islam führte bei aller Gegnerschaft doch zur besseren Bekanntschaft mit seiner Kultur und Wissenschaft, von denen der Westen später sehr profitierte.

Eine für den weiteren Verlauf der deutschen Geschichte wesentliche Folge der Kreuzzüge war die Gründung des Deutschen Ordens, eines geistlichen Ritterordens, der den militärischen Aspekt des Rittertums mit dem Mönchtum verband. Der Orden zog sich bald aus Palästina zurück und konzentrierte sich auf die christliche Bekehrung und teilweise Eroberung des östlichen Baltikums. Damit schuf er die Voraussetzungen für die deutsche Expansion nach Nordosten. Auf dem Höhepunkt seiner Macht beherrschte der Orden ein Gebiet, das bis nach Estland reichte.

Der südliche Teil, das spätere Ostpreußen, wurde von deutschen Bauern kolonisiert, während weiter im Norden eine kleinere deutschsprachige Oberschicht entstand, die das kulturelle Gesicht des Baltikums bis ins 19. Jahrhundert mitbestimmte.

Die Verstrickung der Kirche in weltliche Dinge führte sie auch in andere Konflikte. Die von der Kirche selbst geförderte allgemeine Religiosität ließ sich nicht immer von ihr lenken. So konnte sie über die weite Verbreitung religiösen Schrifttums nicht nur glücklich sein. In Deutschland gibt es eine besondere Tradition individualistischen und mystischen Schrifttums seit Hildegard von Bingen (1098-1179). Bei Meister Eckart (1260-1327), der in Paris, Straßburg und Köln lehrte, wird mystisches Denken in ein einflußreiches philosophisches System aufgenommen. Eckart starb, bevor einige Hauptsätze seiner Lehre vom Papst verdammt wurden.

Die Institution der Kirche wurde im Verlauf des Mittelalters von verschiedenen Protest- und Reformbewegungen in Frage gestellt. Manche Reformidee konnte von der Kirche assimiliert werden. So kam es zum Beispiel im 13. Jahrhundert zur Gründung der Bettelorden der Dominikaner und Franziskaner. Radikalere Häresien traten in Zeiten materieller Not auf. Sie reichten von der Selbstkasteiung extremer Büßerbewegungen (Flagellanten) bis zu den Jüngern verschiedener Führer, die behaupteten, der auferstandene Messias zu sein, und auf das unmittelbar bevorstehende Ende der Welt warteten. Sie wurden in der Regel mit entschiedener Gewalt unterdrückt. Im 14. Jahrhundert, als Europa von der Pest und von Hungerkatastrophen geplagt wurde, nahmen diese Häresien verstärkt zu, was die Einführung der Inquisition in Deutschland zur Folge hatte.

Zu den harmlosen Begleiterscheinungen dieser Religiosität gehört im hohen Mittelalter das Geschäft mit Reliquien, angeblichen Überresten von Heiligen, die eine große Attraktion für Pilger waren. An Wallfahrten zu den wichtigsten Reliquienstätten nahmen im späten Mittelalter immer größere Massen teil.

Romanische Kunst

Nirgends hat die Religiosität des frühen Mittelalters einen stärkeren Eindruck hinterlassen als in den alten romanischen Kirchen. Noch immer vermitteln die schweren Mauern dasselbe Gefühl von Beständigkeit und Zeitlosigkeit, das sie schon vor fast tausend Jahren von ihrer Umgebung abhob. Abgesehen von Befestigungsanlagen waren sie fast die einzigen Bauwerke, die aus Stein gebaut waren. Umgeben von Wohn- und Wirtschaftsgebäuden, die bestenfalls ein paar Generationen hielten, hoben die Kirchen schon durch ihre Bauweise den Gegensatz zwischen der Zeitlichkeit weltlicher Dinge und der Ewigkeit hervor. Die schweren Mauern boten den Zeitgenossen symbolische – mitunter auch praktische – Zuflucht in unsicherer Zeit. Im Inneren wiederholt sich der Gesamteindruck von Schwere und Masse, den das Äußere ausstrahlt.

Der Stil der Jahrtausendwende wird in der Kunstgeschichte als ‚romanisch' bezeichnet, um die Verbundenheit mit der Kunst und der Bautechnik der römischen Antike zu betonen. Die Grundform der romanischen Kirche ist eine Variation der traditionellen römischen Basilika. Diese ist eine längliche Halle mit zwei durch Säulen oder Pfeiler abgetrennten niedrigeren Seitenschiffen und einem halbrunden Anbau oder ‚Apsis' am östlichen Ende als Altarraum. In der romanischen Basilika wird durch den Zusatz von mindestens einem Querschiff die Kreuzform angedeutet. Über der Vierung, dem Raum, wo sich Hauptschiff und Querschiff kreuzen, baute man oft einen schweren Turm. Um diese Last zu tragen, mußten größere Abstände im Innern durch große Rundbögen überbrückt werden. Auch der Rundbogen gehört zum römischen Erbe. Er ist ein typisches Merkmal romanischer Architektur. Die Fensteröffnungen waren fast immer oben abgerundet. Viereckige Fenster hätten viel kleiner sein müssen und kein ausreichendes Licht ermöglicht. Es blieb dennoch genug Wandfläche übrig, die ausgemalt werden konnte.

Den Höhepunkt romanischer Bautätigkeit in Deutschland stellt das 11. Jahrhundert dar. Innerhalb weniger Generationen machte der Stil eine bedeutende Entwicklung durch. St. Michael in Hildesheim (1000-33) gehört zu den frühen Beispielen. Die besonders massiv ausgebaute Vierung, die aus einem großen Mittelturm und kleinen Seitentürmen besteht, wird über dem Eingang im Westen ziemlich genau wiederholt. Das verleiht der Kirche eine Symmetrie, die jedoch in der Romanik eine Symmetrie des Nebeneinanders bleibt und noch nicht die durchgeformte Ganzheit darstellt, die von den späteren Baumeistern der Gotik angestrebt wurde.

Als Bauherren waren zuerst die großen Klöster tätig. Um die Mitte des 11. Jahrhunderts wurden aber in Speyer, Mainz und Worms auf kaiserliche Initiative Dome gebaut, die zu den größten und prächtigsten romanischen Kirchen überhaupt zählen. Auf dem Höhepunkt des Investiturstreits in Auftrag gegeben, stellten sie eine versöhnliche Geste dar und erinnerten daran, daß der Konflikt zwischen Kaisertum und Papsttum politisch und nicht theologisch war.

Nach der Jahrtausendwende wurde der Kirchenbau auch für die Städte interessant. Mit den Kirchen errichteten die Städte ihre wichtigsten Statussymbole. In Köln gibt es gleich mehrere Beispiele der höchsten Entwicklungsstufe romanischer Baukunst. St. Aposteln, erbaut um die Wende zum 12. Jahrhundert, nutzt die rheinländische Tradition der Kleeblattanlage aus, wo das Querschiff durch zusätzliche

St. Michael, Hildesheim

halbrunde Apsiden zu beiden Seiten der Vierung ersetzt wird, um zu einer einmaligen Harmonie und Formvollendung zu gelangen. Groß St. Martin, zur gleichen Zeit errichtet, betont eher das Vertikale und prägt mit seinem großen Vierungsturm die Silhouette der Altstadt.

In den zwei Jahrhunderten nach dem Bau von St. Michael in Hildesheim wurden große bautechnische Fortschritte gemacht. Der Spitzbogen und das Rippengewölbe erwiesen sich als viel tragfähiger als der alte Rundbogen. Die stärkere Bauweise ermöglichte an Stelle der früher üblichen, aber brandanfälligen Holzdecke die Überwölbung des ganzen Innenraums. Von diesen Neuerungen wurde in den späten romanischen Kirchen reichlich Gebrauch gemacht. Dieselben technischen Neuerungen schufen aber auch die Voraussetzung für einen völlig neuen Baustil, der in Frankreich die Romanik bereits abgelöst hatte und bald auch in Deutschland einzog: die Gotik.

Die Malerei und Plastik der Romanik dienten wie die Architektur fast ausschließlich der christlichen Religion. Der größte Teil der Kunst wurde für den Gebrauch in den Kirchen und oft von den Mönchen selbst gemacht. Dabei handelt es sich keineswegs um reine Dekoration, auch wenn die Kunst selbst sehr dekorativ war. Die Kunst hatte die Aufgabe, die Bibelgeschichten und die Inhalte der christlichen Lehre anschaulich zu machen. So wie der Kirchenbau den Ernst und die Weltabgewandtheit des Glaubens verkörperte, so war auch in der Plastik und Malerei nichts Weltliches zu finden. Die frühmittelalterliche Plastik war ursprünglich auf kleinformatige Werke aus Edelmetall für Hof und Kirche beschränkt. Schon zur Karolingerzeit erreichte die Goldschmiedekunst im Umkreis des kaiserlichen Hofes einen sehr hohen Standard. Bildhauerarbeit in Stein kam etwas später auf und war zunächst auf die ornamentale Gestaltung der Eingangsportale und der Kapitelle beschränkt, welche die Pfeiler im Innern der Kirchen nach oben abgrenzten. Dort wurden nichtfigurative Motive, verschlungene Linien usw. bevorzugt. In den seltenen Figurendarstellungen ist, ähnlich wie in der Malerei, die starre, frontale Darstellung vorherrschend.

Von der Malerei der Zeit ist nur wenig erhalten, weil sie sich zum größten Teil an den Decken und Wänden der Kirchen befand und später mit oder ohne Absicht zerstört wurde. So viel ist aber bekannt, daß die Kirchen bis in die letzten Winkel ausgemalt waren. Die graue Eintönigkeit, die man heute von den alten Gebäuden gewohnt ist, entspricht gar nicht der farbenfreudigen Wirklichkeit des Mittelalters. Am besten erhalten ist die frühmittelalterliche Malerei im kleinen Format der Buchillustration. Hier, wie in den wenigen erhaltenen Decken- und Wanddekorationen der Kirchen, sind die Figuren stilisiert und werden frontal, ohne jede Bewegung gezeigt. Sie sollen in ihrer Ausdruckslosigkeit an das Jenseits erinnern.

Jede Körperlichkeit hätte das religiöse Gefühl der Zeit beleidigt. Diese Kunst steht noch in der frühchristlichen Tradition, die in der Natürlichkeit antiker Kunst eine sündige Verherrlichung des Diesseitigen sah. Daher wurde kein Versuch der Gefühlsdarstellung unternommen, sondern die Inhalte der dargestellten Geschichten und die Bedeutung der Figuren wurden durch wiederkehrende, dem Gläubigen bekannte Symbole ausgedrückt. Die Zuordnung der Figuren zueinander auf der Bildfläche hatte daher auch mit naturalistischen Raumvorstellungen nichts zu tun, sondern konnte als freies dekoratives Element gestaltet werden.

Das Rittertum und die höfische Literatur

Der Aspekt des Mittelalters, der die Phantasie der Nachwelt am meisten beflügelt hat, ist wohl das Rittertum. Der Ritterstand war nach der Jahrtausendwende eine relativ neue Erscheinung, die sich besonders bei den Kreuzzügen bewährte. Der Wechsel zwischen dem gelegentlichen militärischen Einsatz und langen Perioden des Müßiggangs machte die Ritter zu einer Gruppe, die besonders günstige Voraussetzungen für eine eigene kulturelle und literarische Entfaltung hatte. Ihrer literarischen Aktivität verdanken wir das relativ vollständige Bild, das wir heute vom Rittertum besitzen. Die literarische Überlieferung birgt jedoch auch die Gefahr der Verfälschung. Zwar lernt man aus der ritterlichen Literatur viel über die Interessen und Wertvorstellungen der Zeit, aber es handelt sich bei diesen Quellen um eine Literatur, die der Unterhaltung der Ritter diente und keineswegs realistisch sein sollte. So lernen wir das Leben der Ritter vor allem von der Festseite kennen, deren Glanz sich nicht unbedingt mit den unbequemen Räumlichkeiten, die wir aus den erhaltenen Burgen kennen, vereinbaren läßt. Vor allem was das ritterliche Ethos betrifft, ist es heute schwer, zwischen Wirklichkeit und Idealisierung zu unterscheiden. Das Bild des Ritters, das die romantische Rezeption von der mittelalterlichen höfischen Literatur übernommen hat, betont seinen Edelmut und seine Bereitschaft, für eine übergeordnete Sache zu kämpfen.

Die Literatur aus dem Umkreis des Rittertums ist die erste weltliche Literatur seit der Antike, die in einem repräsentativen Umfang erhalten ist. Beim allgemein vorherrschenden Analphabetismus war der mündliche Vortrag die übliche Verbreitungsform von Literatur. Von dieser Tradition ist der weitaus größte Teil verschwunden, aber die ritterliche Literatur des 12. und 13. Jahrhunderts griff auf diese mündlichen Überlieferungen zurück und hat viele Geschichten und Stoffe festgehalten, allerdings in der Form, die dem spezifischen Geschmack der ritterlichen Gesellschaft angepaßt war.

Die Literatur des hohen Mittelalters ist, sowohl was den Stoff als auch was die Form betrifft, eine überregionale Erscheinung, deren Zentrum in der südfranzösischen Provence lag. Bestimmte Geschichten, die wahrscheinlich aus den Liedern fahrender Spielleute überall bekannt waren, bilden die Grundlage der hochmittelalterlichen Epik. Den wichtigsten Stoffkreis stellen die Geschichten aus dem Umkreis des sagenhaften Königs Artus und seiner Tafelrunde dar. Zu diesem älteren, ursprünglich keltischen Stoff gesellte sich die christliche Legende vom heiligen Gral[2]. Indem die Ritter der Tafelrunde ein mystisches Ziel in der Gralssuche erhielten, bekamen ihre Bemühungen eine aktuelle Parallele zur Rolle der Ritter in den Kreuzzügen. Zu den erhaltenen Werken der mittelhochdeutschen Artusepik zählen Werke wie Hartmann von Aues *Erec* (um 1180-85), Wolfram von Eschenbachs *Parzival* (1200/10), Ulrich von Zatzikhofens *Lanzelet* (um 1205), sowie *Tristan und Isolt* von Gottfried von Straßburg (um 1210).

Im Gegensatz zur modernen bürgerlichen Literatur kam es bei der Dichtung des Mittelalters nicht auf Originalität an. Dieselben Geschichten wurden immer wieder um- und nachgedichtet. Die Artusromane und epischen Gedichte sind meistens eine relativ lockere Aneinanderreihung von Episoden, bei denen der Held immer wieder eine Probe zu bestehen hat. Die einmal gewonnene Ehre kann leicht wieder verloren gehen und muß daher immer wieder unter Beweis gestellt werden.

In einer anderen epischen Tradition steht das *Nibelungenlied*, das in der erhaltenen Version wahrscheinlich um 1200 niedergeschrieben wurde. Dieses Werk geht auf Ereignisse und Legenden der Völkerwanderungszeit zurück. Es verbindet die Siegfried-Legende mit der Vernichtung der Nibelungen durch die Hunnen unter ihrem König Attila. Obwohl diesem Werk sehr alte Heldendichtung zugrunde liegt, weist die erhaltene Fassung Merkmale literarischer Raffinesse auf, die erst auf dem Höhepunkt ritterlicher Kultur möglich war.

Ein zentrales Thema der höfischen Literatur ist die Minne (die Liebe zwischen Mann und Frau). Das ist ein ausgesprochen weltlicher Zug in einer Zeit, die so stark von der antierotischen Doktrin der Kirche dominiert wurde. Unter ‚Minne‘ ist eine mit bestimmen höfischen Konventionen ausgestattete erotische Beziehung oder Haltung zu verstehen. Als Minnedienst bezeichnet man die Verehrung der Burgfrau durch die Ritter am Hofe. Wieweit hinter der literarischen Überlieferung eine echte gesellschaftliche Praxis stand oder wieweit die gesellschaftliche Wirklichkeit hier bewußt poetisiert wurde, ist nicht gewiß. Die Form der Minnedarstellung in der

---

[2] Der Gral bedeutete ursprünglich die Schale, in der das Blut Christi bei der Kreuzabnahme aufgefangen wurde. Er wird in der Artuslegende zu einem wunderwirkenden Stein, den zu finden das höchste Ziel der Ritter ist.

Leuthold von Seven,
Manesse-Handschrift

mittelhochdeutschen Literatur ist ein Importprodukt französisch-provenzalischer Herkunft. Die Darstellung der Frau in der höfischen Minneliteratur betont ihre Sexualität, aber statt sie, wie in der christlichen Lehre in dieser Zeit üblich, zu verdammen, stellt sie die Frau als besonders verehrungswürdiges Wesen dar. Der ‚Minnedienst‘, bei dem der Ritter auf Abenteuerreisen, ‚aventiure‘, auszieht, um die Liebe der Burgherrin zu gewinnen, wird als akzeptabler Lebensinhalt dargestellt und dient in der Epik, aber wohl nicht im Leben, oft als Handlungsmotivation.

Der Minne war an den ritterlichen Höfen eine höchst eigenartige Lyrik gewidmet. Dieser ‚Minnesang‘ hatte seinen Ursprung in den Liedern provenzalischer Troubadoure. Im Unterschied zur höfischen Epik richtet sich die Minne des Minnesängers nicht an unverheiratete Frauen, sondern an die verheiratete Burgfrau. Daraus ergibt sich eine besondere erotische Spannung. Zu offen durften die Gedichte nicht sein – sie wurden im Beisein des Gatten vorgetragen – zurückhaltend in ihrem Lob durften sie auch nicht sein. Ein häufiges Schema der Minnelieder ist, daß sich der Sänger über die kalte Abfuhr beschwert, die er von der Frau erhält, während er selber vor Liebe verglüht. Die Frau ist erotisch begehrenswert, aber tugendhaft und daher unerreichbar. Das hört auch der Burgherr gern. Das ist ein besonders raffinierter Ausdruck der Untertänigkeit im Feudalismus. In der Fiktion von der unerfüllten und unerfüllbaren Liebe drückt der Sänger seinen Respekt vor der gesellschaftlich höher gestellten Frau aus.

Hohes Ansehen genoß der Minnesänger Walther von der Vogelweide (1168-1228), der sogar am kaiserlichen Hof verkehrte und außer Minnesang noch sogenannte Spruchdichtungen zu politischen Ereignissen schrieb.

Die weitere Entwicklung der Minnethematik ging in zwei Richtungen. In der einen wurde die Frau, weil unerreichbar, immer mehr zur Abstraktion. Die andere Richtung verlief genau entgegengesetzt und brachte die Frau als Mensch näher. Es entstand ein Dialog in der Atmosphäre von angedeutetem Ehebruch.

Gegen Ende des 13. Jahrhunderts fing das Rittertum an, rapide an Bedeutung zu verlieren. Das Zentrum literarischer Aktivität verlagerte sich zunehmend in die Städte. Die Stoffe und Gattungen ritterlicher Literatur wurden in neuer Umgebung für das neue Publikum immer weiter verändert, bis sie in der frühen Neuzeit in Form von Volksbüchern auftreten. Es ist das Verdienst von Philologen des 19. Jahrhunderts, daß die Texte in ihrer hochmittelalterlichen Gestalt wiederhergestellt wurden. Den Gipfel romantischer Mittelalterrezeption bilden die Opern Richard Wagners, der sich allerdings wenig um die authentische Überlieferung kümmerte. Obwohl das Rittertum ein typisches Phänomen der mittelalterlichen Gesellschaft ist, existierte es letztendlich ge-

Walther von der Vogelweide, Heidelberger Handschrift

sellschaftlich isoliert. Solange die Ritter im 12. und 13. Jahrhundert ihre besondere Funktion hatten, entstanden daraus keine großen Probleme. Spätestens aber mit der Verbreitung von Schußwaffen im 15. Jahrhundert hatten sich die Ritter überlebt. Nachdem sie ihre militärische Funktion verloren hatten, verschlechterte sich ihre wirtschaftliche Lage immer mehr. Ihr Besitz war oft zu klein, um aus ihnen verantwortungsvolle Gutsherren zu machen, und so ergänzten sie oft ihr Einkommen durch Raubzüge in der Nachbarschaft. Von der Entfremdung des Ritters in einer Welt, die ihn nicht mehr brauchte, erzählt Cervantes' *Don Quichote* (1605). Auch die deutsche Literatur kennt das Problem in Gestalt des *Götz von Berlichingen.* Über dessen vergeblichen Widerstand gegen den benachbarten Landesfürsten schrieb Goethe sein berühmtes gleichnamiges Drama.

Die Städte

Im späten Mittelalter verlagert sich der kulturelle Schwerpunkt immer mehr vom Land auf die Städte. Verbesserungen in der Agrartechnik seit dem 10. Jahrhundert hatten zu einem stetigen Bevölkerungswachstum geführt. Gleichzeitig entwickelten sich Wirtschaft und Handel, und die Städte konnten leicht den Bevölkerungsüberschuß vom Land aufnehmen. Der Urbanisierungsprozeß verlief am schnellsten in Flandern und Italien, wo Venedig nach dem Sturz Konstantinopels zur weitaus größten Stadt Europas wurde. Venedig beherrschte den Handel im ganzen östlichen Mittelmeer. Nördlich der Alpen war Paris im hohen Mittelalter die größte Stadt. In Deutschland waren die Städte in der Regel eher klein. Noch um 1300 hatten die meisten Städte nicht mehr als tausend Einwohner. Köln war mit 40000 Einwohnern die bei weitem größte Stadt im deutschen Sprachraum.

Die Erneuerung von Institutionen aller Art fing in den Städten an. Die neuen Orden der Dominikaner und Franziskaner, die in den Städten stark vertreten waren, trugen viel zur Entwicklung des Schulwesens bei. Es wurden Kathedralschulen, in einigen Städten sogar städtische Bildungseinrichtungen gegründet, denn mit der Zunahme des Handels wuchs der Bedarf an lesekundigen Laien. Die erste west-europäische Universität wurde 1158 in Bologna gegründet. Im 13. Jahrhundert bekam Paris eine Universität, wo auch die Gelehrten Deutschlands studierten. Im 14. Jahrhundert folgten auf dem Gebiet des Heiligen Römischen Reichs Universitäten in Prag, Wien, Heidelberg und Köln.

Die Städte genossen eine weitreichende Autonomie, und vielen gelang es, sich als ‚freie Reichstädte‘ ganz vom jeweiligen Landesfürsten zu lösen. Am stärksten waren die Städte, wenn sie Bündnisse bildeten. Zum einflußreichsten Städtebund entwickelte sich die Hanse, die sich in der Mitte des 14. Jahrhunderts von Köln über ihren Mittelpunkt Lübeck bis Riga erstreckte und Niederlassungen u. a. in London, Brügge und Nowgorod unterhielt. Im Ostseeraum monopolisierte die Hanse den Handel über mehrere Jahrhunderte und trug mit ihren Städtegründungen wesentlich zur Erschließung dieser noch unterentwickelten und dünn besiedelten Region Europas bei. Gewisse Ähnlichkeiten in der Struktur und im Stadtbild vieler Ostseehäfen zeugen heute von dieser gemeinsamen Vergangenheit.

Die Stadtbewohner waren im Vergleich zur Landbevölkerung im Vorteil, weil es in den freien Reichstädten keine feudalen Strukturen und somit keine Leibeigenschaft gab. Der Ausdruck ‚Stadtluft macht frei‘ hatte im Mittelalter diese ganz konkrete Bedeutung. In den Städten gab es jedoch eine eigene Klassenstruktur. Die Kaufleute und adligen Grundbesitzer bildeten im Patriziat über Jahrhunderte die

Holstentor, Lübeck

städtische Oberschicht. Die Handwerker, die die Mittelschicht bildeten, entwickelten im Zunftwesen ein umfassendes System sozialer Sicherheit, das ihnen auch politische Macht verlieh. Die Zünfte faßten alle Vertreter eines Handwerks zusammen, regelten die Preise und die Ausbildung, bestimmten, wer den Beruf ausüben durfte und kümmerten sich um die Altersversorgung ihrer Mitglieder. Oft stellten sie auch Kontingente für die gemeinsame städtische Verteidigung. Mit der Zeit kam es in vielen Städten zu Machtkämpfen zwischen den Zünften und dem Patriziat. Sie verschärften sich im 14. Jahrhundert, als das Wachstum der Städte durch Pest und Hungersnöte gebremst wurde.

Die Zünfte prägten u. a. mit der Aufführung von Volksstücken und Fastnachtsspielen auch das kulturelle Leben der Städte. In den Fastnachts- und Karnevalsgesellschaften vieler deutscher Städte ist heute noch die kollektive Struktur der mittelalterlichen Städtekultur erkennbar. An den Straßennamen älterer Städte kann man häufig noch erkennen, daß die einzelnen Zünfte bestimmte Straßenzüge bewohnten. Eine Metzgergasse oder eine Brotgasse gibt es in unzähligen Städten. Die heute noch übliche Laufbahn in handwerklichen Berufen vom Lehrling über den Gesellen zum Meister geht ebenfalls auf die mittelalterliche Ordnung zurück. Die

31

Wanderjahre, in denen ein Geselle verschiedene Werkstätten oft in mehreren Städten kennenlernte, waren ein wichtiger Teil dieser Ausbildung. Dieser Austausch trug dazu bei, die Produktionstechnik auf dem neuesten Stand zu halten, und spielt im Lebenslauf frühneuzeitlicher Künstler wie Albrecht Dürer eine wichtige Rolle. Am besten erhalten ist das Mittelalter im Stadtbild unzähliger kleiner und mittelgroßer Städte. Es weist einen harmonischen Zusammenhang zwischen den einzelnen Bauten und dem gemeinsamen städtischen Raum auf. Die wichtigsten Bauwerke waren die Kirchen. Das bürgerliche Leben in seiner Komplexität erforderte auch den Bau von Versammlungshallen, Rathäusern, Stapelhäusern und repräsentativen Wohnhäusern für die Patrizier. Sogar die Verteidigungsanlagen der Städte wurden im späten Mittelalter zu Statussymbolen ausgebaut. So wurden die Torburgen an den Einfahrten zu den Städten immer prachtvoller. Die vielleicht berühmteste deutsche Torburg, das Holstentor in Lübeck aus dem 15. Jahrhundert, hat niemals der Verteidigung, sondern nur der Repräsentation gedient.

Die Gotik

Der wichtigste und aufwendigste Ausdruck der Kultur blieb auch im späten Mittelalter der Kirchenbau. Je mehr die Städte an Bedeutung gewannen, desto mehr investierten sie in ihre Dome und Kathedralen. Dombauprojekte förderten die kollektive Identität der Bürger und waren sehr wichtig für die Wirtschaft, weil sie viele Arbeitsplätze schufen. Die Bauhütten, die alle Beschäftigten beim Dombau zusammenfaßten, zogen weiteren Handel und Handwerk an.

Mit dem Aufstieg der städtischen Kultur vollzog sich ein einschneidender Stilwechsel. Die Schwere und Statik der Romanik, die auf so einprägsame Art den rigiden Charakter der feudalistischen Agrargesellschaft festzuhalten scheint, wich einem leichteren, schwungvollen Stil. Die gotische Kathedrale macht auf den Eintretenden einen ganz anderen Eindruck als der romanische Dom. Da, wo dem Betrachter in der romanischen Kirche schweres Mauerwerk begegnet, öffnet sich in der Gotik ein von eigenartigem Licht durchfluteter Raum. Vertikale Linien bestimmen das Bild. Der Blick wird leicht nach oben gelenkt zu den großen Fenstern, welche die obere Hälfte des Kirchenraums umschließen. Man hat den Eindruck, als seien die Wände ganz aus Glas, denn die Decke wird nur noch von vergleichsweise schmalen Pfeilern getragen. Wo die romanische Kirche Beständigkeit und Festigkeit ausdrückt, verkörpert die gotische Transzendenz.

Dieser mystische Eindruck ist die Folge von wichtigen technischen Entwicklungen in der Statik. Die Gotik verwendet zur Überbrückung leerer Räume grundsätzlich den Spitzbogen, der mindestens so stark und bedeutend flexibler ist als der Rundbogen. Indem die Möglichkeiten des Spitzbogens überall eingesetzt wurden, konnte das Mauerwerk weitgehend auf die tragenden Pfeiler reduziert werden. Der Bau konnte durch ein zunehmend komplizierteres System von Stützen und Streben an der Außenseite weiter verstärkt werden. Doch wurde dieses komplizierte Geflecht zu einem harmonischen Ganzen ausgearbeitet. Innenraum und Außenraum ergänzen sich. Licht und Schatten spielen auch auf der Außenseite mit der Architektur mit und täuschen Leichtigkeit vor.

Von der harmonischen Ganzheit des gotischen Stils ließ sich der junge Goethe überraschen, der von allen Vorurteilen der Aufklärung und des Klassizismus geprägt war, als er mit dem „Kopf voll allgemeiner Erkenntnis guten Geschmacks" und in Erwartung „eines mißgeformten, krausborstigen Ungeheuers"[3] das Straßburger Münster besuchte. Beim Anblick des Münsters mußte Goethe seine Vorurteile revidieren:

> „Ein ganzer, großer Eindruck füllte meine Seele, den, weil er aus tausend harmonierenden Einzelheiten bestand, ich wohl schmecken und genießen, keineswegs aber erkennen und erklären konnte. Sie sagen, daß es also mit den Freuden des Himmels sei..."[4]

Der Aufsatz, in dem Goethe diese Empfindungen beschreibt, nimmt die positive Einstellung der Romantik zur Gotik vorweg. Sein stilgeschichtlich nicht ganz zutreffender Titel *Von deutscher Baukunst* enthält den Keim eines neuen Mißverständnisses, denn die Verknüpfung des mittelalterlichen Kunstwerks mit dem modernen Begriff der Nation übersieht den gesamteuropäischen Zusammenhang mittelalterlicher Kultur im allgemeinen und die französische Herkunft der Gotik im besonderen.

Die Gotik kam erst relativ spät nach Deutschland. Die Romanik war der typische Baustil des Heiligen Römischen Reichs, als dieses noch politische Bedeutung hatte, und man nahm nur zögernd von ihm Abschied. Als erste rein gotische Kirche in Deutschland wurde die Elisabeth-Kirche in Marburg an der Lahn gebaut (1235-83). Sie hat im Westen eine typische Doppelturmfassade, wo der Eingang von zwei relativ schmalen, spitzen Türmen flankiert wird. Im Innern sind die Wände wie in der französischen Gotik durch flächenfüllende Fenster aufgelöst. Trotzdem bietet der Innenraum einen etwas anderen Anblick als die großen Kathedralen Nordfrankreichs oder der Kölner Dom, denn die Betonung der vertikalen Linie wird dadurch abgeschwächt, daß die Seitenschiffe genau so hoch sind wie das Hauptschiff

---

[3] Goethes Werke. Hamburger Ausgabe Bd.XII, S.10f.
[4] ebenda

und die Pfeiler bis zur Decke reichen. So entsteht der Eindruck einer geräumigen Halle. Die Fensterreihen direkt über dem Hauptschiff, die sonst den mystischen Laterneneffekt verstärken, fehlen. Diese Art Hallenkirche ist in Deutschland weit verbreitet.

Kölner Dom

Das reinste Beispiel des gotischen Stils, wie er sich in Frankreich entwickelt hatte, ist der Kölner Dom. Der 1248 begonnene Bau war das ehrgeizigste Projekt des ganzen Mittelalters. Er sollte an Höhe und Größe alle anderen Kirchen übertreffen. Als Hauptstück wurde der Chor, an sich schon ein sehr eindrucksvoller Bau, vollendet. Im krisengeschüttelten 14. Jahrhundert verlangsamte sich das Bautempo und kam in der frühen Neuzeit ganz zum Erliegen. Als Torso, bestehend aus dem Chor und einem halben Turm, jahrhundertelang von einem untätigen Kran gekrönt, war der Dom das Wahrzeichen der Stadt, als die Romantiker das öffentliche Interesse auf die Gotik lenkten. Seine Fertigstellung im 19. Jahrhundert wurde von der preußischen Regierung im Sinne eines nationalen Kulturdenkmals beschlossen. Der Gesamteindruck dieses Baus dürfte, trotz der späten Fertigstellung, weitgehend den Vorstellungen der ersten Baumeister entsprechen. Der fünfschiffige Bau hat ein sehr hohes Mittelschiff, das von den hochgelegenen Fenstern viel stärker beleuchtet wird als die vier Seitenschiffe. Durch diesen Kontrast von Licht und Schatten wird der Altarraum besonders betont.

Der Kölner Dom ist jedoch eine Ausnahme in der deutschen Architektur. Die deutsche Gotik setzt eigene Akzente. Zu den Besonderheiten gehört die Häufigkeit der mehrschiffigen Hallenkirchen. Der Turmbau hat eine besondere Bedeutung. Oft wird anstelle der aus Frankreich bekannten Doppelturmfassade, wie sie in Marburg oder Köln vorhanden ist, ein einziger unverhältnismäßig hoher Turm wie in Freiburg oder in Ulm[5] gebaut. Mit der Zeit wurde die Steinmetzarbeit immer kühner. Die Turmkrone des Freiburger Münsters ist ein hohles, durchsichtiges und äußerst kompliziertes Geflecht, das vergessen läßt, daß es überhaupt aus Stein ist. Regionale Unterschiede sind sehr deutlich. Im Norden führte das Fehlen eines geeigneten Steins zur Entwicklung der Backsteingotik, die das Gesicht Lübecks und vieler hanseatischen Städte prägt. Diese behält zwar die Grundzüge der gotischen Form bei, aber die relative Schwäche des Materials ermöglicht die vollständige Auflösung der Wände nicht in demselben Maße wie die Sandsteingotik. Der Stilwechsel zur Gotik hatte direkte Konsequenzen in der Malerei und Plastik. Die Steinplastik der Romanik hatte sich weitgehend auf Wandreliefs und die Ausschmückung von Kapitellen beschränkt. In der Gotik entstanden selbständige Figuren. Manchmal wurden ganze Portale mit Figuren ausgeschmückt. Ein prachtvolles Beispiel ist die von Goethe bewunderte Westfassade des Straßburger Münsters. In der Praxis reichten in Mitteleuropa die finanziellen Mittel selten für so aufwendige Fassaden. Einzelstücke aus Holz oder Stein waren mehr gefragt. Da die

---

[5] Wie der Kölner Dom wurde auch das Ulmer Münster mit seinem noch höheren Turm erst im 19. Jahrhundert fertiggestellt.

Hochgotik die Körperfeindlichkeit der Romanik nicht mehr teilte, wurden die Figuren realistischer und ausdrucksvoller. Die einzelne Figur gewann in der Folge an Eigenständigkeit.

Auch die Malerei mußte sich den Erfordernissen der neuen Architektur anpassen. Je größer die Fenster wurden, desto weniger Wandfläche bot sich zum Bemalen an. Dafür wurden die Fenster dekoriert. Die Glasmalerei trägt wesentlich zum besonderen Lichteffekt der Hochgotik bei. In dieser Phase handelt es sich nicht um Malerei im eigentlichen Sinne, sondern um mosaikförmige Kompositionen aus durchgefärbtem Glas. Die Bleifassungen spielten bei der Komposition eine wichtige Rolle, und die Bevorzugung reicher Blau- und Rottöne verstärkte den Eindruck, daß nicht Licht von außen durch die Fenster scheint, sondern diese von sich aus leuchten. Später wurden hellere Farben bevorzugt und schließlich einfach Farbe auf das helle Glas aufgetragen, wodurch der unwirkliche Effekt entschieden abgeschwächt wurde.

Als weiteren Ersatz für die Wandmalerei gewann die Tafelmalerei an Bedeutung. Anstelle der Ausmalung der Apsis wurde nun hinter dem Altar eine Gemäldetafel aufgestellt. In Deutschland entwickelte sich die Kunst auf diesem Gebiet relativ spät, aber aus dem 14. und 15. Jahrhundert stammen prächtige Flügelaltäre, die durch Auf- und Zuklappen der Seitenflügel dem Verlauf des Kirchenjahres angepaßt werden konnten. Oft wurden an einem Altar Holzschnittarbeiten mit den gemalten Bildern kombiniert.

Der Verzicht auf Wandmalerei änderte die Arbeitsbedingungen der Maler grundlegend. Sie waren nun nicht mehr an die Baustelle gebunden und konnten in eigenen Werkstätten und an mehreren Werken gleichzeitig arbeiten. Mit der Entwicklung der Tafelmalerei kam es zu einer größeren Spezialisierung und einer deutlichen Verbesserung der Qualität. Im Verlauf des 14. und 15. Jahrhunderts entwickelten sich Köln und der Niederrhein zu besonders wichtigen Zentren sakraler Kunst.

Der städtische Standort und die bürgerliche Einstellung der Künstler beeinflußten allmählich Stil und Inhalt der Werke. Handwerkliches Können äußerte sich in einer neuen Beschäftigung mit dem realistischen Detail. Auch wenn der eigentliche Gegenstand der Bilder weiterhin religiös blieb, so zeigten sie im Detail immer mehr vom spätmittelalterlichen Alltag.

3 Der Übergang zur Neuzeit

Erkenntnis der Sphären, Holzschnitt, 16. Jahrh.

Im 15. Jahrhundert wurde eine allgemeine Schwächung der mittelalterlichen Institutionen und des mittelalterlichen Weltbildes sichtbar. Die Krisen des 14. Jahrhunderts waren überwunden, und in den Städten lösten frühkapitalistische Strukturen allmählich die alten Strukturen ab. Bankhäuser wie das sehr reiche Haus Fugger in Augsburg wurden gegründet. Die Stellung der Kirche änderte sich ebenfalls. In einem langen Prozeß wurde ihre Autorität immer mehr in Frage gestellt, bis die religiöse Einheit in der Reformation schließlich zerbrach.
Eine deutliche Abkehr von mittelalterlichen Vorstellungen machte sich zuerst in der Renaissance in Italien bemerkbar. Das Wort Renaissance bedeutet Wiedergeburt und erweckt die Vorstellung, als wäre das geistige Potential der Menschheit

nach dem langen Winterschlaf des Mittelalters wiedererwacht. Ganz so schlagartig war der Bruch mit dem Mittelalter zwar nicht, aber gewisse Voraussetzungen für das moderne Bewußtsein wurden in dieser Zeit geschaffen. Das Mittelalter hatte den Menschen als sündiges Wesen betrachtet, das erst im Glauben und im christlichen Kollektiv sein Heil finden konnte. Nun rückte die Renaissance den Eigenwert des Menschen als Individuum mehr in den Vordergrund.

Entsprechend änderte sich das Verhältnis des Menschen zu seiner Umwelt. Der frühmittelalterliche Denker wollte das göttliche Wunder der Schöpfung intellektuell erfassen und bediente sich dazu der Schriften, die ihm den Zugang erleichterten. Der neuzeitliche Renaissance-Wissenschaftler hatte das pragmatischere Ziel, sich die Schöpfung durch bessere Kenntnis der Naturgesetze nutzbar zu machen. Die wissenschaftliche Arbeit der Renaissance wurde nicht mehr in der Isolation des Klosters, sondern in der städtischen Gemeinschaft, in der Nachbarschaft des Handwerks betrieben.

Die technologische Aufgeschlossenheit der städtischen Gesellschaft zeigt sich an der Verbreitung großer mechanischer Uhren nach ihrer Erfindung im 14. Jahrhundert. Das Abzählen der Stunden war für die Stadtbewohner von praktischem Nutzen. Die raffiniertesten Uhren jener Zeit leisteten aber weit mehr. Die große astronomische Uhr im Straßburger Münster war ein Fest der Mechanik und ein Statussymbol für die ganze Stadt.

Weitere technische Entwicklungen zeugen vom neugewonnenen Vertrauen in die Möglichkeiten menschlichen Tuns. Die Verbreitung von Feuerwaffen machte sowohl das Rittertum als auch die mittelalterliche Burg sinnlos und daher überflüssig. Stärkere Schiffe und bessere Navigationsinstrumente, die im 15. Jahrhundert entwickelt wurden, ermöglichten die Überseeschiffahrt. So konnte die These, daß die

Welt vielleicht rund ist, überprüft werden. Die spektakulärste Folge dieser Entwicklung ist die Entdeckung Amerikas durch Kolumbus im Jahre 1492. Wenig später erfolgte die erste Weltumsegelung durch Magellan.

Der eigentliche Zweck der Entdeckungsreisen mit dem Schiff war ein wirtschaftlicher. Man suchte neue Handelswege in den Orient, die trotz der

Kontor und Warenlager eines
Großkaufmanns, Holzschnitt

längeren Strecken in der Praxis schneller und billiger sein sollten als der Landweg, weil sich dadurch Zölle und Umladungen vermeiden ließen. Die langfristige Folge dieser Entwicklung war die Verlagerung des wirtschaftlichen Schwerpunktes Europas an die Atlantikküste und die Abnahme des Überlandhandels zwischen Italien und dem europäischen Norden und Nordwesten zum Nachteil der deutschen Handelsstädte. Der Entdeckung neuer Kontinente entsprach im geistigen Leben eine enorme Erweiterung des Buchangebots, die durch die Erfindung einer praktikablen Buchdrucktechnik möglich geworden war. Damit war ein wesentliches Hemmnis wissenschaftlichen und technischen Fortschritts beseitigt. Solange alles von Hand geschrieben werden mußte, waren die meisten Bücher nur in begrenzter Zahl vorhanden, oft nur in einem einzigen Exemplar. Zu erfahren, wo ein Text aufzufinden war, den ein Gelehrter gerade suchte, war oft nahezu unmöglich. Zwischen Klosterbibliotheken gab es in Ausnahmefällen einen primitiven Leihverkehr, aber dafür mußten die Texte eigens kopiert werden, und der Arbeitsaufwand war jedesmal enorm. Den technischen Durchbruch brachte die Erfindung des Mainzer Druckers Johannes Gutenberg (1397-1468). Buchstaben wurden in Blei gegossen und waren mehrfach verwendbar. Das neue Verfahren hatte gegenüber der früher schon bekannten und in der Tuchindustrie verwendeten Drucktechnik mit einfachen Holzblöcken den Vorteil, daß die Auflagen steigen und die Produktionskosten durch die Wiederverwendbarkeit der Buchstaben drastisch gesenkt werden konnten. Jetzt konnten neue Ideen ungleich schneller verbreitet werden.

Der Weg zur humanistischen Wissenschaft

Der Wandel in der Grundhaltung der Wissenschaft war ein langsamer Prozeß, dessen Wurzeln weit zurück ins Mittelalter reichen. Jahrhundertelang hatten die Klöster für den Fortbestand der literarischen Kultur gesorgt. An Bildungsinhalten hatte die Kirche – neben der eigenen theologischen Doktrin – mehr oder weniger die traditionellen Fächer der römischen Erziehung aus der Antike übernommen. Klassische Autoritäten wie Aristoteles wurden respektiert. Das kirchliche Monopol sicherte zwar den Fortbestand klassischer Bildung, aber für die Bildungsinhalte hatte es nicht nur positive Konsequenzen. Methodisch bestand das Studium in der Lektüre von ausgewählten Texten bestimmter Autoren. Da als sprachliches Ideal das klassische Latein der Zeit Ciceros und Vergils bewundert wurde, mußten auch Texte nicht-christlicher Autoren gelesen und natürlich auch kopiert werden. Im Verhältnis zu diesen Texten herrschte eine kaum zu verbergende Doppelmoral. Dieselben Texte, die ihrer vorbildlichen Sprache wegen gelesen wurden, galten inhaltlich

39

als unmoralisch und verwerflich. Dieser moralische Vorbehalt hemmte den kritischen Umgang mit dem Material und schloß eine Beschäftigung mit der Wirklichkeit hinter den Texten weitgehend aus.

Das geschriebene Wort wurde, sofern es nicht im Widerspruch zur christlichen Moral stand, grundsätzlich nicht in Frage gestellt. Dieser von der Neuzeit oft als Kritiklosigkeit belächelte Respekt vor dem geschriebenen Wort ist in Anbetracht der Mühe, die mit der Buchproduktion verbunden war, verständlich. Wo in einem Text Widersprüche zu den akzeptierten Autoritäten auftraten, versuchte man, lange am Text herumzudeuten, bis eine Interpretation gefunden war, die alle Widersprüche in sich aufhob. Dieses dialektische Denken wurde von der Scholastik im hohen Mittelalter perfektioniert. Die empirische Kontrolle, d.h. die Überprüfung der jeweiligen Thesen an der Sache, wurde dagegen vernachlässigt, denn auch die Scholastik war am Funktionieren der diesseitigen Welt wenig interessiert. Ihr ging es vielmehr um das Verhältnis des Diesseitigen zur Ewigkeit.

Die mittelalterliche Scholastik berief sich auf eine Logik, die sie von Aristoteles herleitete. Die Kenntnis der Schriften von Aristoteles war aber bis ins 12. Jahrhundert hinein recht lückenhaft. Dann wurden durch arabische und jüdische Wissenschaftler Schriften von Aristoteles vermittelt, die bisher im Westen unbekannt waren und nun zu einer grundlegenden Revision des vorherrschenden Aristotelesbildes führten. Die Kirche stemmte sich zunächst gegen diesen ‚neuen' Aristoteles;

ihr genereller Vorbehalt gegenüber heidnischen Einflüssen galt auch gegenüber der islamischen Wissenschaft, die aber im Mittelalter auf einem viel höheren Stand war als die westliche. Unter Thomas von Aquin und dem Kölner Dominikaner Albertus Magnus (1193-1280) bemühte sich die Scholastik, die neu entdeckten Schriften mit den Lehrsätzen der Kirche zu harmonisieren.

Eine weitere Erschütterung des mittelalterlichen Weltbildes brachte das Werk des deutschen Bischofs Nikolaus von Kues (1401-64) mit der Vorstellung, daß der Kosmos unendlich sei und

Thomas von Aquin

nicht, wie bisher geglaubt wurde, eine feste Schale um die Erde. So begann das alte ptolemäische Weltbild zu wanken, bevor es von Kopernikus widerlegt wurde. Dieser Schritt war nicht möglich ohne die allmähliche Lösung der Wissenschaft von der Kirche.

In der Zeit der Renaissance entstand eine kleine gelehrte Elite, die sogenannten Humanisten, die nicht unmittelbar im Kirchendienst stand und für die die Wissenschaft selbst zum Standesmerkmal wurde. Sie brachte neue Werte in die Wissenschaft und begnügte sich nicht mehr damit, die als bekannt vorausgesetzte Wahrheit zu interpretieren. Größere Unabhängigkeit von kirchlichen Institutionen bedeutete jedoch nicht weniger Interesse an religiösen Dingen. Mit neuem, kritischem Blick wandte sie sich auch den alten kirchlichen Texten zu. Der Wunsch nach einer genaueren Kenntnis der Bibelquellen führte zu einer Beschäftigung mit der griechischen und der hebräischen Sprache. Das wissenschaftliche Studium dieser Sprachen wurde in Deutschland von Johannes Reuchlin (1455-1522) eingeführt. Reuchlin, neben Erasmus von Rotterdam einer der namhaftesten Humanisten nördlich der Alpen, geriet in einen langen Streit mit den Kölner Dominikanern. Der Fall veranlaßte einen weiteren Zeitgenossen, Ulrich von Hutten (1488-1523), zu einem satirischen Angriff auf die Geistlichkeit. In seinen *Dunkelmännerbriefen* (*Epistolae obscurorum virorum*) kritisiert er den Obskurantismus der traditionellen Wissenschaft. Der Streit zeigt, mit welchen machtpolitischen Widerständen eine aufgeschlossene Wissenschaft zu rechnen hatte.

Den Gelehrten der Renaissance mißtraute nicht nur die Geistlichkeit, sondern auch das Volk. Der Anbruch des wissenschaftlichen Zeitalters war trotz sichtbarer technologischer Fortschritte eine Zeit, in der Aberglaube und religiöse Hysterie grassierten. Die Angst vor dem Teufel und den dunklen Mächten war groß, die Grenze zwischen Wissenschaft und schwarzer Magie nicht überschaubar. Die Naturwissenschaft selbst mußte erst noch den objektiven Rahmen ihrer Arbeit finden. Die Chemie hatte sich noch nicht von der Alchimie, die Astronomie nicht von der Astrologie gelöst. Für den Laien war das Treiben der Forscher unergründlich. Der Gedanke, daß der Teufel seine Hand im Spiel haben könnte, lag bei jeder Neuerung nahe. Als die ersten gedruckten Bücher erschienen, glaubten manche, daß nur der Teufel mehrere ganz identische Exemplare eines Buches herstellen konnte. Auch der von den Humanisten bevorzugte Gebrauch der lateinischen Sprache war wenig vertrauenerweckend. Konnte die Sprache der Kirche und des Gottesdienstes außerhalb des vertrauten Rahmens nicht für unheilige Dinge mißbraucht werden? In dieser Atmosphäre entstand die Legende des Doktor Faust, der seine Seele dem Teufel verkauft, um Wissen und Macht zu bekommen. Diese Geschichte fand im 16. Jahrhundert als Volksbuch in deutscher Sprache große Verbreitung. Seitdem haben unzählige Dichter und Komponisten den Stoff, der auf besonders prägnante Weise die Situation des neuzeitlichen Menschen symbolisiert, verarbeitet. Zu den wichtigsten Versionen gehört Goethes 1831 fertiggestelltes zweiteiliges Drama *Faust.*

Die Entstehung der Faust-Legende zeugt von der Hysterie und Verunsicherung breiter Teile der Bevölkerung am Vorabend der Reformation. Diese Stimmung läuft dem neuen Rationalismus der Wissenschaft zuwider. So nahmen gerade im 16. und 17. Jahrhundert die Hexenverfolgungen zu. Eines der einflußreichsten Bücher jener Zeit war der *Hexenhammer (Malleus mallificarum)*, ein von der Inquisition gebrauchtes Handbuch zur Erkennung und Verurteilung von Hexen.

Die Kunst der Dürerzeit

Wie die Wissenschaft, so ist auch die Kunst der Renaissance von einem neuen Geist durchweht. In den reichen Städten Norditaliens entsteht zum ersten Mal seit der Antike ein breiterer weltlicher Kunstmarkt. Die Künstler genießen in der italienischen Gesellschaft eine geachtete Stellung, die ihnen Mut zu Innovationen macht.

Unabhängig von der Kirche kann die Kunst leichter nichtreligiöse Inhalte und Anregungen aufnehmen. So kann eine Ästhetik entstehen, die den Eigenwert des Menschen auf eine neue Weise betont. Besonders gefragt in dieser Zeit des erwachenden bürgerlichen Selbstbewußtseins sind Porträts mit der Darstellung landschaftlicher Details als Hintergrund, und so setzt sich eine genauere Beobachtung der Natur durch. Außerdem entsteht eine allegorische und mythologische Malerei, die der intellektuellen Entwicklung der Zeit entspricht und sich der Antike zuwendet.

Von der klaren Formgebung und den einfachen Linien antiker Bauten läßt sich vor allem die italienische Architektur inspirieren. Über die Architektur dringt diese klare Formgebung weiter in die Malerei und Plastik. Im Gegensatz zum mittelalterlichen Nebeneinander der Figuren versucht die Kunst der Renaissance, den räumlichen Zusammenhang des Dargestellten zu gestalten. Dabei wird die mathematische Perspektive entdeckt, die es ermöglicht, die Illusion von Tiefe in der Malerei herzustellen.

Nördlich der Alpen ist der Bruch mit den Traditionen der mittelalterlichen Kunst nicht so abrupt. Der weltliche Kunstmarkt entwickelt sich in Deutschland viel langsamer als in Italien. Im 15. Jahrhundert ist die Kirche weiterhin der wichtigste Auftraggeber für eine Kunst, die angesichts der traditionellen Aufgaben auch zu traditionellen Lösungen neigt.

Die Architektur der deutschen Renaissance ist ebenfalls traditioneller. Zwar betonen die Bürgerhäuser des 15. und 16. Jahrhunderts am Detail der Fenstergestaltung und des Ornaments die Proportionen und die geometrische Klarheit, aber in der Gesamtkonzeption wird das traditionelle mittelalterliche Giebelhaus in die Neuzeit hinein übernommen.

In der Malerei und Plastik macht sich der Einfluß der Renaissance zunächst ebenfalls im Detail bemerkbar. In der Altarmalerei der niederrheinischen Schule zu Beginn des 15. Jahrhunderts sind Figuren zu sehen, die nichts mehr mit den starren, vergeistigten Gestalten des frühen Mittelalters gemein haben. Auch die Detailgestaltung der Hintergründe nimmt immer realistischere Züge an. Der Gesamteindruck wird aber noch lange vom mittelalterlichen Nebeneinander der Figuren und Motive beherrscht.

Ein wichtiger Meister des Übergangs ist der Kölner Maler Stephan Lochner (1410-51), von dem ein Altar im Kölner Dom steht. Seine Figuren sind meisterhaft in ihrer Plastizität, die Stofflichkeit seiner Gestaltung von Kleidern ist einmalig. Aber auch Lochner ging es noch nicht um die Abbildung eines Ausschnittes aus der Wirklichkeit, wie wir es aus der neuzeitlichen Malerei gewohnt sind. Die Gruppierung der Figuren sowie die Vorherrschaft des Dekorativen bei der Gestaltung der Hintergründe sind noch fest in der Gotik verwurzelt.

Ein halbes Jahrhundert später erreichte die deutsche Plastik in den Altären von Tilman Riemenschneider (1460-1531) ihren Gipfel. Seine Kunst ist noch weitgehend religiös und steht an der Nahtstelle zwischen Mittelalter und Neuzeit. Seine Figuren, ob aus Holz oder Stein, scheinen die Eigenschaften des jeweiligen Materials aufzuheben. Die Kleider scheinen ganz frei in natürlichen Falten zu fallen und suggerieren den Körper, den sie bekleiden. Zugleich entsteht ein Eindruck von Bewegung, der dem starren Material widerspricht.

Die Generation Riemenschneiders verkörpert einen seltenen Höhepunkt in der deutschen Kunstgeschichte und markiert den endgültigen Durchbruch der Renaissance in Deutschland. Der Künstler jedoch, der vielleicht am eindrucksvollsten den Geist der Renaissance und des Humanismus verkörpert, ist Albrecht Dürer (1471-1528). Als Sohn eines Nürnberger Goldschmieds wuchs er im Handwerkermilieu auf. Seine Lehrjahre als Maler führten ihn bis nach Italien. In Venedig, wo er die Werkstatt Giovanni Bellinis besuchte, des Lehrers von Tizian und Giorgione, lernte er nicht nur die zeitgenössische italienische Kunst kennen, sondern erfuhr auch, welche gesellschaftliche Achtung den italienischen Künstlern generell zuteil wurde. Zuhause in Nürnberg hatte er dann Kontakt mit den führenden Humanisten der Stadt und versuchte, seine eigene Kunst durch ausführliche mathematische und ästhetische Studien auf eine wissenschaftliche Grundlage zu stellen.

Albrecht Dürer,
Selbstbildnis (1498)

Unter den zahlreichen Zeichnungen, die neben Dürers Schriften dieses ‚Studium' belegen, befinden sich mehrere kleine Meisterwerke – etwa die naturgetreue Darstellung von Gräsern, kleinen Tieren, einem Käfer oder Eichhörnchen, oder einem einfachen Händepaar. Dürer experimentierte mit neuen Techniken und hielt seine Reiseeindrücke in Aquarellen fest. Sie gehören zu den frühesten Werken in diesem Medium und stehen ganz am Anfang der modernen Landschaftsmalerei.

Seine wichtigsten Aufträge erhielt Dürer für Altäre und Porträts. Die großen Altäre zeigen ihn als Meister der für die Renaissance charakteristischen geometrisch-perspektivischen Konstruktion. Auch sein Umgang mit Farbe ist von seinen Italien-Erfahrungen geprägt.

Als neue Kunstgattung hatte das gemalte Porträt im 15. Jahrhundert Verbreitung gefunden. Es ist ein Ausdruck des selbstbewußten individualistischen Geistes der Renaissance. Dürers charaktervolle Bildnisse waren sehr gefragt. Zu den Zeitgenossen, die er porträtierte, gehören Kaiser Maximilian und der Humanist Erasmus von Rotterdam. Dürer hat auch mehrere Selbstbildnisse hinterlassen, die sein souveränes Selbstbewußtsein bezeugen.

Um die Wende zum 16. Jahrhundert war die gedruckte Graphik sehr verbreitet. Die Buchillustration war ein wesentlicher Bestandteil des mittelalterlichen Buches, und man war nicht bereit, ganz darauf zu verzichten. Man konnte aber die mittelalterlichen Lösungen nicht einfach auf das gedruckte Buch übertragen, denn dazu fehlte einfach die Hauptvoraussetzung, die Farbe. Was an visuellen Möglichkeiten dadurch verloren ging, mußte durch zeichnerische Technik kompensiert werden. Auf diesem Gebiet liegt vielleicht Dürers wichtigste Leistung.

Die anfangs am weitesten verbreitete Technik war der Holzschnitt, bei dem das Bild in einen Holzblock hineingeschnitten wurde. Das Ergebnis war in der Regel eine betont lineare Kunst, bei der die Umrisse der Gegenstände deutlich hervorgehoben wurden. Dürers Geschicklichkeit setzte neue Maßstäbe. Durch die Führung möglichst vieler Linien dicht beieinander erhielten die Bilder den Eindruck von

Licht und Schatten, der zusammen mit der perspektivischen Zeichnung die Tiefe hervorhob. Dürer schuf in dieser Technik drei große Bücher: illustrierte (lateinische) Textausgaben der Passion Christi und der Apokalypse sowie ein Marienleben. Die Linearität des Holzschnitts war für die dramatische Illustration von Texten ideal. Für ruhigere, kontemplative Bilder eignete sich der Holzschnitt weniger. Dürer beherrschte auch den viel differenzierteren Kupferstich. Die größere Präzision dieses Mediums ermöglicht hauchdünne Linien und sämtliche Schattierung zwischen ganz weiß und ganz schwarz. Bei Dürers berühmter Darstellung von *Adam und Eva* vergißt der Betrachter leicht, daß das Bild eigentlich nur aus Linien gemacht ist. Die Figuren treten abgerundet und plastisch aus dem Hintergrund hervor. Das Bild zeigt auch die vielfältige Symbolik, die für den Intellektualismus Dürers charakteristisch ist. Vom Geist der angehenden Neuzeit sind auch die Darstellung des *Heiligen Hieronymus in der Zelle* sowie die enigmatische *Melancholie* erfüllt.

Dürers letztes Werk sind die *Vier Apostel*, gemalt auf zwei längliche, ursprünglich als Altarflügel gedachte Tafeln. Die letzten Spuren des Mittelalters sind hier verschwunden, die Figuren vom neuen Ernst des Protestantismus erfüllt. Dürer war, trotz einer nominellen Funktion am katholischen kaiserlichen Hof, zur Reformation übergetreten. Im Lichte der Reformation gesehen, fällt das Moderne an Dürers Darstellung religiöser Themen insgesamt auf. Seine Kunst ist nicht, wie die der Gotik, die Fortsetzung und Vollendung einer bewährten Tradition, sondern stellt die individuelle Sinnsuche eines modernen Menschen dar.

Die religiöse Krise beim Ausbruch der Reformation war sowohl eine individuelle als auch eine gesamtgesellschaftliche. Ihren extremsten Ausdruck fand sie in einem Werk von Matthias Grünewald (um 1475/80-1528). Es ist der *Isenheimer Altar*, der in seinem Hauptteil die Kreuzigung als wirkliches qualvolles Ereignis darstellt und die schmerzvolle Betroffenheit der Umstehenden mit seltener Intensität schildert.

Reformation und Gegenreformation

Die Autorität kirchlicher Institutionen ist im Verlauf der Geschichte immer wieder in Frage gestellt worden. Während des Mittelalters kamen oft Protestbewegungen auf, aber es gelang der Kirche immer wieder, sie entweder durch die Gründung neuer Orden wie die der Franziskaner und Dominikaner zu integrieren oder sie mit Gewalt zu unterdrücken. So wurde noch 1415 der böhmische Reformator Jan Hus hingerichtet.

Der Zustand der Kirche um 1500 war erneut besonders schlecht. Der Übergang vom Feudalismus zur Geldwirtschaft hatte auch in der Kirche Spuren hinterlassen. Ohne auf ihre alten Sondervorteile verzichten zu wollen, traten die kirchlichen Institutionen immer deutlicher als Finanzmacht auf. Der Ämterkauf grassierte, selbst die Papstwürde wurde dem Meistbietenden verkauft. Indes führten sich die Päpste immer mehr wie weltliche Fürsten auf, denen jedes Mittel recht war, wenn es um die eigene Machterhaltung und Bereicherung ging.

In dieser Situation machte sich eine neue religiöse Welle in der Bevölkerung bemerkbar. So nahmen Wallfahrten zu heiligen Stätten deutlich zu. Aber das gläubige Volk war verunsichert. Nicht nur das weltliche Treiben der Kirchenhierarchie, auch ihre offene Unterstützung der Renaissance war befremdlich.

Der Tiefstand des Papsttums war zwar nach 1500 überwunden, aber auch wenn die neuen Päpste Julius II. und Leo X. ihre Energie wieder kirchlichen Dingen widmeten, so taten sie dies aus dem Geiste der Renaissance heraus. Um das Ansehen der Kirche zu erhöhen, wurde der Neubau des Petersdoms in Rom beschlossen. Führende Künstler der Zeit wurden mit der Ausführung beauftragt. Der Geist der großen gotischen Dombauprojekte konnte jedoch nicht wiederhergestellt werden. Außerhalb Roms wurde das Projekt vielfach weniger als Verherrlichung Gottes denn als päpstliches Statussymbol aufgefaßt. Das Projekt wurde zum mittelbaren Auslöser der Reformation in Deutschland, denn zur Finanzierung des neuen Bauwerks

Martin Luther, Phillipp Melanchton, Gemälde von Lucas Cranach d. J.

wurden in ganz Europa sogenannte Ablässe verkauft, die dem Käufer als Ersatz für Buße das Seelenheil versprachen. Es war dieser Ablaßverkauf, der den Wittenberger Mönch Martin Luther (1483-1546) 1517 zu seinem berühmten Thesenanschlag veranlaßte.

Luther brachte die allgemein aufgestaute Unzufriedenheit mit der Kirche zum Ausdruck und fand breite Unterstützung im Volk und unter den Fürsten. Die Vorstellungen Luthers wichen in zu vielen Punkten von der traditionellen katholischen Lehre ab, als daß die Kirche sie hätte assimilieren können; seine Anhänger waren dagegen so stark, daß ihm das Schicksal von Jan Hus erspart blieb. Die neue Drucktechnik ermöglichte eine rasche Verbreitung seiner Ideen. Bald war die Einheit des westlichen Christentums für immer dahin, zumal es nicht allein bei der lutherischen Reformation blieb. Weitere Reformatoren wie Ullrich Zwingli in Zürich und Jean Calvin in Genf folgten. Infolge einer wachsenden Wirtschaftskrise kam es zu Aufständen, besonders unter den Bauern. Oft wurden dabei religiöse Argumente benutzt.

Luthers theologische Differenzen mit der katholischen Kirche hatten eine politische Tragweite, die weit über den Kirchenbereich hinausreichte. Der Wechsel vom lateinischen zum deutschsprachigen Gottesdienst sowie Luthers Reform der Sakramente entmystifizierten den Priester. Vom Abbau der Sonderstellung der Priester zwischen Gott und der Gemeinde war es kein weiter Weg mehr zum Angriff auf weltliche Standesprivilegien. Diesen Weg ist Luther selbst nicht gegangen. Anläßlich der Bauernaufstände von 1524/25, bei denen sich ein anderer Reformator, Thomas Müntzer, an die Spitze der sozialen Bewegung stellte, bekannte sich Luther zur territorialen Herrschaft. Thomas Müntzer wurde 1525 hingerichtet, während Luthers Bündnis mit den Fürsten die Grundlage der evangelischen Landeskirchen wurde.

Um die Jahrhundertmitte hatte sich die katholische Kirche so weit aufgerafft, daß sie selber in die Gegenoffensive gehen konnte. Auf dem Tridentinischen Konzil (1545-63) wurden die schlimmsten Mißstände der Renaissance-Kirche beseitigt und mit der Gründung des Jesuitenordens die Gegenreformation eingeleitet. Um die gleiche Zeit stabilisierten sich die konfessionellen Grenzen in Deutschland. Unter dem Einfluß der Territorialfürsten setzte sich in den protestantischen Gebieten Deutschlands die lutherische Reformation weitgehend durch, während in der Schweiz und den Niederlanden der Einfluß der radikaleren Reformatoren größer war. Dieser Unterschied trug dazu bei, den Kulturzusammenhang zwischen diesen Gebieten und dem Kern des Heiligen Römischen Reichs zu schwächen. Im Jahre 1555 wurden beim sogenannten Augsburger Religionsfrieden die konfessionellen Grenzen festgeschrieben. Nach dem Grundsatz ‚cuius regio, eius religio' richtete sich die Religion in den jeweiligen Gebieten nach der Konfession des Fürsten, der so Glaubensfreiheit genoß, im Gegensatz zu seinen Untertanen. Ein letztes Mal wurde noch im Dreißigjährigen Krieg 1618-1648 versucht, diese Teilung zu revidieren, aber sie wurde schließlich mit dem Westfälischen Frieden, der den Krieg beendete, weitgehend bestätigt.

Kulturelle Folgen der Reformation

Die Reformation selbst und die Zeit der darauf folgenden Kriege sind für die kulturelle Entwicklung insgesamt wenig günstig. In den protestantischen Gegenden fällt die Kirche als Auftraggeber der Kunst weg. Die Reformation hat wenig mit Kunst im Sinne und sieht sie als Ablenkung von der eigentlichen Aufgabe der Kirche. Dem Eifer extremer protestantischer Bilderstürmer fallen unzählige Werke früherer Epochen zum Opfer. Kirchenwände werden übertüncht, Altäre zerstört.

Die relative Stabilisierung der konfessionellen Grenzen in der zweiten Jahrhunderthälfte hält den Prozeß der Zerstörung auf. Auf dem Tridentinischen Konzil bekennen sich die Katholiken ausdrücklich zur Kunst als Ausdrucksmittel religiöser Empfindung. In katholischen Gegenden, insbesondere im Süden Deutschlands, gedeiht in der Folgezeit die barocke Kirchenkunst.

Für das städtische Bürgertum bringt das 16. Jahrhundert mit seinen religiösen Wirren den Beginn einer Jahrhunderte dauernden Stagnation. Davon ist auch die weltliche Kunst betroffen, die in eine zunehmende Abhängigkeit von den Fürstenhöfen gerät. Die Fürsten wollen sich verständlicherweise in Porträts verewigen lassen und schmücken sich gerne mit Allegorien aus der antiken Mythologie, wie sie etwa Lukas Cranach der Jüngere (1515-86) malte. Bald gab es kaum einen Fürstenhof, der keine Venus aus der Werkstatt Cranachs besaß. Die ruhige Eleganz dieser Gebrauchskunst verrät nichts mehr von der Spannung der Zeit, die noch der Kunst Dürers ihren inneren Antrieb gegeben hatte.

Günstiger als für die bildende Kunst sind die Folgen der Reformation für die Musik. Mit dem von der ganzen Gemeinde zu singenden Choral schuf sie eine neue Gattung und regte eine aktive Kirchenmusik an, die sich im Barock bei Heinrich Schütz und später bei Johann Sebastian Bach zur vollen Blüte entfalten sollte.

In einer Beziehung wird die kulturelle Identität Deutschlands in den anderthalb Jahrhunderten nach der Reformation entschieden gestärkt, ungeachtet politischer Zersplitterung und religiöser Spaltung: In dieser Zeit kommt der Prozeß in Gang, der zur Entstehung eines überregionalen Sprachstandards führt.

Nachdem das Latein als Verwaltungssprache im 15. Jahrhundert durch das Deutsche abgelöst worden war, gab es um 1500 neben den unzähligen gesprochenen Dialekten eine Reihe von Schriftsprachen, die in den wichtigsten Kanzleien und in den Zentren des Buchdrucks entstanden waren. Schon diese waren um mehr als um lokale Verständlichkeit bemüht. In Ermangelung grammatischer und orthographischer Normen für das Deutsche waren sie sehr unterschiedlich und wiesen eine gewisse Abhängigkeit von lateinischen Konstruktionen ab.

Bei der Reformation und den politischen Unruhen im Bauernkrieg spielte erstmals gedruckte Propaganda eine sehr große Rolle. Dabei wurden die Nachteile des bestehenden Sprachzustands deutlich. Die Frage nach dem Zustand der Sprache berührt die Grundfesten der Reformation. Daß Luthers Gottesdienst in deutscher Sprache gehalten wurde, war ein wichtiger Schritt. Wichtiger noch war die Übersetzung der Bibel, denn in dem Maße, wie die Kirche und ihre Sakramente bei Luther an Stellenwert verlieren, nimmt die Bedeutung des göttlichen Wortes und der Heiligen Schrift zu.

Schon lange vor Luther gab es deutsche Bibelübersetzungen, aber es war noch niemandem gelungen, ein wirklich brauchbares, lebendiges deutsches Idiom zu finden. Luther war sich der Defizite der bestehenden Schriftsprachen bewußt und entwickelte beim Übersetzen einen neuen Stil. Wort-für-Wort-Entsprechungen genügten ihm nicht, er schrieb ein Deutsch, das dem Leser und dem Zuhörer in der Kirche das Einfühlen in den Text ermöglichte. Sein Verfahren erklärt er in seinem *Sendbrief vom Dolmetschen*

„man mus nicht die buchstaben inn der lateinischen sprachen fragen, wie man sol Deutsch reden, wie diese esel thun, sondern man muß die mutter jm hause, die kinder auff der gassen, den gemeinen man auff dem markt drumb fragen vnd den selbigen auff das maul sehen, wie sie reden, und darnach dolmetzschen, so verstehen sie es den vnd mercken, das man Deutsch mit jn redet."[6]

Auf der Grundlage der ostmitteldeutschen Schriftsprache seiner Heimat entwickelte Luther eine Synthese von geschriebener und gesprochener Sprache, die natürlich und klar war und doch über ein weites Gebiet verstanden werden konnte. Zwar wurden noch weitere Bibelübersetzungen, etwa ins Niederdeutsche, geschaffen, aber die Lutherbibel ist der Maßstab, an dem sich alle weiteren Versuche in der deutschen Sprache messen. Tatsächlich setzte sich noch im Verlauf des 16. Jahrhunderts die an Luther orientierte Sprache in Ost- und Norddeutschland durch. Der katholische Süden schloß sich mit einigem zeitlichen Abstand allmählich an. Die Festigung der deutschen Sprache im 16. und 17. Jahrhundert ist ein bedeuten-

---

6 Zit. nach: Hans Eggers: Deutsche Sprachgeschichte III. Das Frühneuhochdeutsche. Reinbek bei Hamburg 1969, S.166.

der Einigungsfaktor in einer Zeit, in der die politische Zersplitterung Mitteleuropas durch die neuen konfessionellen Gegensätze noch erhöht wird. Obwohl diese sprachliche Entwicklung allen Konfessionen zugutekommt, geht die Initiative in der literarischen Kultur deutlich von protestantischer Seite aus. Dagegen werden die bildenden Künste stärker im süddeutschen Raum gepflegt. Dieser Unterschied zwischen einer stärkeren Wortkultur und einer eher optisch wirkenden Kultur ist eine bleibende Folge des Gegensatzes zwischen Reformation und Gegenreformation.

4 Deutschland im Zeitalter des Absolutismus und des Barock

Die Gehenkten, Kupferstich von Jacques Callot

1618 — 1648

Der Dreißigjährige Krieg

Der Dreißigjährige Krieg war eine der schrecklichsten Epochen in der deutschen Geschichte. In seinem Verlauf ging die Bevölkerungszahl nach vorsichtigen Schätzungen um etwa 40% zurück. Große Teile des Landes wurden verwüstet. Die Heere, die kreuz und quer durch Deutschland zogen, lebten von Raub und Plünderung. Hunger und Seuchen begleiteten sie.

Der Dreißigjährige Krieg war zunächst ein letzter Versuch des Kaisers, die religiöse und politische Einheit Deutschlands wiederherzustellen. In seinem Verlauf wurde die religiöse Frage aber immer mehr in den Hintergrund gedrängt, während Machtinteressen der größeren Länder des Reichs und vor allem der Nachbarstaaten Schweden und Frankreich an Bedeutung gewannen. Spätestens die zeitweilige Unterstützung der protestantischen Seite durch das katholische Frankreich machte deutlich, wie unglaubwürdig die ursprünglichen konfessionellen Beweggründe waren. Der Krieg entwickelte seine eigene Dynamik. Ein General wie Albrecht v.

Wallenstein (1583-1634) konnte in wenigen Jahren soviel Macht anhäufen, daß er als Gefahr für seinen kaiserlichen Auftraggeber empfunden und ermordet wurde. Der Eindruck dieser Kriegserfahrung prägte sehr lange die deutsche Kultur. Der Dreißigjährige Krieg wurde fast zum Inbegriff des Krieges überhaupt. Der Hintergrund des Krieges überschattet die Literatur der eigenen Zeit und beschäftigte noch anderthalb Jahrhunderte später Friedrich Schiller, der sowohl eine *Geschichte des Dreißigjährigen Krieges* als auch eine Dramentrilogie zum Sturz Wallensteins schrieb. Noch im 20. Jahrhundert benutzte Bertolt Brecht den Dreißigjährigen Krieg in seinem Drama *Mutter Courage und ihre Kinder*, um zu illustrieren, wie der Krieg vom Krieg lebt.

Der Absolutismus

Nach dem Dreißigjährigen Krieg war das Heilige Römische Reich Deutscher Nation stärker zersplittert als je zuvor. Der Krieg besiegelte den Prozeß der wirtschaftlichen Stagnation, der mit der Verlagerung des Handels auf die neuen Seewege seit Beginn des 16. Jahrhunderts eingesetzt hatte. An seinem Ende waren die alten Handelsverbindungen weitgehend zerschlagen, und das städtische Bürgertum, das für die kulturelle Blüte der frühen Neuzeit gesorgt hatte, war zur Bedeutungslosigkeit herabgesunken. Hamburg blieb wegen seiner günstigen Lage und der Beteiligung am Überseehandel die wichtigste Ausnahme. Insgesamt hatte Deutschland seine frühere Stellung als einer der führenden Wirtschaftsräume eingebüßt. Eine schnelle Erholung war nicht möglich. Das verhinderten schlechte Straßen und die Rivalitäten der zahlreichen Kleinstaaten mit ihren vielen Zollgrenzen. Noch anderthalb Jahrhunderte später, zu Lebzeiten Kants und Goethes, hatte sich an dieser politischen Grundkonstellation und am wirtschaftlichen Rückstand kaum etwas geändert.

Nachdem auch die Kirche seit der Reformation viel von ihrer Macht verloren hatte, blieben die Territorialfürsten die stärkste politische Kraft im Lande. Diese Fürsten machten zum größten Teil eine Politik, die allein von persönlichen und dynastischen Interessen bestimmt wurde.

Außerhalb Deutschlands etablierten sich Frankreich als wichtigste Kontinentalmacht und England als Überseemacht. Viele der größten deutschen Territorialstaaten hatten dynastische Beziehungen und Interessen außerhalb des Reichsgebiets. So war der Kurfürst von Sachsen in der Regel zugleich König von Polen. Hannover und England standen nach 1714 in Personalunion. Durch den Zusammenschluß des ehemaligen Ordensstaates Preußen mit dem Kurfürstentum Brandenburg entstand der neue preußische Staat, der sich im Verlauf des 18. Jahrhunderts zu einer bedeutenden, eigenständigen Macht entwickelte. Auch die deutschen Kaiser, in der Regel Habsburger, kümmerten sich mehr um ihre Hausmacht in Österreich und deren Erweiterung nach Südosteuropa als um das Reichsganze. Nur noch einmal wurde mit Erfolg an die Verantwortung für die Reichseinheit appelliert, als das türkische Heer 1683 zum zweiten Mal vor Wien stand. Die endgültige Überwindung dieser Gefahr leitete eine glanzvolle Epoche für Österreich ein. Insgesamt konnte der deutsche Sprachraum keine zusammenhängende politische Identität entwickeln, während er weiterhin als bevorzugtes Schlachtfeld bei europäischen Konflikten diente.

Der übliche Regierungsstil der Zeit verschärfte die Gegensätze zwischen den Regierenden und den Regierten. Im 17. und 18. Jahrhundert war der Absolutismus die verbreitetste Regierungsform in Europa. Ausnahmen waren die protestantischen Handelsmächte Holland und England sowie die schweizerische Eidgenossenschaft. Im Absolutismus konzentrierte sich alle politische Macht in den Händen des Königs oder Fürsten. In den einzelnen Kleinstaaten überlagerte eine zentralisierte Verwaltung das komplizierte mittelalterliche Geflecht ständischer Rechte.

Diese Herrschaftsform versuchte man unter Berufung auf eine göttliche Weltordnung zu legitimieren. So wie sich der französische König Ludwig (Louis) XIV. (1638-1715) als ‚Sonnenkönig' bezeichnen ließ, so empfanden auch die kleineren Fürsten ihre eigene Stellung im jeweiligen Land. Wie in kaum einer anderen Epoche wurde diese herrschende Ideologie künstlerisch produktiv, denn der Absolutismus brauchte eine repräsentative Kunst und Architektur, welche den Glanz der Herrschaft und die Herrlichkeit der göttlichen Weltordnung zum Ausdruck brachte.

Der Aufstieg Preußens

Preußen, das 1713 Königreich wurde, war entstanden durch den dynastischen Zusammenschluß von Brandenburg östlich der Elbe und dem weit im Osten um Königsberg gelegenen Ordensstaat Preußen. Beide Gebiete waren im Verlauf des Mittelalters von Deutschen kolonisiert worden. Sie waren dünn besiedelt, es gab relativ wenig Städte. Die gesellschaftliche Struktur sah hier, am Rande des deutschen Sprachgebiets, ganz anders aus als im dichter besiedelten Westen. Während im Westen Deutschlands die alte Feudalstruktur schon zerfallen war, enstand in Preußen auf den vergleichsweise sehr großen Landgütern gerade eine neue Feudalordnung und mit den Junkern eine herrschende Klasse, welche die preußischen Institutionen bis ins Industriezeitalter hinein prägte.

Der auffälligste Zug Preußens in der Geschichte ist wohl die Konsequenz, mit der zuerst seine Kurfürsten und dann seine Könige von Generation zu Generation an der Expansion dieses Staates arbeiteten. Zunächst ging es darum, durch Eroberungen und geschickte dynastische Familienpolitik den Zwischenraum zwischen den weit auseinanderliegenden Gebieten Brandenburgs und Preußens in preußische Hand zu bringen. Später setzte sich die Expansion im Westen fort, bis schließlich im 19. Jahrhundert fast der ganze deutsche Norden von Aachen bis Königsberg preußisch war. Mit jeder Erweiterung preußischer Macht nahm die Heterogenität der Bevölkerung und der Gesellschaftsstruktur zu.

Verglichen mit den anderen absolutistischen Fürsten waren die preußischen Herrscher auffallend bescheiden. Sie setzten eine abstrakte Staatsidee an die Stelle der Verherrlichung des Fürsten und kümmerten sich mehr um die Staatswirtschaft. Auf der Grundlage des Merkantilismus, der staatlichen Lenkung und Förderung bestimmter Wirtschaftszweige, schufen sie eine solide wirtschaftliche Grundlage für ihre Expansionspolitik.

Das Kernstück des preußischen Absolutismus war die Armee. Diese wurde zuerst vom ‚großen Kurfürsten' Friedrich-Wilhelm (1640-88) ins Leben gerufen, der für die Soldatenwerbung erstmals eine Organisation aufbaute, die das ganze Land umfaßte. In der Militärhierarchie waren die Grundbesitzer die Vorgesetzten der eigenen Bauern. So setzte sich der Feudalismus in der Armee fort. Diese militärische Struktur wurde erst zu Beginn des 19. Jahrhunderts durch die moderne Wehrpflicht ersetzt. Das stehende Heer war, im Vergleich zur Gesamtbevölkerung, das größte Europas.

Die zweite Stütze dieses Staates war die Verwaltung. Sie wurde von Beamten getragen, deren Loyalität nicht der ständischen Struktur, sondern dem Staat und dem König galt. Das gebildete Beamtentum stellte eine Gesellschaftsschicht dar, die für die Ideen der Aufklärung offen war. Preußen gehörte schon früh zu den aufgeklärteren Staaten, die ihre Bewohner nicht unnötig schikanierten. Vor allem war Preußen bekannt für seine verhältnismäßig große religiöse Toleranz und war deswegen lange ein bevorzugtes Einwanderungsland. Besonders wichtig für die wirtschaftliche Entwicklung war der Beitrag der aus Frankreich vertriebenen protestantischen Hugenotten. Dennoch hatte der Bürger in Preußen ebensowenig zu sagen wie in den anderen deutschen Staaten. So ist die Rolle Preußens in der deutschen Geschichte vom Paradox eines Staates mit sehr modernen und gleichzeitig sehr reaktionären Zügen gekennzeichnet.

Der Barock

Die Reformation und ihre zwangsläufige Folge, die Gegenreformation, unterbrachen die Entwicklung zur Verweltlichung des Geistes und des Lebens, die in der Renaissance eingesetzt hatte. Der Kampf um den rechten Glauben, auch wenn er sehr oft nur aus blankem politischem Opportunismus geführt wurde, verzehrte Kräfte, die sonst anders hätten genutzt werden können. Obwohl die Religion nun scheinbar wieder ganz im Vordergrund der gesellschaftlichen Aktivität stand, bedeutete dies jedoch keine Rückkehr zum mystisch-religiösen Weltbild des Mittelalters. Es entstand vielmehr ein ungelöstes Spannungsverhältnis zwischen kirchlichen Dogmen auf der einen Seite und den neuen Erkenntnissen der Wissenschaft auf der anderen. Galilei durfte zwar einerseits nicht die Erkenntnisse der neuen Astronomie als Wahrheit verkünden, andererseits war die Schiffahrt aber auf Navigationshilfen angewiesen, die diese Astronomie voraussetzten. Das Jahrhundert nach dem Beginn der Gegenreformation lebte mit zahlreichen Widersprüchen solcher Art und machte im Barock das Paradox zu einem Hauptmerkmal seiner Kultur.

Unter Barock versteht man sehr unterschiedliche Erscheinungen in den verschiedenen Regionen Europas. Gewisse Gemeinsamkeiten der Geisteshaltung, wie der Hang zur Prachtentfaltung und zum Paradoxen, sind jedoch überall erkennbar. Der Barock ist zugleich ein Fest des Lebens und der materiellen Wirklichkeit und eine ständige Erinnerung an den Tod und das Jenseits. In der Dichtung werden paradoxe rhetorische Figuren bevorzugt; in der Kunst und Architektur wird der Eindruck von Masse und Schwere immer wieder mit der Illusion von Leichtigkeit konfrontiert.

Der Ausgangspunkt des Barock ist zwar die siegreiche Gegenreformation, aber er beschränkt sich weder auf die religiöse Kunst noch auf den katholischen Raum. In der weltlichen Architektur wird die Macht des Regenten zur Schau gestellt, während der Kirchenbau sich selbst als eine Art Gottesdienst versteht und alle Mittel nutzt, um die Herrlichkeit des Himmels durch eine künstliche Herrlichkeit auf Erden zu suggerieren. Alle Gattungen sind dabei aufeinander abgestimmt und dem gemeinsamen Zweck untergeordnet. Die Welt selbst wird immer wieder als Theater dargestellt, und es ist schließlich der Barock, der die heute vorherrschende Form des europäischen Theaterbaus mit der vom Zuschauer physisch getrennten Bühne als ‚Guckkasten‘ entwickelt. Diese Bauweise ermöglicht den Gebrauch von illusionistischen Kulissen und komplizierten Mechanismen, mit denen die Naturgesetze scheinbar überwunden werden können.

Im deutschen Sprachraum erreicht der Barock seine schönste Entfaltung in der Kunst und Architektur des katholischen Südens um die Wende zum 18. Jahrhundert, als sich das Land allmählich von den schlimmsten wirtschaftlichen Folgen des Dreißigjährigen Krieges erholt hat. Schon früher, bereits während des Krieges, war jedoch eine reichhaltige Literatur mit allen Merkmalen des Barock entstanden.

Barockliteratur

Im 17. Jahrhundert wird Literatur nur von einem relativ kleinen Kreis von Adligen und Gelehrten gelesen, aus dem sich auch die Dichter rekrutieren. Sie verfügen über eine weitreichende Bildung und lesen Literatur meistens in Latein oder in neueren Fremdsprachen. Die deutsche Literatur ist daher von denselben Konventionen geprägt wie die anderen europäischen Literaturen der Zeit. Das macht sich besonders in der Lyrik bemerkbar. Die Lyrik des Barock versucht nicht, Erfahrungen unmittelbar mitzuteilen, sondern ist bestrebt, rhetorische Figuren auf geistreiche Art zu verwenden, um dem Leser einen intellektuellen Genuß zu bereiten.

Der Schwerpunkt des literarischen Lebens befand sich im protestantischen Norden und Osten des deutschen Sprachgebiets, wo die von Luther angeregte Sprachpflege fortgesetzt wurde. Im 17. Jahrhundert wurden in verschiedenen Städten Sprachgesellschaften gegründet, die versuchten, Deutsch als Literatursprache auf einen vergleichbaren Stand mit Latein oder Französisch zu heben. Die politische Macht Frankreichs machte sich durch den zunehmenden Einfluß der französischen Sprache bemerkbar. Im Dreißigjährigen Krieg wuchs der Eifer der Sprachgesellschaften. In der Aktivität der Sprachgesellschaften ist bereits ein rudimentärer Kulturnationalismus zu erkennen, der in der Aufklärung im 18. Jahrhundert deutlichere Züge erhalten wird.

Im 17. Jahrhundert entstanden die erste deutschsprachige Grammatik, die *Teutsche Sprachkunst* von Justus Georg Schottel(ius) (1612-76), sowie im *Buch von der deutschen Poeterey* des Dichters Martin Opitz (1597-1639) eine Poetik, die zwar noch stark von lateinischen und französischen Konventionen beeinflußt war, aber schon die speziellen Bedürfnisse der deutschen Dichtung berücksichtigte.

Die beliebten Stilmittel der Barocklyrik, wie etwa das Oxymoron, das scheinbar Widersprüchliches in einer Figur vereint, sind mehr als Spielerei. Sie sind Ausdruck der Kollision zweier Weltbilder. Auf dem Hintergrund des Dreißigjährigen Krieges erhält der barocke Kontrast von hell und dunkel, von Leben und Tod eine zusätzliche Tiefe, die dem Bewußtsein entspringt, daß der Tod allgegenwärtig ist. Bei einem Dichter wie Andreas Gryphius (1616-64) verbindet sich rhetorische Konvention mit echt empfundenem Schmerz im Motiv der Vergänglichkeit und Vergeblichkeit alles Irdischen.

Die deutsche Lyrik des Barock ist durch den großen Geschmackswandel des folgenden Jahrhunderts für lange Zeit in Vergessenheit geraten. Eine große Ausnahme bilden jedoch zahlreiche Kirchenlieder im evangelischen Gesangbuch. Lieder wie Paul Gerhardts (1607-76) *O Haupt voll Blut und Wunden* gehören heute zu den bekanntesten Kirchenliedern überhaupt. Auffallend bei der religiösen Lyrik des Barock ist dieselbe Körperlichkeit, die auch in der entsprechenden Altarmalerei zu sehen ist. Die mystische Liebe zu Jesus Christus nimmt physische Züge an. Am Thema von Jesu Tod und Auferstehung konnten sich die Dichter und Künstler des Barock der Faszination des Paradoxen ganz hingeben.

Eine andere Öffnung der Literatur für ein etwas weniger gelehrtes Publikum ist das Erzählwerk Hans Christoffel von Grimmelshausens (um 1622-76). Sein *Simplizissimus* (1669) ist ein vielschichtiger Roman, dessen Struktur vom barocken Lebenssymbolismus bestimmt ist, der aber zugleich lebhaft, ironisch und realistisch den Lebensweg des Helden in den Wirren des Dreißigjährigen Krieges beschreibt.

Sakrale Barockarchitektur

Seinen unmittelbar deutlichsten Ausdruck findet der Barock im Kirchenbau, wo er weitgehend den Zielen der Gegenreformation diente. Der Übergang vom Renaissancestil zum Barock fand in Rom beim Bau des Petersdoms statt. Mit dem Bau der jesuitischen Stammkirche Il Gesù (1568-84) in Rom war der Stil in seiner erkennbaren Eigenart vollendet. Die Formensprache der Barockarchitektur ist zunächst die Formensprache der klassischen Antike, die aus der Renaissance übernommen wurde. Der Geist ihrer Anwendung ist jedoch ein ganz neuer. Von klassischer Zurückhaltung ist in den Werken des Barock nichts mehr zu spüren. Die Gleichmäßigkeit der Renaissance-Fassade weicht einer Symmetrie, die den Mittelpunkt hervorhebt. Der klassische Zusammenhang zwischen Form und Funktion weicht einer Abhängigkeit der Form vom Ornament.

Drastische Kontraste erhöhen die Dramatik der Architektur. So wie der Kontrast von Tod und Leben als Motiv der Literatur und Kunst immer wieder vorkommt, so arbeitet die Architektur mit immer kühneren geometrischen Gegensätzen. Runde oder ovale Fenster werden zum Stilmerkmal. Giebel werden abgerundet, Fassaden in geschwungenen Linien ausgebaut.

Die Vorliebe für das Dramatische kommt besonders im Innenraum zum Vorschein. Auf die Seitenschiffe der alten Basilika wurde weitgehend verzichtet, um einen einheitlichen Raum ohne störende Pfeiler zu schaffen. Die häufig vorkommende erhöhte Kuppel über dem Altar ermöglichte besondere Lichteffekte. Durch unterschiedliche Fenstergrößen konnte man den Altarraum viel heller erscheinen lassen als den Rest der Kirche. Die seit der Renaissance bekannte mathematische Perspektive wurde eingesetzt, um den Übergang zwischen der Architektur und der gemalten Dekoration zu verschleiern. Die Decken wurden oft als Himmel ausgemalt und mit Himmelsfiguren bevölkert.

Der zitierende Umgang des Barock mit klassischen und anderen Formen läßt sich gut an der Karlskirche des Architekten J. B. Fischer von Erlach (1656-1723) in Wien erkennen. Hier wird der typische barocke Kuppelbau mit einer breiten eklektischen Fassade versehen, die die tatsächliche Form und Größe der Kirche verdeckt. Das Mittelstück dieser Fassade bildet eine klassische griechische Tempelfront. Zu beiden Seiten befinden sich große barocke Turmstümpfe, die von der Säulenfront durch zwei minarettartige Türmchen getrennt sind; diese erinnern an die wenig früher überwundene Türkenbelagerung Wiens - als Reaktion auf die ausgestandene Belagerung wurde in Wien alles Türkische, vom Mokka bis zur exotischen Opernkulisse, begeistert aufgenommen. Die Karlskirche verbindet diesen architektonischen Scherz alla turca mit einem klassischen Zitat: die beiden Türmchen sind Kopien der Trajanssäule in Rom und tragen ähnliche spiralförmige Reliefs.

Der Barockstil geht im Laufe des 18. Jahrhunderts in eine verspielte Variante, das Rokoko, über. Unter Beibehaltung der vom Barock gesetzten dramatischen Akzen-

Karlskirche, Wien

te betont das Rokoko die spielerischen Möglichkeiten des Stils. Die Liebe zur optischen Täuschung nimmt zu. Ein apartes Beispiel für diesen Übergang ist die Johann-Nepomuk-Kirche in München. Diese Kirche entfaltet sich auf einem ziemlich ungünstigen Grundstück. Sie ist relativ klein und schmal, aber der Raum wird so offen wie möglich gehalten, während die Wände und Decken maximal ausgeschmückt sind. Den Hochaltar bildet die ganze Ostwand, die von oben durch fast verborgene Fenster beleuchtet wird. Die Fassade mit ihren geschickten Formkontrasten stellt ein repräsentatives Beispiel des Hochbarock dar. Alles ist abgerundet. Die ganze Wand ist gewölbt. Diese geschwungene Form, die man auch von den Möbeln der Zeit kennt, verleiht der kleinen Fassade eine starke optische Dynamik, die ihre bescheidenen Maße vergessen läßt.

Die prachtvollsten Beispiele des barocken Kirchenbaus befinden sich außerhalb der Städte auf dem Lande. Im Zuge der Gegenreformation kam es zu großen Klosterneubauten wie in Melk an der Donau oder im schweizerischen Einsiedeln. In diesen Projekten, wo die Kirche den Mittelpunkt einer größeren Anlage bildete, verband man einige Prinzipien der Schloßarchitektur mit dem Kirchenbau. Auch relativ kleine Bauten auf dem Lande wie die Wieskirche in Oberbayern mit ihrem ovalen Grundriß führen auf ihre Art die spannendsten Möglichkeiten des Barock und Rokoko vor.

Barocke Herrschaftsarchitektur

Das Vorbild aller absolutistischen Regenten war Frankreichs Sonnenkönig. Der für alle sichtbare Ausdruck seiner Macht war das gewaltige Schloß Versailles, das 1682 Regierungssitz wurde. Dem Beispiel Frankreichs folgend baute man überall in Europa solche Schlösser. Deutschland mit seinen Hunderten von kleinen Fürstentümern besitzt unzählige Schlösser aus dieser Zeit. Oft waren sie sehr groß und standen in gar keinem Verhältnis zur relativ bescheidenen Bedeutung der darin residierenden Fürsten.

Das typische Barockschloß bildet den Brennpunkt einer genau geplanten Parkanlage, oft sogar einer bewußt angelegten Stadt. Die Hierarchie der Gesellschaft spiegelt sich in der Geometrie des barocken Stadt- und Gartenplans wieder, wo Straßen und Alleen strahlenförmig auf den Mittelpunkt zulaufen. Sogar die Geistlichkeit investierte mehr in ihre Residenzen als in den Kirchenbau. So entstanden riesige Schloßanlagen wie die von Balthasar Neumann (1687-1753) für den Fürstbischof von Würzburg.

Das Würzburger Schloß weist typische Merkmale der barocken Schloßanlage beispielhaft auf. Der Bau beherrscht auf der Stadtseite einen sehr großen Platz, den er mit seinen Flügeln hufeisenförmig umschließt. Diese Bauweise macht optisch deutlich, wo sich der eigentliche Mittelpunkt befindet. Da sich die Repräsentationsräume des typischen Barockschlosses normalerweise im ersten Stock befinden, kommt der Treppe eine besondere Bedeutung zu. Die architektonischen Möglichkeiten des Treppenaufgangs, den frühere Epochen als notwendiges Übel hingenommen hatten, wurden erst vom Barock entdeckt. In Würzburg wird der ankommende Gast von einer langen Treppe empfangen, die von einem riesigen Deckenfresco des italienischen Malers Giambattista Tiepolo (1696-1770) überwölbt ist. Ein solches Treppenhaus betont die Wichtigkeit des Ortes und die Bedeutung des Hausherrn, indem es den Zugang für den Gast theatralisch in die Länge zieht.

Mit der Zeit verliert die Darstellung der Macht etwas an Bedeutung. Das Schloß ist im 18. Jahrhundert nicht nur die für alle sichtbare Verkörperung des Absolutismus, sondern muß auch als Kulisse für das Gesellschaftsleben des Hofes funktionieren. Die Schlösser dienen dem Vergnügen ihrer Benutzer. Im Rokoko wird die Innen-

Zwinger, Dresden

einrichtung so wichtig wie das Äußere. Zugleich verliert der Stil an Schwere und nimmt leichte, verspielte Züge an.

Zusätzlich zu den repräsentativen Hauptschlössern entstehen nun Jagd- und Lustschlösser sowie Festbauten verschiedenster Art. Sogar das asketische Preußen erlaubte sich im Schloß Sanssouci bei Potsdam einen kleinen baulichen Luxus. Zu den berühmtesten Beispielen dieser Luxusarchitektur zählt der Dresdner *Zwinger* des Architekten M. D. Pöppelmann (1662-1736), eine übergroße Orangerie mit zwei Flügelbauten, die als großzügig dekorierte Kulisse um einen größeren Festplatz herum angelegt ist. Der Zwinger demonstriert den einmaligen Sinn des Barock und Rokoko für räumliche Gestaltung, wobei Platzgestaltung und Gartenanlagen Bestandteile einer größeren Gesamtarchitektur waren.

Lebensstil am absolutistischen Hof

Die Kosten für die Errichtung und den Unterhalt der Schlösser wurden von den Untertanen getragen. Anders als das große Frankreich waren die finanziellen Möglichkeiten der meisten deutschen Kleinstaaten durch diese Statussymbole weit überfordert. Aber nicht nur die Schlösser waren teuer. Der ganze Lebensstil der absolutistisch - höfischen Gesellschaft war auf die größtmögliche Zurschaustellung von Macht und Reichtum ausgerichtet. Gäste wurden empfangen, riesige Festessen serviert, bei denen unvorstellbare Mengen verschiedenster Gerichte angeboten und die Gäste von Musikern und Schauspielern unterhalten wurden. Jeder Hof versuchte den Nachbarn zu überbieten. Möglichst teure Gerichte wurden auf möglichst teurem Geschirr in prunkvoll ausgestatteten Räumen gereicht.

Am Anfang des 18. Jahrhunderts wurde zum ersten Mal in Europa Porzellan hergestellt. Als erste Manufaktur wurde 1710 die sächsische Hofmanufaktur in Meissen gegründet. Jeder Teller wurde (und wird noch heute) mit hohem Arbeitsaufwand bemalt, und es ist charakteristisch für die Einstellung der Fürsten im Absolutismus, daß man von kleinen Kunstwerken aß. Die Kosten eines einzigen Festessens standen in keinem Verhältnis zum Jahreseinkommen der Künstler, die das Porzellan herstellten, ganz zu schweigen vom Personal, welches das Essen zubereitete oder auftrug.

Die Entwicklung der Porzellanmanufaktur ist ein Beispiel für den wirtschaftlichen Strukturwandel, den der Absolutismus mit sich brachte. Ungeachtet der allgemeinen wirtschaftlichen Belastung kurbelte er stellenweise die Wirtschaft auch an. In der Nachbarschaft der größten Residenzen entstanden ganze Industrien. Während die Entwicklung in den traditionellen Handelsstädten, den alten freien Reichsstädten, mit wenigen Ausnahmen stagnierte, gediehen die Residenzstädte. Ganz neue Städte wie Mannheim, Karlsruhe oder Ludwigsburg entstanden. Kleinstädte wie Düsseldorf gewannen plötzlich an Bedeutung, während das benachbarte Köln, Metropole des deutschen Mittelalters, schrumpfte. Für neue Manufakturen war der Standort außerhalb der alten Reichstädte ohnehin günstiger. In den alten Städten lebte noch das mittelalterliche Zunftwesen fort. Die sozialen Vorteile, die dieses System mit seiner genauen Gewerberegelung und seinen Preiskontrollen den Bürgern sicherte, machten diese Städte teuer. In den neuen Produktionszentren auf dem Gebiet der Territorialfürsten hatten die Arbeiter kaum Rechte im Vergleich zu den von den Zünften geschützten Handwerkern der Freien Reichsstädte. Dafür waren aber die Absatzchancen bei den Manufakturen erheblich besser.

Vom Lebensstil der Höfe profitierte indirekt auch die Wissenschaft. Zu den Requisiten des barocken Hoflebens gehörte die Anhäufung von wertvollen und exotischen Gegenständen aller Art. Eine regelrechte Sammelwut kam auf. Gemälde wurden nun in einem Umfang gesammelt, der den Bau von Galerien erforderlich machte. Viele heute funktionierende öffentliche Galerien waren ursprünglich private Einrichtungen. Auch exotische Pflanzen und Tiere wurden gesammelt. Zum ersten Mal gab es in Europa Goldfische in den Teichen der Residenzen. Pfauen lustwandelten durch die Parks. Die Sammlungen der Residenzen wurden nach und nach der Wissenschaft und später auch einer breiteren Öffentlichkeit zugänglich gemacht und bildeten die Grundlage der öffentlichen Museen, zoologischen und botanischen Gärten, die in großer Zahl im 19. Jahrhundert gegründet wurden.

Die langfristigen kulturellen Früchte dieses Lebens waren jedoch der Mehrzahl der Zeitgenossen nicht zugänglich. Das Mißverhältnis zwischen dem Luxus am Hofe und dem allgemeinen Elend der Bevölkerung stellte eine ständige Provokation dar. Eine Provokation besonderer Art waren die Jagdveranstaltungen, bei denen adlige Gesellschaften kreuz und quer durch die Landschaft ritten und alles niedertrampelten, ohne Rücksicht auf die Bauern, die oft ohne jede Kompensation ganze Ernten verloren. Der Hirsch in folgendem satirischen Text des Dichters Matthias Claudius (1740-1815) spricht auch für die menschlichen Opfer dieser Unsitte.

SCHREIBEN EINES PARFORCEGEJAGTEN HIRSCHEN AN DEN FÜRSTEN DER IHN PARFORCEGEJAGT HATTE

„Durchlauchtiger Fürst,
Gnädigster Fürst und Herr!
Ich habe heute die Gnade gehabt, von Ew. Hochfürstlichen Durchlaucht parforcegejagt zu werden; bitte aber untertänigst, daß Sie gnädigst geruhen, mich künftig damit zu verschonen. Ew. Hochfürstl. Durchl. sollten nur einmal

parforcegejagt sein, so würden Sie meine Bitte nicht unbillig finden. Ich liege hier und mag meinen Kopf nicht aufheben, und das Blut läuft mir aus Maul und Nüstern. Wie können Ihr Durchlaucht es doch übers Herz bringen, ein armes unschuldiges Tier, das sich von Gras und Kräutern nährt, zu Tode zu jagen? Lassen Sie mich lieber totschießen, so bin ich kurz und gut davon. Noch einmal, es kann sein, daß Ew. Durchlaucht ein Vergnügen an dem Parforcejagen haben; wenn Sie aber wüßten, wie mir noch das Herz schlägt. Sie täten's gewiß nicht wieder, der ich die Ehre habe zu sein mit Gut und Blut bis in den Tod etc. etc."[7]

Die ganze Last des verschwenderischen Lebensstils der aristokratischen Gesellschaft trugen die Untertanen. Je verschwenderischer und im allgemeinen rücksichtsloser sich ein Fürst gebärdete, desto eher ruinierte er sein Land. Die Ausbeutung ging so weit, daß Untertanen sogar als Soldaten in fremden Kriegen verkauft wurden. Derart gepreßte Söldner spielten beim amerikanischen Unabhängigkeitskrieg keine geringe Rolle. Auch dieser Mißstand wird in der Literatur des 18. Jahrhunderts beklagt. Der Herzog in Schillers Drama *Kabale und Liebe* (1784) bezahlt ein Geschenk mit siebentausend Soldaten.

So trüb das Bild des Absolutismus in den meisten deutschen Kleinstaaten sein mag, so gab es doch unter den Fürsten bedeutende Ausnahmen, die sich ihrer Verantwortung für den von ihnen regierten Staat und seine Bevölkerung bewußt waren. Um die Mitte des 18. Jahrhunderts war die deutsche Politik vom Machtkampf zwischen zwei Staaten geprägt, die von solchen ‚aufgeklärten' Absolutisten regiert wurden: Österreich unter Maria Theresia (1717-80) und ihrem Sohn Kaiser Joseph II. und Preußen unter Friedrich II. (1712-86), genannt ‚der Große'. In beiden Staaten wurde eine Politik betrieben, die ihre Stellung in Europa konsolidieren sollte. Beide sahen die Notwendigkeit von Reformen. In Österreich steht der Begriff ‚Josephinismus' für die aufgeklärte Reformpolitik des ausgehenden 18. Jahrhunderts. Preußen und Österreich gehörten zu den ersten deutschen Staaten, die die Folter abschafften und die sich um eine allgemeine Schulpflicht kümmerten.

Der preußische König Friedrich II. ist eine besonders interessante Gestalt des 18. Jahrhunderts. Er war ein höchst gebildeter Mensch und ein völlig rücksichtsloser Staatsmann, der im Siebenjährigen Krieg sein Land an den Rand des Ruins führte. Der darauffolgende Wiederaufbau war ebenfalls spektakulär. Der preußische Hof war schon vor Friedrich bekannt für eine gewisse Askese, die ihn von der üblichen Verschwendungssucht des Absolutismus abhob. Friedrich selber verband

---

[7] Matthias Claudius: Werke in einem Band. Ausgewählt und mit einem Nachwort versehen von Dr. Uwe Lasen. Hamburg o.J., S. 230f.

König Friedrichs II. Wachtparade in Potsdam,
Kupferstich von Daniel N. Chodowiecki

diese Bescheidenheit im repräsentativen Aufwand mit vielseitiger kultureller Aktivität. Er spielte Flöte, komponierte und schrieb Bücher über Geschichte und Literatur – allerdings in Französisch, der Verkehrssprache des europäischen Adels. Er lud bekannte und kontroverse Persönlichkeiten der europäischen Aufklärung an seinen Hof. Zu den bekanntesten Gästen zählt der Philosoph Voltaire (1694-1778), der als geistiger Vermittler zwischen den Zentren der Aufklärung und als Gegner selbstbesessener Machtinstanzen gilt. Unter Friedrich wehte in Preußen ein freier Geist. Aber dieser beschränkte sich, wie der Dramatiker und Aufklärer Lessing enttäuscht feststellen mußte, nur auf die Freiheit, die Religion zu kritisieren. Die Zügel der Politik hielt Friedrich sehr fest in der eigenen Hand. Darin verstand er sich als ‚erster Diener seines Staates‘, den er in einem modernen Sinne auffaßte: als abstrakte Größe, getrennt von seiner eigenen Person.

64

Barockmusik

Das Zeitalter des Absolutismus war der Beginn einer langwährenden Blüte im deutschen Musikleben. Dabei kam die Vielzahl der deutschen Kleinstaaten, die auf anderen Gebieten den Fortschritt hemmte, der Musik zugute. Die Konkurrenz der kleinen Höfe schuf Arbeit für Musiker und sorgte für eine rege Musikkultur, die auch für neue Entwicklungen empfänglich war. Die meisten Komponisten waren Angestellte der Kirche oder der Fürstenhöfe. Eine berufliche Trennung zwischen Kantor bzw. Kapellmeister, Solist und Komponist gab es noch nicht. Die Musik, die komponiert wurde, diente bestimmten Aufgaben, die vom Kirchenkalender oder den festlichen Bedürfnissen der Hofgesellschaft abhingen. Das Unterhaltungsbedürfnis des Hofes führte zu einer raschen Verbreitung neuer Musikgattungen. Vor allem die aus Italien stammende Oper war beliebt, da sie die Freude des barocken Hofes am Spektakel besonders gut befriedigen konnte.

Nicht nur der äußere Rahmen, sondern auch die formale Gestalt der Musik weist die typischen Merkmale des Barock auf. Kontraste und Überraschungseffekte wurden bevorzugt. Die barocke Polyphonie ermöglicht komplexe und zugleich symmetrische Figuren. Unter Polyphonie versteht man die gleichzeitige Führung mehrerer Stimmen. Die Harmonien ergeben sich aus dem Zusammenspiel der verschiedenen getrennten Stimmen (Kontrapunkt). Üblich war im Barock auch die durchgehende Begleitstimme im Generalbaß (basso continuo), deren genaue Ausführung oft dem Improvisationstalent des Spielers überlassen wurde. Überhaupt wurde noch viel mehr improvisiert als in der späteren Musik. Erst die zunehmende Rollentrennung von Komponist und Spieler sowie die Verfügbarkeit gedruckter Noten führten in der Musik der Klassik und Romantik dazu, daß jede Nuance vom Komponisten vorgeschrieben wurde.

Ebenso wie in der Kunst und Architektur kamen die wichtigsten Einflüsse der Barockmusik aus Italien. Deutsche Musiker studierten dort, und italienische Komponisten wirkten in Deutschland. Doch gab es in Deutschland infolge der Reformation auch eine eigene Tradition. Durch Luthers Betonung des Wortes und den Gebrauch der deutschen Sprache im Gottesdienst hatte sich das liturgische Verhältnis zwischen sprachlichen und außersprachlichen Elementen verändert. Davon war natürlich auch die Musik betroffen, die stärker als bisher den Text hervorheben sollte. Die unmittelbare Folge ist der lutherische Choral mit einer schlichten, möglichst einprägsamen Melodie, die von der ganzen Gemeinde mitgesungen wird. Viele Choräle wurden von Luther selbst komponiert. Der Choral stellte ein Gegengewicht zur komplizierten Polyphonie im Barock dar. Er bildete aber oft auch als ‚Cantus firmus' den Ausgangspunkt für polyphone Kompositionen.

In der Musik von Heinrich Schütz (1585-1672) begegnen sich der lutherische Ausgangspunkt und eine italienische Ausbildung. Zu seinen Lehrern gehörte der Komponist der ältesten heute noch erhaltenen Opern, Claudio Monteverdi. Schütz schrieb zu einem Libretto von Martin Opitz die erste (leider nicht mehr erhaltene) deutsche Oper. Erhalten sind von ihm dagegen viele Madrigale und Motetten, sowie die ältesten Oratorien in deutscher Sprache: die Weihnachtsgeschichte, drei Passionen sowie die *Sieben Worte Jesu Christi am Kreuz.* In diesen Werken verband er die lutherische wortzentrierte Choraltradition mit der italienischen Tradition des Rezitativs.

In der deutschen Barockmusik kommt der Orgel eine besondere Bedeutung zu. In der polyphonen Brillanz des Choralvorspiels bot sie einen Ausgleich zum schlichteren Gesang. Die Orgelmusik Dietrich Buxtehudes (1637-1707) war so berühmt, daß Johann Sebastian Bach 1705 mehrere hundert Kilometer zu Fuß nach Lübeck reiste, um den Meister zu hören. Die Orgel war auch der Ausgangspunkt für die kühnen kontrapunktischen Experimente Bachs. Johann Sebastian Bach (1685-1750) war in erster Linie Kirchenmusiker, obwohl er auch weltliche Musik schrieb – die Brandenburgischen Konzerte gehören zu seinen populärsten Werken. Bach war von 1723 bis an sein Lebensende Kantor der Thomaskirche in Leipzig. In dieser Eigenschaft schrieb er Kantaten und Oratorien für das ganze Kirchenjahr. Diese Werke, insbesondere die Passionen, werden heute noch regelmäßig zu den entsprechenden Anlässen aufgeführt, auch wenn sie sich vom eigentlichen liturgischen Gebrauch längst gelöst haben.

Zu Beginn des 18. Jahrhunderts wurden deutliche Fortschritte im Instrumentenbau gemacht. Das Cembalo wurde verbessert, und die ersten Hammerklaviere wurden gebaut. In diesem Zusammenhang wurde auch ein neues Prinzip bei der Einstimmung oder ‚Temperierung‘ dieser Instrumente entwickelt. An Stelle der natürlichen Intervalle wurden die Zwischentöne nunmehr mathematisch genau verteilt. Dieses Prinzip setzte sich durch und hat sich bis heute gehalten. Für Bach war die temperierte Stim-

Johann Sebastian Bach

mung etwas Neues; sie ermöglichte erstmals den unbegrenzten Wechsel zwischen verschiedenen Tonarten. Bach probierte die neuen kontrapunktischen Möglichkeiten in seinen *48 Präludien und Fugen für das wohltemperierte Klavier* aus. In beiden Teilen befinden sich je eine Präludie und eine Fuge in jeder der zwölf Dur- und zwölf Molltonarten.

Inzwischen war ein Wandel in der sozialen Situation der Musiker erkennbar geworden. Allmählich interessierte sich ein breiteres Publikum auch außerhalb der Höfe für Musik. Gelegentliche öffentliche Konzerte wurden seit dem Ende des 17. Jahrhunderts gegeben. Der intellektuelle Reiz der Musik Bachs wurde von diesem Publikum allerdings noch wenig geschätzt. Andere Komponisten waren erfolgreicher.

Georg Philipp Telemann (1681-1767) kam 1721 nach Hamburg, wo er vertragsmäßig Musik für die dortigen fünf Hauptkirchen schrieb. Gleichzeitig komponierte er zahlreiche Opern für das Theater am Gänsemarkt, wo das erste deutsche Opernhaus für ein bürgerliches Publikum schon seit 1678 bestand. Heute ist vor allem Telemanns Kammermusik bekannt.

Georg Friedrich Händel (1685-1759), der Nachwelt mit seinem *Messias* vor allem als Oratorienkomponist bekannt, wirkte nach 1710 hauptsächlich in London. Seine für den Londoner Hof komponierte *Wassermusik* und die *Feuerwerksmusik* gehören heute zu den bekanntesten Gelegenheitswerken aus einer Zeit, in der die Gelegenheitskomposition die Regel war. Die Großstadt London bot Händel eine Vielzahl von Einkommensquellen, von denen die Oper die wichtigste war. Händel bemühte sich jahrelang mit einigem Erfolg, den italienischen Opernstil in London einzubürgern. Das wachsende bürgerliche Publikum beeinflußte aber auf die Dauer auch den Musikstil. Die Gesetzmäßigkeit der barocken Polyphonie wurde nach der Jahrhundertmitte aufgelockert. Händels Opern waren dem barocken Geschmack jedoch noch so verhaftet, daß sie diesen Geschmackswandel schlecht überstehen konnten.

5 Die Aufklärung

Leipzig im 18. Jahrhundert

Trotz absolutistischer Despotie machte das Bürgertum im Verlauf des 17. und 18. Jahrhunderts wirtschaftlich große Fortschritte. Mit diesen Fortschritten wuchs das kulturelle Bewußtsein dieser Klasse, die allmählich, zunächst in der Philosophie und Wissenschaft, später in der Kunst und Literatur, eine alternative Kultur zu entwickeln begann. Die bürgerliche Kultur der *Aufklärung* basierte auf einem anderen Wertesystem als der absolutistische Spätfeudalismus und löste ihn schließlich ab. Praktische Überlegungen galten mehr als überlieferte Traditionen. Gut war, was nützlich und vernünftig war. Zugleich legte die Aufklärung neuen Wert auf das Individuum. Ihm wurde nun die volle Verantwortung für die eigene Leistung und den eigenen Erfolg zugesprochen. Immanuel Kant betonte den emanzipatorischen Aspekt der Aufklärung, als er sie so definierte:

> „Aufklärung ist der Ausgang des Menschen aus seiner selbstverschuldeten Unmündigkeit. Unmündigkeit ist das Unvermögen, sich seines Verstandes ohne Leitung eines anderen zu bedienen. Selbstverschuldet ist diese Unmündigkeit,

wenn die Ursache derselben nicht am Mangel des Verstandes, sondern der Entschließung und des Mutes liegt, sich seiner ohne Leitung eines anderen zu bedienen. Sapere aude! Habe Mut, dich deines eigenen Verstandes zu bedienen! ist also der Wahlspruch der Aufklärung.."[8]

Das neue Verantwortungsbewußtsein machte auch nicht vor der Religion halt. Die Aufklärung brachte eine deutliche Säkularisierung der Gesellschaft mit sich. Im Verlauf von zwei Jahrhunderten wurde die Religion von einer öffentlichen, politischen Angelegenheit weitgehend zur persönlichen Sache des einzelnen Menschen. Seit der Renaissance wurde die zunehmende Diskrepanz zwischen Glauben und Wissenschaft als Problem empfunden. Die Wissenschaft hatte einerseits gezeigt, daß die Welt und das Universum größer sind, als es im Mittelalter angenommen wurde. Zugleich war die junge Naturwissenschaft dabei, die Gesetzmäßigkeiten der materiellen Welt besser zu erforschen. Nach und nach wurden Naturgesetze entdeckt, mit denen man das Funktionieren dieser Welt erklären konnte. Entdeckungen wie die von Galilei und Newton zum Verhalten physischer Körper schienen zu beweisen, daß die Welt selbst nach vernünftigen Gesetzen funktioniert, die der Mensch aufdecken kann. Je konkreter vorstellbar die Mechanismen der Natur wurden, desto abstrakter wurden die Vorstellungen von Himmel und Hölle und von Gott. Die Zuverlässigkeit der alten Texte erschien immer zweifelhafter und die scholastische Methode, sie zu interpretieren, immer unbefriedigender.

Am Anfang der Aufklärung und der modernen Philosophie steht die Arbeit des französischen Denkers René Descartes (1596-1650). Auf der Suche nach einer unabhängigen Grundlage für das Wissen erfand Descartes eine Methode, die er den ‚methodischen Zweifel' nannte. Diese bestand darin, daß er alles, was er zu wissen meinte, solange bezweifelte, bis er etwas fand, das nicht mehr bezweifelbar war. Das Unbezweifelbare, das er schließlich fand, war die Tatsache seines eigenen Denkens. Diese Schlußfolgerung ist in dem berühmten Satz ‚cogito, ergo sum' zusammengefaßt. Damit war ein Denkansatz geschaffen, der von jeder äußeren Instanz wahrhaft unabhängig war. Das menschliche Subjekt rückte in den Mittelpunkt der Philosophie, und seine Erkenntnisfähigkeit wurde zu einer ihrer wichtigsten Fragen. Wenn der Mensch mit seinem Verstand die einzige Voraussetzung für die Wahrnehmung der Welt bildet, dann muß auch seine Denkfähigkeit, seine Vernunft, eine ausreichende Grundlage für sein Handeln darstellen.

Der Rationalismus hatte im Zeitalter des Absolutismus eine unverkennbar

---

[8] Immanuel Kant: Was ist Aufklärung?. 1784 Zit. nach: Liebmann, Kurt: „Das Beispiel Lessing". Dresden 1977, S. 27.

gesellschaftskritische Dimension; denn wenn der Mensch ein vernünftiges Wesen ist und Gottes Schöpfung in der Natur eine vernünftige Ordnung offenbart, dann muß auch eine vernünftige Gesellschaftsordnung möglich sein. Die Gesellschaft des Absolutismus mit ihren Standesprivilegien und ihrem unsinnigen Zeremoniell war jedoch kaum vernünftig. Daher faßte die Aufklärung zunächst da Fuß, wo sich das Bürgertum mit seinen dynamischen wirtschaftlichen Interessen fester etabliert hatte, in Großbritannien und Frankreich.

England hatte zu Beginn des 18. Jahrhunderts die modernste Wirtschaftsstruktur Europas. Staatliche und bürgerliche Interessen trafen sich im Überseehandel, und die industrielle Revolution stand vor der Tür. Durch die ‚glorreiche' Revolution von 1688 war eine parlamentarische Monarchie zustande gekommen, und die Philosophie stand nun vor der praktischen Aufgabe, staatstheoretische Überlegungen für die neue gesellschaftliche Situation anzustellen. Die Idee eines Vertrags oder einer Verfassung, die an Stelle einer angeblich gottgewollten Ordnung das Zusammenleben der Klassen und der Bürger im Staat regeln sollte, gewann an Beliebtheit. Das Vorbild war der im bürgerlichen Alltag übliche Geschäftsvertrag.

In Frankreich, wo eine viel größere Revolution noch bevorstand, beschäftigte sich die Philosophie der Aufklärung auch eingehend mit staatsrechtlichen Fragen. Viele der Grundsätze, die heute den meisten Staatsverfassungen zugrundeliegen, wurden dort entwickelt, so etwa der Grundsatz der Gewaltenteilung von Legislative, Exekutive und Justiz, der von Charles de Montesquieu (1689-1755) formuliert wurde.

Im vorrevolutionären Frankreich war der Glaube an die befreiende Kraft des Wissens sehr stark. Philosophie war in einem realen Sinne Widerstand gegen die Realität des Ancien régime. In diesem Sinne entstand in Frankreich eines der größten Projekte der ganzen Aufkärung. Denis Diderot und Jean d'Alembert gaben eine Enzyklopädie heraus, in der das gesamte Wissen der Menschheit zusammengefaßt werden sollte. Sie sahen das Wissen als Bollwerk gegen das Unwissen an, das von der Kirche im Bündnis mit dem absolutistischen Staat verbreitet wurde.

Gottfried Wilhelm Leibniz

Zu Lebzeiten von René Descartes war Deutschland noch in eine Art verspäteten Glaubenskrieg verwickelt. Der gesellschaftliche Rückstand infolge des Partikularismus und des Dreißigjährigen Kriegs verzögerte das Übergreifen der Aufklärung auf Deutschland. Mit wenigen Ausnahmen, wie der Samuel Pufendorfs (1632-94), der den Begriff des Naturrechts entwickelte, lagen die großen Leistungen der deutschen Philosophie des 17. und 18. Jahrhunderts nicht auf dem pragmatischen gesellschaftstheoretischen Gebiet. Bevorzugt wurden dagegen die Metaphysik und ihre Kritik.

Mit Gottfried Wilhelm Leibniz (1646-1716) beginnt eine lange Reihe von neuzeitlichen deutschen Philosophen, die an einem umfassenden System zur Erklärung der Welt arbeiteten. Leibniz glaubte, daß es möglich sein muß, eine logisch einwandfreie Sprache zu entwickeln, mit der alle Phänomene der Welt erklärbar sind. Mit seiner Theorie von den ‚Monaden‘, den kleinstmöglichen Teilen der geistigen und materiellen Welt, arbeitete er an einem Modell zur Erklärung des Verhältnisses zwischen Idee und Materie.

Leibniz verband sein sehr umfassendes Wissen mit einem streng mathematisch-logischen Geist. Allein schon als Mathematiker erbrachte er bahnbrechende Leistungen wie die Entwicklung der Infinitesimalrechnung und des Prinzips einer Rechenmaschine auf binärer Grundlage. Daß seine Rechenmaschine umständlich war, lag nicht an der Theorie, sondern an den begrenzten technischen Möglichkeiten der Zeit.

Leibniz teilte die optimistische Grundhaltung der Aufklärung und stellte logisch fest, daß Gott als vollkommenes Wesen von allen möglichen Welten nur die beste erschaffen konnte und daß wir folglich in der besten aller möglichen Welten leben. Politisch angewandt ist diese Ansicht natürlich ein Freibrief für jede konservative Denkweise. Darüber mokierte sich Voltaire in seiner Satire *Candide*. Aber Leibniz ging es nicht um Politik, sondern um die Frage nach der Rechtfertigung Gottes angesichts des in der Welt vorhandenen Übels. Diese Rechtfertigung legte er 1710 in seiner *Theodizee* vor.

Von Leibniz gingen auch sehr praktische Initiativen aus, wie etwa die Gründung der preußischen Akademie der Wissenschaften. Leibniz gehört zudem zu den ersten, die in Deutschland ein öffentliches Gesundheitswesen forderten. Seine vielen Reisen brachten ihn in Kontakt mit wichtigen Philosophen des Auslandes – unter anderem mit Spinoza. So trug er durch seine Person wie durch sein Werk zur Förderung der deutschen Aufklärung bei.

Ein Teil der Leibnizschen Philosophie wurde im 18. Jahrhundert von Christian Wolff (1679-1754) übernommen, systematisiert und zu einer schlichten rationalistischen Schulphilosophie umgebaut. Wolff dominierte jahrelang den Philosophieunterricht deutscher Universitäten. Er war Professor in Halle, als er 1723 aus geringem Anlaß vom preußischen König Friedrich Wilhelm I. vertrieben wurde. Die Begeisterung, mit der er bei seiner Rückkehr unter dem neuen, philosophisch interessierten König Friedrich II. von der Bevölkerung empfangen wurde, spricht für die Bedeutung, die man inzwischen auch in Deutschland generell der Aufklärung zumaß. Die Beliebtheit des Professors ließ allerdings schnell nach, denn sein trockener Rationalismus entsprach nicht mehr dem veränderten Geschmack der Jahrhundertmitte.

Immanuel Kant

Kaum war die Idee entstanden, daß die Welt ein nach einfach durchschaubaren und vernünftigen Gesetzen funktionierender Mechanismus sei, wurde sie wieder fragwürdig. 1755 zerstörte ein großes Erdbeben die Stadt Lissabon und erschütterte zugleich den Optimismus vieler Zeitgenossen. In dieser Situation mußte die Philosophie erneut das Verhältnis zwischen der Erfahrung und der ordnenden Vernunft als Grundlagen der Erkenntnis überprüfen.

Der umfassendste Versuch in dieser Richtung wurde 1781 von Immanuel Kant (1724-1804) in seiner *Kritik der reinen Vernunft* vorgelegt. Darin unterscheidet er zwischen dem Wissen, das wir aus der Erfahrung (‚a posteriori‘) beziehen, und dem Wissen, das wir vor jeder neuen Erfahrung (‚a priori‘) besitzen und benötigen, um diese in die bestehende Erfahrungswelt einzuordnen. Gewisse Vorstellungen, wie etwa die über räumliche Ausdehnung oder Zeit, sind zwar keine Eigenschaften der Dinge, die wir wahrnehmen, aber ohne sie wäre jede Wahrnehmung unmöglich. Analog zu diesen ordnenden Vorstellungen (‚Anschauungen‘) gibt es nach Kant mehrere Kategorien, die dem Menschen die Beziehungen zwischen den Erscheinungen erklärbar machen.

Kant zufolge sind auch die Naturgesetze keine Gesetze der Natur, sondern ein System des Menschen zur Erklärung der Natur. Damit erfährt das denkende Subjekt eine besondere Aufwertung, denn die wahrgenommene Welt wird vom wahrnehmenden Subjekt abhängig. Doch hat das auch eine Kehrseite, denn nach Kant ist es für das menschliche Subjekt unmöglich, bis zu den wirklichen Dingen selbst (‚an sich‘) vorzustoßen. Das Einzige, worüber man etwas wissen kann, ist die Welt, wie sie einem erscheint. Damit steht Kant am Anfang der idealistischen Philosophie, die in den folgenden Jahrzehnten aus dem Vorrang der Idee vor der Materie und des Subjekts vor dem Objekt riesige spekulative Systeme errichtet.

In einem wichtigen Abschnitt der *Kritik der reinen Vernunft* widerlegt Kant alle traditionellen Gottesbeweise und zeigt, daß weder die Existenz noch die Nichtexistenz Gottes bewiesen werden kann. So kann diese Frage auch nicht Gegenstand von Wissen sein. Kant war kein Atheist. Aber seine Begründung für einen Glauben an Gott, die sich in der späteren *Kritik der praktischen Vernunft* (1788) befindet, ist pragmatischer Art. Es besteht nach Kant ein praktisches Bedürfnis nach Gott, da

der Mensch in der Hoffnung auf Ge-
rechtigkeit im Jenseits einen Ausgleich
für die Ungerechtigkeit auf Erden finden kann.

Dieselbe Unabhängigkeit von der Theologie erreichte Kant auch in der Ethik.
Kants Morallehre ist im allgemeinen
Bewußtsein bekannter als seine Metaphysik. Ihr Kern befindet sich in einem
berühmten Satz in der *Metaphysik der
Sitten* (1797), im sogenannten *kategori-
schen Imperativ*. Der Satz lautet:
„Handle so, daß die Maxime deines
Willens jederzeit zugleich als Prinzip
einer allgemeinen Gesetzgebung
gelten könne".

Immanuel Kant

Es ist der alte ethische Grundsatz, daß
man so handeln soll, wie man selber be-
handelt zu werden wünscht. Neu bei Kant ist das ,Kategorische'. Nicht die Angst
vor dem Richter oder vor der Hölle soll den Menschen dazu bewegen, moralisch
richtig zu handeln, sondern einzig und allein seine eigene Einsicht und sein eigener
Wille. Hatte die Stellung des Menschen gegenüber der Welt der Dinge in Kants Er-
kenntnistheorie eine gewaltige Aufwertung erfahren, so überträgt er hier auch die
ganze Verantwortung für sittliches Handeln auf den freien Menschen. Diese Einstellung prägt den Humanismus der späten Aufklärung. Sie ist es, zusammen mit
der ästhetischen Theorie der *Kritik der Urteilskraft*, welche die tiefe Bewunderung
Schillers und der Weimarer Klassik für Kant am Ende des Jahrhunderts begründet.
Nicht zuletzt auf diesem literarischen Wege erreichten Kants Ideen eine Öffentlichkeit und eine Nachwelt, die weit größer sind als der enge Kreis seiner Leser.

Die Entstehung einer literarischen Öffentlichkeit in Deutschland im Jahrhundert der Aufklärung

Die Aufklärung wäre in Deutschland ohne große Resonanz geblieben, wenn es außer einzelnen hervorragenden Philosophen und einigen aufgeklärten Fürsten nicht
auch eine rasch wachsende und bildungshungrige bürgerliche Öffentlichkeit gegeben hätte. Der eigentliche Schwerpunkt der Aufklärung ist deshalb auch weniger in

73

den Gipfeln philosophischer Theorie als in der praktischen Bildungsarbeit zu sehen.

Zu Beginn des 18. Jahrhunderts waren Bücher sehr teuer und schwer erhältlich. Die meisten Bücher richteten sich an Gelehrte. Noch um 1690 erschienen sie in der Mehrzahl auf Latein. Bibliotheken waren für Normalbürger kaum zugänglich. Sie befanden sich in Privatbesitz und waren ein Reservat der Kirche und des Adels. Der Bücherverkauf fand unregelmäßig auf Messen und Jahrmärkten statt, und es war die Regel, daß neue Bücher nur an ihrem Erscheinungsort zu haben waren. Der breite Erfolg, der Goethes *Leiden des jungen Werthers* im Jahre 1774 zuteil wurde, wäre noch zu Beginn des Jahrhunderts undenkbar gewesen.

Die Geschichte der bürgerlichen Kultur des 18. Jahrhunderts ist demnach in erster Linie die Geschichte der Bildung einer literarischen Öffentlichkeit. Zwei Mittel waren vor allem geeignet, den Zugang zur Literatur zu erleichtern. Das eine war die Einrichtung von Lesezirkeln und Leihbüchereien, durch welche die Kosten für die Bücheranschaffung geteilt werden konnten. Jedes Exemplar eines Buches oder einer Zeitschrift, das so angeschafft wurde, erreichte ein größeres Publikum. Der öffentliche Charakter der Lesezirkel förderte die Diskussion und ermöglichte eine breite Auseinandersetzung mit dem Gelesenen. Dem Austausch von Lektüre folgte der Austausch von Gedanken und Meinungen. Vorträge ergänzten das Angebot. Andere Vereine und Gesellschaften kamen hinzu. Innerhalb der ständisch gegliederten Gesellschaft waren sie kleine demokratische Inseln, wo die Mitglieder in der Regel gleiche Rechte hatten. Die Sehnsucht nach Gleichberechtigung war auch der Verbreitung von Geheimgesellschaften förderlich. Das 18. Jahrhundert war die Blütezeit der Freimaurerlogen, die hinter einer Fassade von geheimnisvollen Ritualen weitgehend Ziele der Aufklärung vertraten. Zu den vielen bekannten Mitgliedern zählen Friedrich II., Lessing, Goethe und Mozart.

Das zweite Mittel, die literarische Aktivität des Bürgertums zu fördern, waren Zeitschriften, die einem breiteren Leserkreis aktuelles Wissen in verdaulicheren Portionen vorstellten. Zwar konnte bei der geringen Leserzahl und den mangelnden Kommunikationsmöglichkeiten kein Pressewesen im modernen Sinne entstehen. Außerdem war der Bedarf an aktuellen Nachrichten aus aller Welt, wie wir ihn heute kennen, noch nicht vorhanden. Aber der gesellschaftliche Umbruch im Jahrhundert der Aufklärung wurde von einer neuen Art von Zeitschrift registriert und dokumentiert. Die sogenannten *moralischen Wochenschriften* wandten sich im Gegensatz zu den älteren Gelehrtenzeitschriften an ein breiteres Publikum. Die Zeitschriften bemühten sich, das literarische Interesse immer breiterer Kreise des Bürgertums zu wecken. Oft stammte der Inhalt aus einer einzigen Feder. Manchmal war die Information in eine pseudofiktive literarische Gestalt gekleidet.

74

Bereits in den zwanziger Jahren des 18. Jahrhunderts wurden in den wichtigeren Zentren des deutschen Sprachraums solche moralischen Wochenschriften nach dem Vorbild des englischen *Spectator* gegründet. In Leipzig, als Messestadt schon lange das wichtigste Zentrum des deutschen Buchhandels, gründete Johann Christoph Gottsched (1700-66) die Zeitschrift *Die vernünftigen Tadlerinnen*, während im streng protestantischen Zürich J.J. Bodmers und J.J. Breitingers moralische Wochenschrift *Discourse der Mahlern* die schweizerische Aufklärung auf eine kunst- und phantasiefreundliche Bahn zu lenken versuchte.

Die Zeitschriften richteten sich oft ausdrücklich an Frauen. Die Fähigkeit, eine gebildete Unterhaltung zu führen, gehörte zu den gesellschaftlichen Pflichten der besser gestellten Frau. So spielen in der Literaturgeschichte des 18. Jahrhunderts Frauen eine sehr wichtige

Titelblatt einer Moralischen Wochenschrift

Rolle als Gastgeberinnen, die Dichter um sich sammeln. Daß Frauen selber aktiv schriftstellerisch an die Öffentlichkeit traten, blieb allerdings lange eine Seltenheit. Als erster bürgerlicher Roman einer Frau in Deutschland erschien 1771 *Die Geschichte des Fräuleins von Sternheim* von Sophie von La Roche (1731-1807). La Roche gab später auch als erste deutsche Frau eine Zeitschrift heraus, mit der sie sich bewußt aus einer weiblichen Perspektive an ihr eigenes Geschlecht wenden wollte, die *Pomona für Teutschlands Töchter*.

Die Zeitschriften bemühten sich aber nicht nur um die individuelle Bildung ihrer Leserinnen und Leser. Sie wollten auch der Bildung einer nationalen Kultur dienlich sein. Dieses Ziel drückt sich schon im Titel der Hamburger Zeitschrift *Der Patriot* aus. Nach dieser Zeitschrift wurde 1765 eine ‚patriotische Gesellschaft' gegründet, die gemeinnützige Ziele verfolgte. Das Wort Patriot hatte im 18. Jahrhundert eine andere Bedeutung als im 19. Man drückte damit so etwas wie bürgerliches Klassenbewußtsein aus. Patriot war einer, der für die Interessen der gesellschaftlichen Gesamtheit eintrat und nicht für die dynastischen Interessen der Fürsten. In der Französischen Revolution wurde Ende des Jahrhunderts der König im Namen des Patriotismus vertrieben und ein Staat gegründet, der diese allgemeinen gesellschaftlichen Interessen vertreten sollte. Das Wort national wurde ähnlich verstanden. So geschah die publizistische Aktivität der Aufklärer und die Arbeit in Lesegesellschaften und anderen Vereinen in einem neuen Bewußtsein, das den Interessen der alten Fürstenhäuser kaum entsprechen konnte.

Aufklärung wurde als nationale Bildungsarbeit verstanden, und der Einsatz einzelner Personen und Gruppen war oft sehr vielseitig. So machte sich in Leipzig der Zeitschriftenherausgeber Gottsched an eine weitere Vereinheitlichung der deutschen Schriftsprache – von ihm stammt u.a. die Regelung der Adjektivdeklination – und setzte sich für eine Reform des Theaters ein. Ebenfalls vielseitig engagiert war der Kritiker, Ästhetiker und Dramatiker Gotthold Ephraim Lessing (1729-81). Er trat für religiöse Toleranz ein und popularisierte die neuen Positionen der Philosophie. Unter anderem verteidigte er den Philosophen Hermann Samuel Reimarus (1694-1768), dessen Ansichten zur Naturreligion ihn in Konflikt mit der lutherischen Orthodoxie gebracht hatten, und war mit dem jüdischen Denker Moses Mendelssohn (1729-86) befreundet. Eine aufgeklärte Theologie mit mehr Raum für Toleranz war auch das Ziel des Theologen Johann Salomo Semler (1725-91). Semler meinte, daß auch die Theologie als moderne kritische Wissenschaft betrieben werden kann und daß die Heilige Schrift als historische Quelle anzusehen ist. Damit könnten scheinbare Widersprüche zwischen Theologie und Vernunft überbrückt werden.

Die Tradition aufgeklärter Publizistik setzte sich in den Jahren der Französischen Revolution fort. Männer wie Georg Forster (1754-94), Joachim Heinrich Campe (1746-1818) und Johann Gottfried Seume (1763-1810) benutzten die sehr beliebte Gattung des Reiseberichts als Vehikel für Sozialkritik und politische Überlegungen.

Vom Hanswurst zur ‚moralischen Anstalt‘[9]. Das Theater im 18. Jahrhundert

Wie das literarische Leben im allgemeinen, so erhielt auch das Theater in Deutschland im Zuge der Aufklärung eine neue Gestalt. Die noch heute dominierende Tra-

---

[9] Nachträglicher Titel von Schillers Antrittsrede in der Deutschen Gesellschaft 1784: „Die Schaubühne als moralische Anstalt betrachtet“.

dition des ernsten, institutionellen Theaters geht auf das 18. Jahrhundert zurück. Die Dramen Lessings und Schillers, die in der bewußten Absicht der Bildung eines gehobenen Publikumsgeschmacks geschrieben wurden, gehören noch heute zum Kernbestand des deutschen Theaterrepertoires. Zu Beginn des 18. Jahrhunderts gab es das Theater im modernen Sinne in Deutschland noch nicht. Es gab weder die Gebäude noch den institutionellen Rahmen. Als feste Einrichtung gab es Theater nur vereinzelt an den Höfen. Das Hoftheater diente vornehmlich der gesellschaftlichen Unterhaltung und der Repräsentation. Musikalische Einlagen und Ballett erhöhten den Repräsentationswert der Darbietung. Die Traditionen dieses barocken Hoftheaters sind heute eher in der Oper als im Sprechtheater wiederzufinden. Das städtische Publikum und die kleineren Höfe begnügten sich mit Aufführungen von Wandertruppen, die mal hier, mal dort ihre provisorische Bühne aufschlugen und eine Mischung von Drama und Zirkus aufführten. In Anlehnung an den Harlekin der italienischen Komödie wurden die Stükke oft von einem 'Hanswurst' präsentiert, der gleichzeitig an der jeweiligen Handlung teilnahm und sie kommentierte. Es war ein reines Unterhaltungstheater, das zudem noch in der Mißgunst der Kirche stand. Unterhaltung und Zerstreuung galten als wenig tugendhaft. Der Lebensstil der Schauspieler, die als fahrende Künstler keinen festen Wohnsitz hatten, grenzte sie von den seßhaften Bürgern im Publikum ab. Schauspieler und besonders Schauspielerinnen waren dem Verdacht der Promiskuität ausgesetzt. Das wurde einerseits mißbilligt, andererseits verlieh es ihnen den Reiz des erotischen Abenteuers. Goethe beschreibt in *Wilhelm Meisters Lehrjahre* eine solche Atmosphäre beim Aufenthalt einer Schauspieltruppe an einem kleinen adligen Hof:

„War nun ... die Kunst unsrer Schauspieler nicht auf das beste bemerkt und bewundert, so waren dagegen ihre Personen den Zuschauern und Zuschauerinnen nicht völlig gleichgültig. Wir haben schon oben angezeigt, daß die Schauspielerinnen gleich von Anfang an die Aufmerksamkeit junger Offiziere erregten; allein sie waren in der Folge glücklicher und machten wichtigere Eroberungen."[10]
Während die adlige Gesellschaft so ihren Spaß am Theater hatte, galt der Theaterbesuch in bürgerlichen Kreisen vielfach als anrüchig. Aber auch die Vertreter der Aufklärung, die Interesse am Theater hatten, waren mit seinem moralischen Zustand unzufrieden. Allerdings störte sie der Lebensstil der Schauspieler weniger als das frivole Geschehen auf der Bühne. Auch hier gilt der Grundsatz, daß nur das Nützliche moralisch wertvoll sein kann. Immerhin glaubten viele, daß das Theater nützlich gemacht werden könnte.

---

[10] Goethes Werke. Hamburger Ausgabe (6. Aufl. 1965) Bd.VII, S.176.

Einer dieser Optimisten war der Leipziger Publizist Gottsched. Zusammen mit der Schauspielerin Karoline Neuber (1697-1760) errichtete er das erste permanente Theater in Leipzig, wo er als Dramaturg seine Vorstellungen verwirklichen konnte, die mehr an Didaktik als an Unterhaltung orientiert waren. Allein der Wechsel von der Wanderbühne zum standortgebundenen Theater erforderte eine Veränderung des dramatischen Stils und eine wesentliche Erweiterung des Repertoires. Statt mit einigen wenigen Stücken von Ort zu Ort zu ziehen, wo immer wieder ein neues und dankbares Publikum jede Abwechslung begrüßte, mußte die stehende Bühne ständig neu um das eigene Publikum werben. Das stellte völlig neue Anforderungen an die Qualität der Texte und der schauspielerischen Leistung. Gottsched orientierte sich am Besten, was seine Zeit auf dem Theater zu bieten hatte, und praktizierte einen streng durchstrukturierten klassizistischen Stil nach dem Muster des französischen Hoftheaters. Durch eine klar durchgeführte Handlung sollte die im jeweiligen Stück enthaltene Lehre deutlich werden. In einer spektakulären Aktion trat er einmal selber auf die Bühne, um den Hanswurst zu vertreiben. Der Hanswurst war damit aus dem literarischen Theater Deutschlands verbannt, das sich so von der Theatertradition des Volks trennte. Das Volkstheater überlebte vor allem als Dialekttheater und blieb in manchen Regionen und in der Großstadt Wien lange rege. Das Theater, mit dem sich heute der Deutschunterricht an den Schulen und die meisten Literaturgeschichten beschäftigen, ist jenes, das in der von Gottsched gegründeten Tradition steht.

Nicht alle Aufklärer hatten so trockene Ansichten wie Gottsched. Zu seinen wichtigsten Gegnern und zu den wichtigsten Dramatikern der deutschen Literatur zählt

Lessing. Lessing fand Gottsched zu dogmatisch. Vor allem störte ihn Gottscheds Anlehnung an das Hoftheater. Lessing war der Meinung, daß das bürgerliche Publikum ein eigenes, bürgerliches Theater braucht. Das französische Theater, das im Absolutismus entstanden war, konnte diesem Bedürfnis nicht voll genügen. Er war auch der Meinung, daß ein bürgerliches Publikum sich nicht mit dem Leiden der Könige und Fürsten identifizieren kann, die im französischen Theater dargestellt wurden.

Gotthold Ephraim Lessing

In seinen Werken treten Personen bürgerlicher Herkunft auf. Zum größeren Realismus in der Wahl der Helden trat ein entsprechender Realismus der Konfliktsituationen hinzu. Reale Klassengegensätze traten an die Stelle von abstrakten Schicksalsmächten. So läßt sich die bürgerliche *Emilia Galotti* im gleichnamigen Trauerspiel lieber von ihrem Vater töten, als ihre Tugend einem adligen Verführer zu opfern. Konflikte dieser Art wurden in noch schärferer Form in den Dramen des Sturm und Drang ausgefochten.

Bei aller Gegensätzlichkeit ihrer methodischen Auffassungen zeigt sich, daß sich Lessing, Gottsched und die jüngeren Dramatiker des Sturm und Drang in der Hauptsache einig waren. Das Theater war für sie alle ein Forum für eine moralische Erziehung des Bürgertums. Trotz oder vielleicht wegen dieses ehrenwerten Anliegens geriet auch Lessing in Konflikt mit der Kirche, und zwar in eine lange Polemik mit der Hamburger Pastorenschaft, denn für die Monopolstellung der Kirche war ein moralbewußtes Theater noch gefährlicher als ein unmoralisches. So leistete auch das Theater einen Beitrag zur Säkularisierung der Gesellschaft. Ganz unbeabsichtigt war dieser Beitrag nicht. In seinem Drama *Nathan der Weise* stellt Lessing Vertreter des Christentums, des Judentums und des Islam als gleichwertig dar und versucht zu zeigen, daß keine einzelne Religion für sich den Anspruch erheben darf, in alleinigem Besitz der Wahrheit zu sein.

Die deutsche Aufklärung hat vor allem theoretisch wichtige emanzipatorische Arbeit geleistet. Sie löste die Literatur und besonders das Drama von religiösen und politischen Bindungen und machte sie zum Vehikel eines eigenständigen Nationalbewußtseins. Auf der praktischen Seite erwies es sich jedoch unter den wirtschaftlichen Bedingungen des 18. Jahrhunderts als äußerst schwierig, stehende Bühnen ohne Unterstützung des Hofs oder des Staates aufrechtzuerhalten. Das gelang nicht einmal in Hamburg, wo Lessing versucht hatte, ein deutsches Nationaltheater zu etablieren. So kam es in der Praxis zu einer allmählichen Verschmelzung der bürgerlichen Theaterinitiative mit dem Hoftheater. Das bürgerliche Theater wurde vom Hof unterstützt, und das Hoftheater öffnete dem bürgerlichen Publikum seine Türen. Das Nationaltheater in Mannheim, das den jungen Schiller bekannt machte, wurde vom bayrisch-pfälzischen Hof getragen. In Wien wurde aus dem Hoftheater das Burgtheater, das ein zahlendes Publikum zuließ und sich im Verlauf des folgenden Jahrhunderts zu einer maßgeblichen Kulturinstitution entwickelte. Unter diesen Umständen konnten nicht alle Ziele der Aufklärung erreicht werden. Eine neue Abhängigkeit vom Geschmack des zahlenden Publikums entstand, ohne daß die alte Abhängigkeit vom Staat oder Hof gelöst wurde. Diese institutionelle Verflechtung hat sich bis zum heutigen Tage im deutschen Theaterwesen fortgesetzt, wobei die Länder und die Kommunen die Verantwortung für die Theater vom

Hof geerbt haben. So hat das Theater in besonderem Maße gesellschaftliche Anerkennung gefunden. Der Theaterbesuch ist nach der Zeit der Aufklärung nicht mehr ein frivoles Vergnügen, das der anständige Mensch lieber meidet, sondern nahezu eine gesellschaftliche Pflichtübung.

6 *Klassik und Revolution*

Goethe in der Campagna, Gemälde von Johann Heinrich Tischbein

„Es darf uns nicht niederschlagen, wenn sich uns die Bemerkung aufdringt, das Große sei vergänglich; vielmehr wenn wir finden das Vergangene sei groß gewesen, muß es uns aufmuntern, selbst etwas von Bedeutung zu leisten, das fortan unsre Nachfolger, und wär' es auch schon in Trümmer zerfallen, zu edler Tätigkeit aufrege, woran es unsre Vorvordern niemals haben ermangeln lassen".

J.W.v.Goethe: Italienische Reise.

In den letzten Jahrzehnten des 18. Jahrhunderts wurden die Folgen des historischen Wandels, der die Aufklärung motiviert und begleitet hatte, unübersehbar. In England hatte die industrielle Revolution mit der Mechanisierung der Produktion schon angefangen, und moderne kapitalistische Grundstrukturen hatten sich im Handel und in der Industrie durchgesetzt. Erste Ansätze der Industrialisierung waren auch in bestimmten Regionen Deutschlands erkennbar, etwa an der Wupper im Bergischen Land.

Die zunehmende wirtschaftliche Bedeutung von Teilen des Bürgertums machte sich allmählich politisch bemerkbar, und der spätfeudalistische Absolutismus fing an, brüchig zu werden. Unter Berufung auf die Ideen der Aufklärung lösten sich die englischen Kolonien in Nordamerika vom Mutterland, um den Kern der Vereinigten Staaten von Amerika zu bilden. Die Ideen von Montesquieu und anderen Vertretern der Aufklärung wurden dort wie in Europa eifrig studiert, und in Frankreich war das Bürgertum im Begriff, die politische Macht an sich zu reißen. Kulturell verlor der Hof allmählich an Einfluß, und die Initiative ging in allen Bereichen auf das Bürgertum über, welches sogar im rückständigen Deutschland ein neues Selbstbewußtsein entwickelt hatte.

Die Entdeckung der Natur durch die Vorromantik

Schön ist, Mutter Natur, deiner Erfindung Pracht
Friedrich Klopstock

Für den neuen bürgerlichen Geschmack, der sich in der Mitte des 18. Jahrhunderts abzuzeichnen begann, war der strenge Rationalismus der frühen Aufklärung keine annehmbare Alternative zum höfischen Barock oder zum Dogma der Kirche mehr. Ausgehend von England fing die bürgerliche Literatur an, sich mit dem Leben und der Gefühlswelt des Bürgertums zu beschäftigen. Die Stellung des Individuums und seiner Gefühle rückten deutlich in den Mittelpunkt der Werke. Eine neue Gattung, der Roman, breitete sich über Europa aus. Besonders beliebt als Form war der Briefroman, der eine gewisse Intimität zwischen den dargestellten Gestalten und den Lesern vortäuscht. Goethes Briefroman *Die Leiden des jungen Werthers* (1774) hatte als erstes Werk der deutschen Literatur großen Erfolg über die Grenzen Deutschlands hinaus.

Im Einklang mit dem neuen Geschmack in der Literatur machten die Ideen Jean Jacques Rousseaus (1712-78) in der zweiten Jahrhunderthälfte dem auf logischer Disziplin aufbauenden Rationalismus der frühen Aufklärung Konkurrenz. Rousseaus Hauptgedanke ist, daß sich die menschliche Gesellschaft viel zu weit von der Natur entfernt hat. Sein Aufruf ,Zurück zur Natur' ist grundsätzlich demokratisch in der Tendenz, denn was könnte weniger natürlich sein als der barocke Spätfeudalismus mit seinem übertriebenen Hofzeremoniell, seiner absurden Haarmode und den geometrischen Gärten der Schlösser?

Rousseaus Schriften wurden überall in Europa begeistert aufgenommen, weil sie dem Bürgertum das Gefühl von Überlegenheit verliehen. Denn am Maßstab der Natürlichkeit gemessen ist die bescheidenere Lebensart des Bürgertums in

Rousseaus Sinne moralisch besser als die der hohen Stände. Dieses Gefühl der moralischen Überlegenheit ist für das Selbstwertgefühl des Bürgertums am Vorabend der Französischen Revolution von besonderer Bedeutung. In Deutschland, wo die Zeit noch nicht reif war für eine ähnliche Umwälzung, prägte die Vorstellung der moralischen Überlegenheit die Literatur der siebziger Jahre. Auch hier war die Aufwertung der Natur und des einfacheren Lebens im Volk der Ausgangspunkt.

Das veränderte Verhältnis zur Natur ist nicht nur eine Folge der Wirkung Rousseaus, sondern eher eine Voraussetzung dafür, denn bevor jemand mit der Aufforderung zu einer Rückkehr zur Natur Erfolg haben kann, muß das Wort Natur selbst einen positiven Klang haben. Die Vorbedingung dafür ist, daß der Mensch seine Angst vor der Natur verliert. Infolge des allgemeinen technischen Fortschritts hatte die Natur im 18. Jahrhundert, zumindest im westlichen Europa, einiges von ihrer Bedrohlichkeit verloren. Mit der Kenntnis der Naturgesetze hatte die Wissenschaft viele Dämonen aus der Natur vertrieben und war auf dem besten Wege, sie vollkommen zu bändigen. Die Verkehrswege wurden besser und sicherer, somit wurde das Reisen erstmals zu einem Genuß. Das Wandern wurde zu einer beliebten Freizeitbeschäftigung. Die Menschen konnten das Wandern in der Gewißheit genießen, daß sie am Ende des Wandertags sicher zu ihrem urbanen Leben zurückkehren würden.

Ein frühes wichtiges Zeugnis für das veränderte Naturbewußtsein ist im deutschen Sprachraum das umfangreiche Gedicht *Die Alpen*, das der Schweizer Dichter Albrecht von Haller (1708-77) 1729 veröffentlichte. Hier wurden zum ersten Mal die Berge in ihrer Naturschönheit beschrieben. Früher hatte man die Alpen vor allem als ärgerliches und bedrohliches Verkehrshindernis auf dem Weg nach Italien empfunden.

Der bürgerliche Geschmack setzte sich allmählich in der gesamten Gesellschaft durch. Sichtbar wird das gegen Ende des 18. Jahrhunderts im Aufkommen eines neuen Gartenstils. Neben dem bis dahin vorherrschenden französischen Garten, der möglichst genau Geometrie und Symmetrie betont und Hecken und Bäume zu künstlichen Formen zurechtschneidet, kommt der sogenannte englische Garten auf. Dieser ist zwar nicht weniger kunstvoll angelegt, aber er soll die freie Natur suggerieren. Landschaftsvielfalt und überraschende Perspektiven ersetzen hier die barocke Symmetrie. Ein See, ein Stück Ruine oder ein klassizistisches Tempelchen hier und dort ergänzen das Bild. Eine ähnliche, mehr von der Lektüre Rousseaus als von der wirklichen Beobachtung gewonnene, idealisierte Natur zeigt sich in der Landschaftsmalerei, die gegen Ende des Jahrhunderts, in Deutschland etwa im Werk von Joseph Anton Koch (1768-1839), stärker zum Vorschein kommt.

In Deutschland hinterläßt die Vorromantik ihren stärksten Eindruck in der Literatur. Während der Hauptstrom der Aufklärung immer die Bühne als wichtigstes
Ausdrucksmittel der Literatur ansieht, kommen um 1770 der Roman und vor allem
die Lyrik auf. Hier macht sich der Einfluß des Pietismus bemerkbar, einer frommen
Bewegung innerhalb der lutherischen Gemeinde, die das persönliche religiöse Erlebnis betont. Der Lyriker Klopstock (1724-1803) erreicht mit seinen Oden, in denen er die Natur preist, unerhörte Popularität und zählt zu den ersten Schriftstellern
im deutschen Sprachraum, die allein vom Verkauf ihrer Werke hätten leben können.

Der wirkliche Höhepunkt der deutschen Vorromantik ist der Sturm und Drang.
Diese Bewegung entstand, als eine Reihe von jungen Dichtern, darunter auch
Goethe, um 1770 in der französischen Grenzstadt Straßburg zusammentrafen. Geistiger Mittelpunkt der Bewegung war der aus dem baltischen Raum stammende
Theologe Johann Gottfried Herder (1744-1803), der an der Universität Königsberg
u.a. bei Kant und J.G. Hamann (1730-88) studiert hatte. Besonders letzterer hatte
mit seinem Begriff des Genies einen tiefen Eindruck auf das Denken Herders gemacht. Das Genie brauche, um produktiv zu sein, keine Kenntnis von Regeln, sondern nur die eigene Kraft. Herder bezog den Geniebegriff nicht nur auf den einzelnen Dichter oder Künstler, sondern vermutete im Volk selbst so etwas wie
Originalgenie. Herders Geschichtsbewußtsein war für seine Zeit sehr weit entwik-
kelt, und er begriff die Kultur eines Volkes als Ergebnis seiner Lebensbedingungen
und seiner Geschichte. Es ist deswegen nach Herder unsinnig, ausschließlich in
fremden Kulturen – etwa bei den Griechen – nach Vorbildern für die eigene Kultur
zu suchen. Herder sammelte Volksdichtung aus Deutschland und Europa und leitete somit diese wichtige Sammeltätigkeit im deutschen Sprachraum ein. Sie wurde
auf dem Höhepunkt der Romantik fortgesetzt. Im Sturm und Drang fing auch die
große Begeisterung für Shakespeare an, die zu den Übersetzungen seiner Werke
durch die Romantiker August Wilhelm Schlegel und Ludwig Tieck führte. Schon
Lessing hatte Shakespeare als Beispiel dafür angesehen, daß eine große Dramen-
kunst nicht unbedingt klassische Regeln beachten muß. Der Sturm und Drang ent-
deckte im ‚nordeuropäischen‘ Shakespeare eine geistige Verwandtschaft mit den
eigenen Ideen.

Die literarische Praxis des Sturm und Drang ist von einer übereifrigen Umsetzung
neuer Ideen geprägt. Jeder wollte ein Genie sein und seine Lebensfreude und Natur-
begeisterung in formlosen Oden und seinen Protest gegen die Restriktionen der
Gesellschaft in unkonventionellen Dramen im vermeintlichen Stile Shakespeares
ausdrücken. Im Werk des Dramatikers Jakob Michael Reinhold Lenz (1751-92), in
Goethes früher Lyrik, seinem historischen Drama *Götz von Berlichingen* und vor

allem seinen *Leiden des jungen Werthers* leistete der Sturm und Drang einen wichtigen Beitrag zur Literatur der Zeit. Doch wichtiger als die Qualität der einzelnen Erzeugnisse ist die Zuversicht, in der sie entstanden. Die Dichter des Sturm und Drang identifizerten sich mit der mythischen Gestalt des Prometheus, der den Göttern das Feuer stahl. So trugen sie, bei allem Gegensatz zum Rationalismus der Aufklärung, mit zu deren Grundtendenz bei: der Aufwertung des menschlichen Individualismus.

Aufklärung
Sturm & Drang
(Romantik)

Die neue Rückbesinnung auf die Antike

Mit ihrem neuerrungenen Selbstbewußtsein konnte die bürgerliche Kultur Trotzphasen wie den Sturm und Drang recht schnell überwinden. Unzufrieden mit der Zügellosigkeit dieser Bewegung, suchte man nach reiferen Ausdrucksformen, die dem erreichten Kulturstand besser entsprechen sollten. Kurzum, man strebte eine neue Klassik an, und in diesem Sinn richtete sich der Blick wie von selbst erneut auf das antike Vorbild.

Die Beschäftigung mit der Antike war angesichts der allgemeinen Bildungsinhalte des 18. Jahrhunderts für jede Generation naheliegend. Die Literatur und Mythologie der Griechen und Römer waren vielen weitaus bekannter als die eigene zeitgenössische Kultur. Aber gerade die Vertrautheit mit der Antike war lange Zeit einer neuen Annäherung hinderlich gewesen. Mit der Übernahme des traditionellen Bildungsgutes wurden auch die traditionellen Deutungen übernommen. Der Einsatz des antiken Musters in der höfischen Kultur, der noch in der frühen Aufklärung bei Gottsched nachwirkt, war autoritär und spiegelte die Struktur der spätfeudalistischen und absolutistischen Gesellschaft wider. In diesem gesellschaftlichen Kontext entsprachen die aristotelischen Regeln dem Absolutismus mit seiner Reglementierung und seiner Hierarchie.

Das änderte sich erst in der zweiten Hälfte des Jahrhunderts, nachdem auch die Antike zum Gegenstand einer kritischen Betrachtung im modernen, wissenschaftlichen Sinne geworden war. Dabei ging es nicht um eine Rückkehr zum früheren Klassizismus. Die alten Regeln des Aristoteles wurden nicht mehr blind als Autorität beschworen, sondern man meinte hinter diesen Regeln das eigentliche Wesen der Antike entdeckt zu haben. Diese Ansicht war das Ergebnis empirischer Studien. Das 18. Jahrhundert erlebte den Beginn der wissenschaftlich betriebenen Archäologie. Die Ausgrabungen in Herculaneum und Pompeji erzeugten eine Welle der Begeisterung in ganz Europa. Diese Ausgrabungen hatten erstmals einen Einblick in den antiken Alltag ermöglicht. Außerdem förderten sie ungeahnte Kunstschätze zutage, so daß die materielle Grundlage für ein Studium antiker Kunst beträchtlich erweitert wurde.

Einer der bedeutendsten Kenner der antiken Kunst war Johann Joachim Winckelmann (1717-68). Winckelmann lebte seit 1755 in Rom, wo er mit der Oberaufsicht über die dortigen Altertümer betraut war. Er konnte Werke im Original studieren, die nördlich der Alpen nur in Form von schlechten Zeichnungen bekannt waren. In Winckelmanns Schriften erschienen die alten Werke schon deswegen lebendiger, weil sie für den Autor mit eigenen Erlebnissen verbunden waren. Er sah das Wesen der klassischen Kunst in der ihr innewohnenden Harmonie. Dafür prägte er den Begriff der ‚edlen Einfalt und stillen Größe‘. Die Kunst der Antike war demnach sehr natürlich, aber zugleich recht asketisch.

Eine derartige Askese paßte wiederum hervorragend zu den ästhetischen Vorstellungen der bürgerlichen Aufklärung, denn Bescheidenheit und Askese gehörten zu den Tugenden, die das Bürgertum nach eigener Auffassung von der dekadenten und extravaganten höfischen Gesellschaft abhoben. So wurde die Antike gerade in den Kreisen, die am stärksten von Rousseau beeinflußt waren, wieder aktuell. Dabei besann man sich auch auf die Entstehungsbedingungen dieser Kunst und stellte fest, daß die gesellschaftlichen Bedingungen in den Blütezeiten griechischer und römischer Kultur ganz anders waren als in der ständischen Gesellschaft des Spätfeudalismus. Das demokratische Athen und das republikanische Rom wurden zum Leitbild der Französischen Revolution. Die französischen Jakobiner beriefen sich in ihrem politischen Kampf auf die Tugenden der Römer. Es waren dieselben Tugenden, welche die Vertreter der Aufklärung schon länger bei der aristokratischen Gesellschaft vermißt hatten. Der Maler Jacques-Louis David, Protagonist des klassischen Stils, übernahm die Leitung der Akademie der Künste in Paris und gestaltete die großen Feste der Französischen Revolution. Die neue, bereits im klassischen Stil erbaute Kirche St. Geneviève wurde in ein Pantheon für die Helden der Revolution umfunktioniert. Sogar die Kleidermode wurde klassisch. Davon profitierten vor allem die Frauen, die sich in den neuen klassischen, fließenden Gewändern wesentlich freier bewegen konnten. Auf allen Gebieten war der neue Klassizismus die logische Begleiterscheinung einer neuen politischen Ordnung, die sich auf die Vernunft berief und sich zugleich für die natürlichste Ordnung hielt.

Der neue Klassizismus konnte sich auch ohne revolutionäre Verhältnisse durchsetzen. Am sichtbarsten ist die Hinwendung zum klassischen Stil in der Architektur. Das anbrechende Industriezeitalter stellte die Architektur vor neue Aufgaben. Neben Kirchen und Schlössern brauchte die bürgerliche Gesellschaft immer mehr öffentliche Gebäude für die Verwaltung und zu Erholungszwecken. Theater, Museen und ähnliche Bauten entstanden vom Ende des 18. Jahrhunderts an. Für Bauten, die nicht mehr dynastischer, sondern allgemeiner nationaler Repräsentation dienten, war die Klarheit und Übersichtlichkeit der Klassik optimal geeignet. Immer häufiger diente der griechische Tempelbau als Vorbild. Die komplizierten, hierarchisch gegliederten Fassaden des Barock wichen der optisch einfacheren und gleichmäßigeren – ‚demokratischeren' Säulenordnung der Klassik. Das erste Gebäude in Deutschland, das als Zweckbau für ein Museum konzipiert wurde, das Fridericianum in Kassel (1769-79), zeigt die Wende zum klassischen Stil besonders in der Gestaltung des Portikus. Antike Muster werden nicht wegen ihrer funktionellen Eignung für den jeweiligen Zweck zitiert, sondern aus idealistischen Gründen, wegen ihres vorbildlichen Charakters. Auch dort, wo die genaue äußerliche Kopie des klassisch-antiken Vorbildes vermieden wird, gelten ähnliche ästhetische Grundsätze.

Der für die deutsche Kultur dieses Zeitraums charakteristische Widerspruch zwischen dem international führenden Stand einzelner Künstler und dem gesellschaftlichen Rückstand des Landes ist auch in der Architektur sichtbar. Das berühmteste Bauwerk des ausgehenden 18. Jahrhunderts in Deutschland dürfte das Brandenburger Tor in Berlin (erbaut 1788-91) sein. Mit seiner Säulenordnung und seiner schweren, aber schlichten Masse weist das Bauwerk das neue Verhältnis zu den

Brandenburger Tor, Berlin

87

klassischen Formelementen auf. Es diente allein der Repräsentation königlicher Macht. Es markierte die Einfahrt in die Hauptstadt, die als ‚Spree-Athen' die Verbindung von Staat und Kultur verkörpern sollte. In den ersten Jahrzehnten des 19. Jahrhunderts wurde dieses Konzept in Berlin in den klassizistischen Bauten Karl Schinkels (1781-1841) fortgesetzt, und in München, der aufstrebenden bayrischen Residenz, wurde im Werk Leo von Klenzes ein entsprechendes Konzept verwirklicht.

Ein klassizistischer Stil mit einfachen Formen und antiken Motiven nahm auch in der Malerei zu. Rom wurde um diese Zeit zu einem beliebten Aufenthaltsort deutscher Künstler. Ein früher Klassizist war Anton Raffael Mengs (1728-79). Er hatte in Rom Winckelmann kennengelernt und versuchte, dessen Ansichten in seiner eigenen Malerei zu verwerten. Einfache Formen, unkomplizierte Inhalte und antike Motive gab es auch in der Malerei von Angelica Kauffmann. Diese Malerin gehörte zu dem Künstlerkreis, mit dem Goethe auf seiner italienischen Reise in Rom verkehrte. Eines der wichtigsten Zeugnisse von Goethes Aufenthalt in Italien ist neben der eigenen Reisebeschreibung das Porträt *Goethe in der Campagna* von Johann Heinrich Tischbein (1751-1829). Das Bild zeigt Goethe in leichten Reisekleidern im Freien zwischen verschieden Überresten antiker Vergangenheit. Die Zentrierung auf den Gegenstand ist für den klassischen Geschmack charakteristisch, ebenso die Ausstattung der Landschaft, in der man Züge der zeitgenössischen Gartenkunst wiedererkennt.

Die Weimarer Klassik und das humanistische Bildungsideal

Eine ganz besondere Wendung nahm die Klassik im literarischen Leben der kleinen Residenzstadt Weimar. Johann Wolfgang von Goethe (1749-1832) war nach seinen ersten großen Erfolgen im Jahre 1775 nach Weimar gezogen, wo er bald zum Minister avancierte. Dort stand er im Mittelpunkt eines regen Kulturlebens, zu dem auch Christoph Martin Wieland, Herder sowie später Friedrich Schiller (1759-1805) gehörten. Zusammen bildeten sie einen Parnassus der deutschen Literatur und übten einen überwältigenden und besonders nachhaltigen Einfluß auf das gesamte literarische Leben in Deutschland aus.

Wie kommt es, daß das Wirken einer recht kleinen Gruppe von literarisch interessierten Menschen einen so großen Eindruck auf das kulturelle Selbstverständnis Deutschlands gemacht hat? Das kulturelle Gewicht Weimars in diesen Jahren stand in keinem Verhältnis zur politischen Bedeutungslosigkeit des kleinen Staates Sachsen-Weimar-Eisenach, dessen Residenz es war. Daß weder eine große Residenz wie Wien oder Berlin noch ein bürgerliches Zentrum wie Hamburg eine so unanfechtbare Stellung im literarischen Leben der Zeit erringen konnte, ist charakteristisch für den damaligen Zustand Deutschlands und für seinen typischen Polyzentrismus. Deutschland hatte kein Zentrum, das wie London oder Paris groß genug gewesen wäre, unter den Bedingungen des freien Literaturmarktes die namhaftesten Schriftsteller des Landes unterzubringen. Andererseits war ein Hof wie der Weimars viel zu klein, um sich eine große repräsentative Hofkultur nach barockem Maßstab leisten zu können. Aber zumindest war dort die Förderung begabter Schriftsteller möglich, wenn es auch keine italienische Oper und nicht einmal ein mittleres Orchester gab. Eine solche aktive Kulturpolitik wurde von der Herzogin Anna Amalia (1739-1807) und ihrem Sohn Karl August (1757-1828) betrieben. Gleichzeitig entwickelte sich die benachbarte Universitätsstadt Jena ebenfalls zu einem geistigen Zentrum. Jena war für Schiller, der dort eine Professur in Geschichte innehatte, eine Zwischenstation auf dem Weg nach Weimar und wurde in den neunziger Jahren unter dem Einfluß der idealistischen Philosphie Fichtes zur Wiege der deutschen Romantik.

Daß in Weimar die Pflege der Literatur eine besondere klassische Wendung nahm und daß diese Epoche seit dieser Zeit als klassische Epoche des deutschen Geisteslebens betrachtet wird, liegt sowohl an den Zeitumständen als auch an den beteiligten Persönlichkeiten. Von 1786 bis 1788, am Vorabend der Französischen Revolution, machte Goethe eine lange Reise nach Italien, um dort, wie vor ihm schon Winckelmann, Werke der Antike zu studieren und die Landschaft und das Klima kennenzulernen, in der sie entstanden waren. Anders als die französischen Jakobiner sahen die Weimarer Klassiker in der Harmonie der Klassik nicht nur den Gegensatz zu den bestehenden gesellschaftlichen Verhältnissen, sondern auch eine praktische Möglichkeit, politische Veränderungen auf ästhetischem Wege mit vorzubereiten. Friedrich Schiller machte diesen Gedanken ausdrücklich zum Ausgangspunkt seiner Schrift *Über die ästhetische Erziehung des Menschen* (1795).

Johann Wolfgang Goethe

Diese hehre Absicht ist für die spätere Würdigung der Weimarer Klassik mindestens so wichtig wie die Werke, die dort entstanden.

Der Ruhm Goethes steht in keinem direkten Verhältnis zu seinem Werk. Sein Name ist mit keiner bestimmten Gattung verbunden. Er war Dramatiker, Epiker und vor allem Lyriker. Sein Drama *Iphigenie auf Tauris* ist sowohl thematisch als auch formal das klassischste Werk der Weimarer Zeit. Mit *Wilhelm Meisters Lehrjahre* gründete er die Tradition des deutschen Bildungsromans. Doch besteht sein umfangreiches Werk auch zu einem sehr großen Teil aus Fragmenten und Versuchen sowie aus autobiographischen Aufzeichnungen. Goethe beschäftigte sich mit der Kunstgeschichte und der Naturwissenschaft. In der Zoologie und Botanik arbeitete er an einem Evolutionsmodell, und in der Optik entwickelte er eine zwar von Physikern nicht ernst genommene, aber von Künstlern geschätzte Farbenlehre. Vor allem gelang es ihm, seine Stellung als freier Mensch und autonomer Kulturproduzent in einem vorher unvorstellbaren Maß auszubauen, und, was vielleicht noch wichtiger ist, diese persönliche Leistung u.a. durch seine Autobiographie *Dichtung und Wahrheit* in eine öffentliche und exemplarische Leistung umzuwandeln. Der Name Goethe steht für eine Möglichkeit individueller Emanzipation.

Bei alledem bleibt Goethes Leistung in einer Hinsicht ambivalent. Goethes Humanismus ist von einem allgemeinen Vertrauen in die Möglichkeiten der Menschheit und vom Glauben an die individuellen Fähigkeiten des Menschen geprägt. Zur sozialen und politischen Frage, wie der Humanismus in der bestehenden Gesellschaft zu erreichen ist, hatte Goethe wenig zu sagen. Seine Stellung am absolutistischen Hof, so aufgeklärt dieser auch war, bedeutete zwangsläufig eine gewisse Bejahung der bestehenden Ordnung und die Aufgabe seiner früheren rebellischen Haltung in der Sturm-und-Drang-Zeit. Doch schon seine frühe ‚prometheische' Betonung des Genies verrät einen Hang zum Aristokratismus, der in Weimar in dem Bündnis von Landesfürst und Dichterfürst produktiv wurde. Goethes harmonisches Menschheitsideal übergeht die Standesunterschiede, ohne sie zu beseitigen.

Das Werk Schillers bietet daher eine wichtige Ergänzung zu dem Goethes. Seine großen Geschichtsdramen der neunziger Jahre, darunter *Wallenstein*, *Maria Stuart* und *Die Jungfrau von Orleans* sind höchst dramatische Verkörperungen des Gegensatzes zwischen idealer Absicht und realer Möglichkeit. Sie haben regelmäßig einen doppelten Ausgang. Auf der Ebene der Handlung unterliegen die Idealisten. Moralisch trägt das Ideale den Sieg davon. Schiller sah in der Poesie und der Dramendichtung eine Möglichkeit, die Bildung eines besseren Menschen vorzubereiten. Das Unvermögen der Französischen Revolution, einen menschenwürdigen Staat zu errichten, führte er auf die mangelhafte moralische Vorbereitung der Menschen zurück.

Das Werk der Weimarer Klassik war zu seiner Entstehungszeit relativ unpopulär. Selbst auf dem Weimarer Theater, das Goethe selber leitete, konnte es sich nur schlecht neben den sehr beliebten und heute vergessenen Dramen eines August Wilhelm Iffland (1759-1814) oder eines August von Kotzebue (1761-1819) behaupten. Daß es dann im Verlauf der nächsten hundert Jahre kanonisiert und zum repräsentativen Höhepunkt des deutschen Geisteslebens erklärt wurde, liegt zum Teil an der klassisch-humanistischen Ausrichtung des Bildungssystems im 19. Jahrhundert. Das ist nicht zuletzt das Verdienst des Philologen Wilhelm von Humboldt (1767-1835), dem Bruder des Geographen Alexander von Humboldt (1769-1859).

Friedrich Schiller

Wilhelm von Humboldt leistete wichtige Pionierarbeit im Bereich der vergleichenden Sprachforschung. Er stand in einem intensiven Briefwechsel mit Schiller und war überzeugt von dem allgemeinen erzieherischen Wert einer literarischen Bildung. In der napoleonischen Ära erhielt er die Gelegenheit, die preußische Bildungspolitik zu gestalten. Die Reform des Gymnasiums im 19. Jahrhundert sowie die Gründung der Berliner Universität gehen auf seine Initiative zurück.

Die Epoche der Weimarer Klassik endete wenige Jahrzehnte nach ihrem Höhepunkt endgültig mit dem Tod Goethes im Jahre 1832. Kurz vor seinem Tod konnte Goethe den zweiten Teil seines *Faust* vollenden, des Werkes, das ihn den größten Teil seines aktiven Lebens beschäftigt hatte. Schon der erste Teil, der dreißig Jahre früher fertig wurde, war kein Drama im herkömmlichen Sinne. Mit dem zweiten Teil lieferte Goethe eine Art philosophische Allegorie in Dialogen. Goethes *Faust* ist das Drama des neuzeitlichen Menschen überhaupt. Das alte Volksbuch des 16. Jahrhunderts reflektierte schon das Unbehagen einer Gesellschaft, deren religiöse Grundlage von den Erkenntnissen der modernen Wissenschaft bedroht war. Frühere Faust-Darstellungen hatten mit Fausts Verdammnis, der wohl verdienten Strafe für seinen Hochmut, geendet. Inzwischen war die ursprüngliche religiöse Prämisse des Volksbuchs, das abergläubischen mittelalterlichen Widerstand gegen die neuzeitlichen Entdeckungen darstellt, durch die Aufklärung unhaltbar geworden. Goethes Mephistopheles erscheint zwar in der mittelalterlichen Gestalt des Teufels, aber Goethe (und Faust) glauben nicht an den Teufel. Der böse Geist ist der Zweifel, der den wissenschaftlichen und materiellen Fortschritt zustandebringt. Auch er verführt mit den Früchten vom Baum der Erkenntnis. Sein Preis ist die metaphysische Haltlosigkeit, die Angst des neuzeitlichen Menschen.

Die Entstehung der klassischen Musik

Der allgemeine Geschmackswandel in der Mitte des 18. Jahrhunderts machte sich besonders stark in der Musik bemerkbar. Die Gründung der ersten Musikvereine bot den Bürgern erstmals die Möglichkeit, Konzerte selbst zu finanzieren. Das war der Anfang des bürgerlichen Musikbetriebes, der auf Dauer die soziale Stellung der Musiker und Komponisten vollkommen änderte. Die Musikvereine konnten nicht wie die Residenzen laufend neue Werke in Auftrag geben. Daher wuchs der Bedarf an gedruckter Musik, die durch Verlage verbreitet wurde. Die Komponisten konnten dadurch von Hof und Kirche unabhängig werden und ihre Musik dem anonymen bürgerlichen Publikum direkt anbieten. Das war jedoch ein sehr langsamer Prozeß, der erst im 19. Jahrhundert mit allen Folgen wirksam wurde. Dagegen war der Einfluß des neuen, breiteren Publikums auf den Stil der Werke schon früh wirksam. Dieselbe Ungeduld mit Konventionen, die in der Literatur der zweiten Jahrhunderthälfte zu erkennen ist, führte auch zu einer Auflösung der Barockmusik.

Die Oper war für den Wechsel im Publikumsgeschmack besonders empfänglich. In der ersten Hälfte des 18. Jahrhunderts war sie sehr stark von Konventionen geprägt. Die aus Italien stammende *Opera seria* kombinierte eine klassisch-tragödienhafte Handlung mit einer strengen Abfolge von musikalischen Nummern. Diese Opernkunst entsprach eher dem höfischen Zeremoniell als den Bedürfnissen des bürgerlichen Publikums. Dagegen kam die ‚Opera buffa‘, eine neue, ebenfalls aus Italien stammende, komische Operngattung, eher dem bürgerlichen Geschmack entgegen. In Paris kam es um die Mitte des Jahrhunderts zu einem sehr fruchtbaren Streit zwischen den Anhängern beider Operntypen. Davon profitierte der in Paris und Wien tätige Komponist Christoph Willibald Gluck (1714-87), dessen Oper *Orpheus und Eurydike*, 1762 in Wien uraufgeführt, den Übergang von der Barockoper zur dramatischeren modernen Oper darstellt. In Wien, das von italienischen Musikern dominiert war, setzte sich der Prozeß der Ablösung von der italienischen Operntradition bei Wolfgang Amadeus Mozart fort.

Die moderne klassische und nachklassische Oper unterscheidet sich von der

Barockoper vor allem durch die Rolle, die der Musik zugeordnet wird. Die Handlung wird nicht mehr durch die musikalischen Einsätze aufgehalten, sondern die Musik wird selbst als Mittel aufgefaßt, den dramatischen Vorgang voranzubringen. So hört die Oper auf, eine Folge von weitgehend statischen Szenen zu sein und gewinnt eine eigene Dynamik. Bevor die Opernmusik jedoch diese neue dramatische Funktion übernehmen konnte, war eine veränderte Denkweise bei den Komponisten erforderlich. Diese betraf zuerst die Instrumentalmusik. So paradox es klingen mag, die Musik mußte sich erst vom Wort lösen und ihren eigenen dramatischen Ausdruck entdecken, bevor sie in der Oper ihre neue Funktion wahrnehmen konnte.

Ein neuer dramatischerer Stil in der reinen Instrumentalmusik entwickelte sich u.a. an der Kurpfälzischen Residenz in Mannheim, die im 18. Jahrhundert über eines der besten Orchester Europas verfügte. In diesem Orchester spielten mehrere Komponisten von Rang wie Carl Stamitz (1745-1801). Das Orchester war besonders wegen des sogenannten ‚Mannheimer Crescendos‘ berühmt. In einem damals noch unbekannten Maße setzten die Mannheimer Differenzierungen in der Lautstärke als Ausdrucksmittel in ihren Sinfonien ein.

Die Sinfonie selbst ist eine Erfindung des 18. Jahrhunderts. Sie besteht normalerweise aus mehreren in Stimmung und Tempo unterschiedlichen Sätzen, von denen mindestens einer in der Sonatenform aufgebaut ist. Diese u.a. von Carl Philipp Emanuel Bach (1714-88), einem der erfolgreichen Söhne Johann Sebastian Bachs, entwickelte Form unterscheidet sich von den älteren Tanzsätzen dadurch, daß sie mehr thematisches Material unterbringt und dieses anders zusammensetzt. Das ermöglicht eine Erweiterung der Kontrastmöglichkeiten auch im Bereich der Melodie. Gleichzeitig wird auf den Generalbaß verzichtet. Zusammen mit den Verbesserungen der Instrumententechnik bilden diese Innovationen die Grundlage des neuen klassischen Stils. Die Auflösung der Polyphonie schafft den Eindruck größerer Klarheit und Einfachheit. Zugleich ermöglicht der Stil größere Spannungen, die jedoch immer harmonisch aufgelöst werden.

Die klassische Sinfonie wurde als Gattung von Joseph Haydn (1732-1809) zur Vollendung gebracht, der die Kurzatmigkeit der vorklassischen Sinfonien durch extensive thematische Arbeit überwand. Diese Arbeitsweise kam auch der Kammermusik zugute. Von Haydn wurde erstmals das Streichquartett, das aus dem praktischen Bedürfnis nach Musik für ein kleines bewegliches Ensemble entstanden war, zu einer der anspruchsvollsten Instrumentalgattungen der Klassik ausgebaut. Der Schöpfer dieser Innovationen in der instrumentalen Musik war selber kein Revolutionär. Er war vielmehr einer der letzten Vertreter des Typus des Hofmusikers.

In der zweiten Hälfte des 18. Jahrhunderts wurde die kaiserliche Residenz und größte deutschsprachige Stadt Wien zum wichtigsten Musikzentrum des Reiches. Hier gab es außer dem kaiserlichen Hof noch zahlreiche andere Mäzene, die Musiker und sogar ganze Orchester unterhielten oder unterstützten. Bei einem solchen, dem Grafen von Esterhazy, war Joseph Haydn als Kapellmeister und Komponist angestellt. Beim Fürsten Esterhazy genoß er die Vorteile eines eigenen Orchesters und eines eigenen Opernensembles, mit denen er experimentieren konnte – Vorteile, die in seinem Fall die Nachteile des abhängigen Dienstverhältnisses aufwogen. Der Wiener Hof war grundsätzlich konservativ und stand lange unter dem Einfluß italienischer Musiker und Opernlibrettisten. Aber Wien war zugleich eine Stadt, in der sich auch ein bürgerlicher Markt entwickeln konnte. Während Haydn sein Leben lang von der Gunst der Mäzene abhängig blieb, versuchte Mozart schon mit wechselndem Erfolg, sich selbständig zu machen. Ludwig van Beethoven konnte dagegen bereits zu Beginn des 19. Jahrhunderts als freischaffender Musiker im modernen Sinne leben.

Der Wechsel der Produktionsbedingungen spiegelt sich in der Produktivität wider. Ein auffallender Zug der Barockmusik ist die Menge an Musik, die viele Komponisten produzierten. Noch Haydn, im Stil schon ganz Klassiker, mußte für seinen Auftraggeber laufend Musik produzieren und schrieb daher ganze 104 Sinfonien. Bei Mozart ist die Zahl der Sinfonien schon weit geringer, aber auch er brachte es auf beachtliche 41 Werke, während Beethoven nur noch neun schrieb. Was besagen überhaupt solche Zahlen? Natürlich sagen sie nichts über die Qualität der Komponisten aus. Der Eifer der Komponisten hat nicht nachgelassen. Aber die Entstehungsbedingungen sind anders geworden. Während Haydn noch bestimmte Aufträge zu erfüllen hatte, schrieb der Komponist des 19. Jahrhunderts für ein anonymes Publikum, vertreten durch Verlage, Konzertagenturen usw. Jedes einzelne Werk erforderte daher einen größeren Einsatz, denn es hatte sich in einer völlig neuen Konkurrenzsituation durchzusetzen. Jede Sinfonie mußte eine ganz individuelle Identität erhalten.

Moderner Individualismus bestimmt das Werk und vor allem das Leben Wolfgang Amadeus Mozarts (1756-91). Zahlreiche mehr oder weniger frei gedichtete Mozart-Biographien belegen die Faszination, die seine Lebensumstände immer wieder auf spätere Generationen ausgeübt haben. Das Wunderkind Mozart war sich seiner Begabung wohl selber bewußt. Als Kind schon machte er in Begleitung seines Vaters Leopold Mozart, ebenfalls Komponist von Rang, Konzertreisen durch Italien. Seine Jugend fällt zeitlich zusammen mit dem literarischen Sturm und Drang in Deutschland, und sein erhöhtes Selbstbewußtsein reflektiert gewiß das neu entstehende, vom Genie-Begriff mitgeprägte Künstlerbewußtsein der modernen Zeit. Bei dieser Einstellung ist es wenig verwunderlich, daß sich Mozart in einem Dienstverhältnis nicht wohl fühlen konnte, wie es für seinen eigenen Vater oder für ‚Papa' Haydn – wie er den älteren Komponisten nannte – noch selbstverständlich war. Er versuchte sich statt dessen von Werk zu Werk durchzuschlagen.

Die Entwicklung von Mozarts Opern ist charakteristisch für den Bewußtseinswandel der Zeit. Mozart debütierte in Wien mit *Idomeneo*, einem recht traditionellen Werk im italienischen Stil und in italienischer Sprache, aber die Konventionen der italienischen Oper befriedigten ihn nicht lange. Als Vorlage für *Le Nozze di Figaro (Figaros Hochzeit)* wählte Mozart ein Schauspiel des Fran-

Wolfgang Amadeus Mozart

zosen Beaumarchais, das als Sprechstück zu gesellschaftskritisch war, um in Wien aufgeführt werden zu dürfen. Am Vorabend der Französischen Revolution war dieser konventionelle Komödienstoff mit seinem Rollentausch zwischen Herr und Diener von einer besonderen Brisanz. In Mozarts Fassung überwiegt allerdings das Spielerische. Musikalisch setzte er den von Gluck angebahnten Weg fort, indem er die Musik zum Träger der dramatischen Spannung machte. Mit seiner letzten Oper, dem Märchenspektakel *Die Zauberflöte* verließ Mozart endgültig die höfische Musikwelt. Diese Oper wurde für ein kommerzielles Vorstadttheater komponiert und führte die für Mozart charakteristische Mischung aus Ernst und Heiterkeit zu einem Gipfel.

Dramatik kennzeichnet auch die rein instrumentale Musik Mozarts. Das wird besonders in den Konzerten für Soloinstrumente und Orchester deutlich. Hier wird die jeweilige Eigenart des Soloinstruments mit der Klangfarbe des Orchesters verglichen und kontrastiert, und eine Art Dialog entsteht. Das Orchester wird dadurch von der undankbaren Rolle der bloßen Begleitung befreit. Die Klavierkonzerte sind dabei besonders brillant. Sie reflektierten nicht nur den weiteren technischen Fortschritt im Instrumentenbau, sondern auch das neue, von Mozart selbst erreichte Virtuosentum.

Mit Ludwig van Beethoven (1770-1827), der 1792 nach Wien kam, betritt die klassische Musik einen neuen historischen Abschnitt. In seinem Werk erfahren die klassischen Formen eine wesentliche Erweiterung. Beethovens sinfonisches Werk eignet sich mehr für ein größeres Orchester als die frühen Werke der Klassik. Tatsächlich wurden Orchester gegründet oder erweitert, um solche Werke spielen zu können[11]. Diese Musik stellt nicht nur formal größere Ansprüche an die Spieler und Hörer. Sie scheint auch inhaltlich die Grenze des in der Musik Möglichen sprengen und Weltanschauliches musikalisch fassen zu wollen. Damit steht Beethoven in der Nähe der romantischen Ästhetik. Beethovens liberale bis revolutionäre Sympathien kommen in seinem sinfonischen Werk zum Ausdruck und besonders in seiner Musik für das Theater, seiner einzigen Oper *Fidelio* und seiner Ouvertüre zu Goethes *Egmont*.

Der größte Teil von Beethovens Musik ist Kammermusik, die beim wachsenden Kreis der Musikinteressenten im neuen Jahrhundert sehr gefragt war. In ihrem thematischen Gehalt stehen die Sonaten und Quartette Beethovens seinen Sinfonien kaum nach. Gegen Ende seines Lebens wurde seine Musik immer abstrakter, was nur teilweise durch seine zunehmende Taubheit und wachsende Isolation vom Musikleben der Zeit erklärt werden kann. Die letzten Klaviersonaten sind nicht nur schwer zu spielen, sondern verlangen auch vom Zuhörer eine ungeheure Konzen-

tration. Das gilt ebenfalls für die letzten Streichquartette. Die Musik scheint sich immer mehr aufzulösen. Sie erreicht somit schon in den zwanziger Jahren des 19. Jahrhunderts eine Grenze, die für andere Kunstgattungen der Moderne hundert Jahre später zur Grunderfahrung wird. Das Musikleben des 19. Jahrhunderts war noch nicht bereit, die gerade erst erreichte starke Melodik wieder aufzulösen. Das 19. Jahrhundert sah in Beethoven vor allem einen Komponisten von einer völlig neuen Größenordnung. Beethovens Vertonung von Schillers Hymne *An die Freu-*

Ludwig van Beethoven

---

[11] Vgl. Kurt Blaukopf: Musik im Wandel der Gesellschaft. Grundzüge der Musiksoziologie. München 1984, S.100ff.

de am Ende der neunten Sinfonie schien die Zuversicht des anbrechenden Industriezeitalters und die Hoffnung in Musik zu fassen, alle Menschen könnten aus eigener Anstrengung Brüder werden.

7 Romantik und Idealismus

Die Natur ist groß, die Vernunft ist klein.
Giacomo Leopardi

Die Reichsfürsten huldigen Napoleon

Das beginnende 19. Jahrhundert war eine Zeit großer politischer Umwälzungen. Mit erstaunlicher Geschwindigkeit zogen die Armeen von Napoleon Bonaparte über Europa. Wenig später wurden sie ebenso schnell wieder zurückgedrängt. Alte Grenzen verloren ihre Geltung, neue wurden gezogen. In der napoleonischen Herrschaft fand die französische Revolution zugleich ihren Höhepunkt und ihr Ende. Der aus bescheidenen Verhältnissen stammende Napoleon nahm den Kampf mit den alten Dynastien ganz Europas auf. Mit seiner Kaiserkrönung wurde aber zugleich der demokratische Anspruch der Revolution abgeschwächt.

Während die politischen Verhältnisse in Europa immer unübersichtlicher wurden, traten die Kunst und Literatur, die nun ganz Ausdruck des Bürgertums geworden waren, in der Romantik zu einem neuen Höhenflug an. Begleitet von der Philosophie des Idealismus setzte die Romantik in allen Gattungen neue Akzente. Man entfernte sich immer mehr vom rationalistischen Weltbild der Aufklärung und setzte einen maßlosen Subjektivismus an seine Stelle. Reale gesellschaftliche Verhältnisse wurden in den Werken der Romantik inhaltlich von utopischen Wunschbildern ersetzt. Diese waren jedoch nicht unabhängig von den realen gesellschaftlichen Umständen entstanden, sondern sind eine bewußte Reaktion auf die Unüberschaubarkeit. Diese Unüberschaubarkeit der Welt wurde zunehmend als Identitätsproblem des Einzelnen empfunden. Hegel spricht in diesem Zusammenhang von ‚Entfremdung'. Die für die moderne Industriegesellschaft charakteristische Entfremdung entsteht dadurch, daß der Mensch im modernen Arbeitsprozeß anders als etwa der Bauer in der früheren Agrargesellschaft seinen eigenen Wirkungskreis nicht mehr überblicken kann. In der Romantik drückt sich die Sehnsucht nach der Wiederherstellung überschaubarer und harmonischer Verhältnisse aus, in denen der Mensch wieder seine eigene Identität finden kann. So ist auch die Sehnsucht charakteristisch für die Stimmung romantischer Werke.

Deutschland und die napoleonische Herrschaft

Der Zustand des Heiligen Römischen Reiches Deutscher Nation war in den ersten Jahren des neuen Jahrhunderts bereits so desolat, daß allein schon der äußere Druck der Kriege gegen das nachrevolutionäre Frankreich reichte, um es zum Einsturz zu bringen. Die erste unmittelbare Folge der napoleonischen Eroberungen in Deutschland war eine längst überfällige territoriale Neugliederung. Frankreich annektierte 1801 vorübergehend das gesamte linksrheinische Gebiet mit Städten wie Köln und Mainz. Als Kompensation erhielten die größeren Fürsten neue Gebiete rechts vom Rhein, die durch die Enteignung von Kirchenbesitz und die Auflösung der freien Reichsstädte herrenlos geworden waren. 1806 legte Kaiser Franz I. die Reichskrone nieder und nannte sich fortan nur noch Kaiser von Österreich.

Außer der Gebietsreform wurden unter dem Eindruck Napoleons viele weitere Reformen durchgeführt. In großen Teilen Deutschlands wurde das Recht nach dem französischen Vorbild kodifiziert. Der Grundsatz der Gleichheit vor dem Gesetz löste das alte Ständerecht ab. Damit war eine Grundvoraussetzung für die moderne bürgerliche Rechtsstaatlichkeit geschaffen. In Preußen wurde die Armee modernisiert und die Wehrpflicht eingeführt. Eine Landreform befreite die Bauern von ihren letzten feudalen Pflichten. Sie brachte der Landbevölkerung zwar Freiheit, aber keine Sicherheit. Schließlich wurde auch eine Reform des Schul- und Bildungssystems eingeleitet, an der Wilhelm von Humboldt maßgeblich beteiligt war. Trotz Reformen dieser Art war die napoleonische Vorherrschaft eine große Belastung für Deutschland, denn die unfreiwilligen Verbündeten Napoleons mußten sich auch an seinen Feldzügen beteiligen. Dadurch kam in der deutschen Intelligenz ein ganz entschiedener Nationalismus auf. Der Philosoph Johann Gottlieb Fichte (1762-1814) trug 1807/08 seine *Reden an die deutsche Nation* vor, in denen er Deutschland eine glänzende Zukunft vorhersagte. Den Deutschen komme, so glaubten Fichte und der nationalgesinnte Publizist Ernst Moritz Arndt (1769-1860), eine besondere historische Aufgabe zu. Deutschland, einmal geeint, sollte der ganzen Welt ein Vorbild an Humanität sein. Der Dichter und Theoretiker Friedrich Schlegel (1772-1829) meinte, daß Deutschland das für die Neuzeit darstellen könnte, was die Griechen in der Antike bedeutet hatten. Der Grund für eine solche Annahme war die Zuversicht, daß die deutsche Wissenschaft, gemeint war vor allem die idealistische Philosophie, einen einmaligen Gipfel erklommen habe.

So erhaben die Vorstellungen von der historischen Mission Deutschlands auch gewesen sein mögen, die patriotischen Schriften dieser Jahre waren erfüllt von fanatischer Feindseligkeit gegenüber Frankreich. Sie dienten daher nicht nur in den sogenannten 'Befreiungskriegen' gegen Napoleon, sondern auch in den weiteren Kriegen des 19. und 20. Jahrhunderts der Kriegspropaganda. Der Grundstein der nationalistischen Ideologie wurde in der Tat hier gelegt. In diesem Zusammenhang verdient auch der 'Turnvater' Friedrich Ludwig Jahn (1778-1852) Erwähnung, der den nationalen Gedanken mit der Popularisierung des Sportes verband und den ersten deutschen Sportverein gründete.

Napoleon und die Zeitgenossen

Der Eindruck, den Napoleon auf seine Zeitgenossen machte, war bei seinen Bewunderern und Gegnern gleich groß. In Napoleon schienen die großen historischen Kräfte der Zeit personifiziert zu sein. Allein die Größenordnung der napoleonischen Eroberungen war atemberaubend und förderte, losgelöst von allen moralischen Urteilen, den Glauben an das Heroische im Menschen. Der Philosoph Hegel sah in Napoleon einen der großen Männer, die den dialektischen Prozeß der Entfaltung der Geschichte vorantreiben. Auch Beethoven bewunderte in Napoleon das Heroische und wollte ihm seine dritte Sinfonie widmen. Noch nach der Enttäuschung über Napoleons Verrat an der demokratischen Idee bei seiner Kaiserkrönung bleibt Beethovens Eroica-Sinfonie Ausdruck einer heroischen Zuversicht. Die Überlegung, was der menschliche Wille alles ausrichten könnte, beschäftigte

das ganze Jahrhundert. Der Optimismus der Aufklärung schlug ins Giganto-
manische über. Der zweite Teil von Goethes *Faust* hat die unbegrenzte Macht des
Menschen zum Thema. Faust setzt sich im zweiten Teil des Werkes in der großen
Welt der Politik durch und bändigt schließlich die Natur. Daß er dabei die
dämonische Hilfe des Teufels braucht, steht im doppelten Einklang mit der Zeit.
Denn nicht die christliche Furcht des Mittelalters vor dem Teufel bestimmt den
Text, sondern die neuzeitliche Gewißheit der menschlichen Unabhängigkeit von
Gott. Zugleich aber bleibt noch soviel mittelalterliche Religiosität in der Kultur
vorhanden, daß die Gestalt des Teufels noch nicht ganz ihre Faszination eingebüßt
hat. Sie erlebt in den Jahrzehnten der Romantik sogar eine gewisse Renaissance.
Auch unter den Dichtern und Künstlern wurden kraftvolle Gestalten bewundert. So
verehrte man den englischen Dichter George Byron in ganz Europa wegen seines
Werkes und wegen seiner ,romantischen' Lebensumstände. Byron starb als
,Freiheitskämpfer' im Unabhängigkeitskrieg Griechenlands gegen die Türkei. In
der allseits um sich greifenden Mode des ,Byronismus' wurden seine Werke und
seine Lebenshaltung nachgeahmt. Überhaupt fingen Dichter und Künstler an, als
etwas Besonderes zu gelten, und so war es durchaus angebracht, wenn ihre Biogra-
phien auch besondere Züge aufwiesen. Daß sie sich dabei von bürgerlichen Moralvorstellungen lösten, machte sie besonders interessant. So wurde die Künstler-
biographie, die echte wie die fiktive, zu einer besonders beliebten literarischen Gattung der Romantik.

Die Stellung des Künstlers

Die neue Sonderstellung des Künstlers oder Dichters innerhalb der bürgerlichen
Gesellschaft war dadurch möglich geworden, daß diese nun zu Beginn des 19. Jahrhunderts erstmals in größerem Umfang die Gelegenheit hatten, wirklich unabhängig zu sein. Erst jetzt war der bürgerliche Markt so weit gewachsen, daß Künstler
von ihm leben konnten. Sie waren nicht mehr Diener eines Fürsten und auch sonst
nicht mehr von bestimmten Mäzenen abhängig. Sie konnten im Prinzip frei bestimmen, was sie taten oder schrieben. Darüber hinaus hatte die Entstehung neuer Institutionen, wie Akademien, Museen und öffentlicher Bibliotheken, den öffentlichen
Charakter der Kultur seit der Mitte des 18. Jahrhunderts erhöht.
In Wirklichkeit war die Befreiung weniger umfassend, als es zunächst den An-
schein haben mag, denn es entstanden neue Abhängigkeitsverhältnisse, weniger
sichtbar als die alten, aber genau so stark. An die Stelle der Rücksicht auf den Fürsten trat nun die Rücksicht auf den ,Markt'. Der bürgerliche Markt ist aber ein völ-

lig anonymer Auftraggeber. In Gestalt des Verlegers oder Kunsthändlers mag er zwar manchmal für den Künstler eine Personifizierung finden, aber im großen und ganzen ist er für den produzierenden Künstler nur als abstrakte Größe zu erfahren. Die vermittelnden Instanzen, wie die Verleger, waren einerseits notwendig, damit die Werke überhaupt einen Weg zum Publikum finden konnten. Andererseits schränkten sie die Absatzmöglichkeiten literarischer Produkte ein, indem sie den Markt bewußt oder unbewußt manipulierten.

Die öffentliche Aufwertung der Kunst und Literatur stärkte naturgemäß das Selbstbewußtsein des Produzenten. Zugleich machte die neue Anonymität des Publikums die Kunst zu einem Bereich, in dem die moderne Entfremdungsproblematik früh in Erscheinung trat. Die Kunst reagierte darauf mit einem interessanten Schutzreflex. Wenn der erwünschte Publikumserfolg ausblieb, führte man den Mißerfolg auf die Unreife des Publikums zurück. So distanzierte sich der bürgerliche Künstler von seinem bürgerlichen Publikum.

Auch soziale Faktoren trennten den neuen freischaffenden Künstler von seinem Publikum. Die meisten Schriftsteller und Künstler, die von ihrer Arbeit leben muß-

Der arme Poet, Gemälde von Carl Spitzweg

ten, verdienten nicht gut. Das Einkommen war unregelmäßig. Die Gestalt des *Armen Poeten*, wie ihn Carl Spitzweg im Bett unter einem Regenschirm in seiner kalten Dachstube so rührend gemalt hat, war keine große Übertreibung. Die Instabilität der materiellen Verhältnisse schloß die Künstler vom geregelten Ablauf bürgerlichen Lebens weitgehend aus. So kam es mit der Zeit zur Entstehung der ‚Bohème‘, eines eigenen Lebensstiles, der die Werte der breiteren bürgerlichen Gesellschaft nicht achtete. Das betraf nicht nur oberflächliche Dinge wie die Bekleidung, sondern oft auch den Umgang zwischen den Geschlechtern. Die Kreise um die Jenaer Romantik entwickelten gemeinschaftliche Lebensformen, die zumindest in der bürgerlichen Gesellschaft ihrer Zeit weit voraus waren. Aufsehen erregte der Roman *Lucinde* von Friedrich Schlegel, dem die Beziehung des Autors zu seiner Geliebten und späteren Frau Dorothea Veit (1763-1839) recht unverhüllt zugrundelag. Dorothea Schlegel war selber als Schriftstellerin tätig und gehört zu den Dichterinnen der Frühromantik, die erstmals mehr oder weniger gleichberechtigt mit ihren männlichen Kollegen und Lebensgefährten arbeiteten.

Die Philosophie des Idealismus

Der Besonderheit der materiellen Stellung des Künstlers innerhalb der bürgerlichen Gesellschaft entsprach in der frühen Phase der Romantik eine sehr starke inhaltliche Anlehnung an die Philosophie des Idealismus. Kaum eine andere Epoche der Literatur oder Kunstgeschichte ist so stark von dem Gedanken geprägt, daß das, was der Künstler produziert, eine Alternative nicht nur zu den bestehenden Gesellschaftsverhältnissen, sondern zur Wirklichkeit selbst darstellt. Zwar war eine Gestalt wie Napoleon auch in der Wirklichkeit nicht ohne romantische Faszination, aber insgesamt teilte die junge Romantik die Ansicht Schillers und des klassischen Humanismus, daß der reale Zustand der Welt unbefriedigend sei. Ein besserer Zustand sei zunächst nur als ästhetischer Entwurf, an dem sich die Menschheit ein Beispiel nehmen könne, denkbar. Schon Schiller hatte in einem langen Gedicht *Die Götter Griechenlands* den entfremdeten Zustand des Menschen in einer Welt bedauert, die von der Naturwissenschaft erklärt und entzaubert ist. Für die alten Griechen sei die Natur noch von Göttern bevölkert gewesen. Nach Schiller konnte der alte Glanz des mythischen Weltbildes nur noch in der Poesie erreicht werden. Bei den Romantikern ist die Sehnsucht nach dem Mythos noch stärker; sie sprachen der Kunst und Poesie einen fast religiösen Auftrag zu.

Wie Schiller knüpften die Theoretiker der Romantik wie August Wilhelm Schlegel (1767-1845) und sein Bruder Friedrich an die Philosophie Kants an. Aber auch die jüngeren Philosophen Friedrich Wilhelm Schelling (1775-1854) und Johann Gottlieb Fichte (1762-1814) übten einen entscheidenden Einfluß auf die Romantik aus. Der Idealismus, den diese Männer vertraten, baute auf einem Grundgedanken Kants auf, zog jedoch daraus Konsequenzen, die ihn vom Rationalismus der Aufklärung weit entfernte. Kant war in seiner *Kritik der reinen Vernunft* zu dem Schluß gekommen, daß die materielle Wirklichkeit vom Betrachter nur mit Hilfe ordnender Kategorien wahrgenommen werden könne. Die ordnenden Kategorien seien selber jedoch nur ideell vorhanden. Die idealistische Philosophie konzentrierte sich in der Folge auf die Rolle des wahrnehmenden Subjekts und vernachläßigte die materielle Wirklichkeit vollends. In seiner *Wissenschaftslehre* schloß Fichte vom individuellen Ich auf ein universelles Ich, als dessen Ausdruck die Welt zu verstehen sei. Bei Schelling heißt das verabsolutierte Subjekt, das sich in der Natur ausdrückt, Weltseele. Für Schelling kommt dem schöpferischen Menschen eine besondere Bedeutung zu, weil bei ihm dieselbe Kraft tätig ist wie in der Natur. Das war natürlich für die romantischen Dichter eine sehr schmeichelhafte Vorstellung und erklärt zum Teil den Unterschied zwischen dem früheren, von Rousseau stark beeinflußten Naturverständnis der Vorromantik und dem späteren romantischen Umgang mit der Natur. Von den Romantikern wurde die Natur nicht nur gepriesen, sondern auch poetisiert und mystifiziert.

Der bei weitem einflußreichste Philosoph des deutschen Idealismus ist Georg Wilhelm Friedrich Hegel (1770-1831). Auch für Hegel ist die Welt der Ausdruck

einer ideellen Kraft. Hegel nennt sie den ‚Weltgeist‘. In der *Phänomenologie des Geistes* (1807) begreift Hegel diesen Geist nicht als fertig existierendes Seiendes, sondern als Werdendes, d.h. als etwas, was sich in der Welt erst entfaltet. Zu dieser Entfaltung trägt zwar auch die Natur bei, aber für Hegel war der wichtigste Bestandteil dieses Entfaltungsprozesses die Geschichte der Menschheit. Um den Gang der Geschichte nicht als zufällige Abfolge von Ereignissen, sondern als vernünftigen Prozeß begreifen zu können, wandte er die Dialektik als Denkmethode an.

Georg Wilhelm Friedrich Hegel

Der Ausgangspunkt dieser Dialektik ist in der reinen Logik zu finden. Mit einem Begriffspaar wie ‚Herr' und ‚Knecht' kann Hegels Denkweise beleuchtet werden: Wenn es keine Knechte gibt, kann es auch keine Herren geben. So ist nicht nur jeder Knecht vom Herrn abhängig, sondern auch umgekehrt der Herr vom Knecht. Übertragen auf die Geschichte bedeutet dies, daß jede neue Herrschaft neue Knechtschaft impliziert. Immer wieder kommt es in der Geschichte zu Zusammenstößen zwischen denen, die Macht haben, und jenen, die sie noch nicht haben. Aus dem Zusammenstoß entsteht dann ein neuer Zustand oder eine Synthese, die dann aber später den Anstoß für einen weiteren Konflikt gibt. Ein besonders romantischer Zug dieser Geschichtsauffassung ist die Rolle, die Hegel dabei ‚großen Männern' wie Alexander oder Napoleon einräumt.

Hegels Ideen wurden später sowohl von konservativen als auch von radikalen Denkern aufgegriffen. Vor allem der Marxismus hat von ihm die historische Dialektik übernommen. Hegels Ausgangspunkt teilt dieser jedoch nicht. Für Marx und Engels war das Primäre die Materie, und nicht, wie im Idealismus, der Geist. Sie suchten einen konkreten materiellen Inhalt für die jeweils auftretenden Konflikte in der Weltgeschichte und fanden ihn in den Produktionsbedingungen. Auch Hegels Schlußfolgerung lehnten sie ab. Für Hegel schien es logisch, daß der Entfaltungsprozeß des Weltgeistes nahezu vollendet sein müsse, da er ihn erkannt habe. Folglich meinte er gegen Ende seines Lebens, daß der damalige preußische Staat dem vollkommenen Zustand nahe war. Das stand im Einklang mit dem wachsenden Nationalismus seiner Zeit und findet sich als Hintergedanke in der preußischen und deutschen Geschichtsschreibung des 19. Jahrhunderts wieder.

Ein weiterer Philosoph, der in den ersten Jahrzehnten des Jahrhunderts aktiv war, ist Arthur Schopenhauer (1788-1860). Sein Hauptwerk, *Die Welt als Wille und Vorstellung* (1819) teilt mehrere Prämissen mit den Systematikern des Idealismus. Für Schopenhauer ist die Welt nur Vorstellung. Sie ist aber auch nur in materieller Gestalt vorstellbar. Hinter der Welt wirkt ein abstrakter Wille, den er den ‚Weltwillen' nennt. Anders als Hegels Weltgeist ist dieser Wille jedoch nicht vernünftig und hat auch kein Ziel. Schopenhauers Philosophie ist daher durchaus pessimistisch. Das Leben ist für ihn sinnlos. Der beste Zustand ist die subjektive Aufhebung der Welt in der mönchischen Zurückgezogenheit oder der Kunst. Schopenhauer wurde von späteren Generationen eifriger gelesen als von seinen Zeitgenossen. Sein Werk ist eine der Brücken zwischen der Romantik und dem Ästhetizismus der Jahrhundertwende.

Die Romantik in der Literatur

1797 erschien ein Buch, das nahezu programmatisch die Themen und Schwerpunkte der literarischen Romantik in Deutschland setzte. Die *Herzensergießungen eines kunstliebenden Klosterbruders* von Wilhelm Heinrich Wackenroder (1773-98) sind ganz von der neuen romantischen Kunstauffassung erfüllt. In diesem Buch wurden ‚die Kunst zur Religion und die Beschäftigung mit ihr zum Gottesdienst erhoben' [12]. Die Perspektive des Klosterbruders ist für das Selbstverständnis des romantischen Künstlers, der sich in eine freiwillige gesellschaftliche Isolation begibt, charakteristisch. Inhaltlich beschäftigen sich die Geschichten im Buch mit der Kunst und den Künstlern der Renaissance. Damit ist der Blick wie in den Werken der Klassik auf die Vergangenheit gerichtet, aber als Vorbild dient nicht mehr ausschließlich die Antike. In der frühen Neuzeit besitzt Deutschland in Dürer und seinen Zeitgenossen bedeutende Künstler, und die Romantik legt neuen Wert auf diese nationale Kulturtradition. Mit dem Aufsatz *Die Christenheit oder Europa* von Novalis (Friedrich v. Hardenberg) (1772-1801) rückt besonders das Mittelalter in das Blickfeld der Romantik. In das Mittelalter projizieren die Romantiker ihre Sehnsucht nach einer harmonischeren Welt. So ist das Bild des Mittelalters, das in solchen Werken entsteht, eigentlich eine Utopie des 19. Jahrhunderts.

Sehnsucht nach einer anderen Wirklichkeit oder einem anderen Existenzzustand zeigt sich auch in der besonderen Bedeutung der Nacht in den Dichtungen der Romantik. Während der strebsame und fleißige Bürger bei Tage arbeitet, ist die Nacht die Tageszeit der Poesie. Unter dem Sternenhimmel ist eine mystische Einigung mit der Natur möglich, die das allzu grelle Tageslicht ausschließt. Hatte die Nachtbegeisterung der frühen Romantik noch einen gewissen philosophischen Gehalt, so wird sie sehr bald trivialisiert und kehrt als Rahmen von Schauerromanen in der späteren Romantik und danach wieder.

Wackenroder, Novalis und Ludwig Tieck (1773-1853) gehörten zusammen mit den Brüdern Schlegel dem engeren Kreis von Schriftstellern und Theoretikern an, die als *Jenaer Romantik* bezeichnet werden. Die weitere Entwicklung der deutschen Romantik in der Literatur ist etwas weniger theoriegebunden. Zur nächsten Phase gehören die Dichter Achim von Arnim (1781-1831) und Clemens Brentano (1778-1842), die unter anderem die Sammelarbeit Herders fortsetzten und in *Des*

---

[12] Gert Ueding: Klassik und Romantik. Deutsche Literatur im Zeitalter der Französischen Revolution 1789-1815. (Hansers Sozialgeschichte der Literatur vom 16. Jahrhundert bis zur Gegenwart. Bd. 4), München 1988, S. 461.

Knaben Wunderhorn eine große Sammlung deutscher Volkslieder vorlegten. Die echten Volkslieder inspirierten die Romantiker zu Nachahmungen, die dann wiederum von Komponisten wie Schubert vertont wurden. Heute sind die künstlichen Volkslieder der Romantik viel bekannter als die älteren Lieder.

Die Sammlertätigkeit erstreckte sich auch auf die alten Volksbücher und auf Märchen. Die berühmteste Sammlung sind die *Kinder- und Hausmärchen* der Brüder Jacob (1785-1863) und Wilhelm Grimm (1786-1859). Die Brüder Grimm zählen mit ihrer Arbeit an einem deutschen Wörterbuch auch zu den Pionieren der deutschen Philologie. Das Sammeln echter Volksmärchen inspiriert wiederum seinerseits die Produktion von Kunstmärchen, an denen sich fast alle romantischen Dichter beteiligten. Einen anderen wichtigen Bereich überlieferter Literaturtradition machte Joseph Görres (1776-1848) mit einer Abhandlung über die Volksbücher wieder bekannt.

Vom Kunstmärchen ist es kein weiter Schritt mehr zu Phantastik jeder Art. Die Natur, deren Nähe gesucht wird, wird wieder mit den Dämonen bevölkert, die von der Naturwissenschaft vertrieben wurden. In ihrem Bestreben, die Welt zu poetisieren, halten sich die Dichter nicht an die Naturgesetze, sondern sehnen sich zurück nach dem Zustand vor ihrer Entdeckung. In der Romantik schlägt die Geburtsstunde der Schauerromane. So ist etwa ‚Frankenstein' ein typisches Produkt der europäischen Romantik. In der deutschen Literatur ist dieser Aspekt der Romantik vielleicht am deutlichsten im Werk des Komponisten und Dichters E.T.A. Hoffmann (1776-1822) vertreten.

Die Romantiker waren fasziniert vom Gegensatz zwischen der wirklichen Welt mit ihren Naturgesetzen und der Welt der Phantasie. In ihren Werken machten sie die Grenze zwischen beiden Welten mit einer gewissen Ironie spielerisch sichtbar. Diese sogenannte ‚romantische Ironie' ließ im weiteren Verlauf des Jahrhunderts in dem Maße nach, wie die Romantik trivialisiert wurde. Die Themen und Motive romantischer Literatur blieben in einer ständig wachsenden Unterhaltungsliteratur bestehen, während die ursprüngliche Absicht dieser Dichtung, der unbefriedigenden Wirklichkeit eine utopische Alternative entgegenzuhalten, immer mehr verblaßte.

Romantische Landschaftsmalerei

Eine ähnliche Entwicklung zeigt sich auch in der Malerei des 19. Jahrhunderts. Die Romantik liefert Themen und Motive, die während des ganzen Jahrhunderts wiederkehren, aber der eigentliche Ernst, der zu Beginn der Bewegung bestanden hat, verschwindet später.

Zwei Maler ließen den philosophischen Ernst der frühen Romantik in Deutschland besonders deutlich erkennen: Philipp Otto Runge (1777-1810) und Caspar David Friedrich (1774-1840). Runges malerisches Gesamtwerk ist relativ klein. Neben einigen Porträts aus dem Familien- und Freundeskreis ist vor allem der unvollendete allegorische Tageszeitenzyklus bekannt. Die dort verwendete Pflanzensymbolik ist einzigartig in der Kunst ihrer Zeit. Ähnliche Motive werden hundert Jahre später im Jugendstil verwendet. Runge war mit den romantischen Strömungen in der Literatur und Philosophie sehr vertraut. Er dokumentierte in seinen eigenen Schriften und Briefen den Drang des romantischen Künstlers zu neuen Ausdrucksformen und zu einer philosophischen Grundlage der Malerei. Er forderte eine neue Kunst, deren Ausgangspunkt die Landschaft sein sollte.

Der Morgen,
Gemälde von Philipp Otto Runge

Eine solche neue Kunst ist das Werk Caspar David Friedrichs. Seine Kunst besteht fast ausschließlich aus Landschaften. Seine Art, die Landschaften zu malen, überwindet fühere Konventionen der Bildkomposition. Das Verhältnis von Vordergrund zu Hintergrund und der Gebrauch der Perspektive werden bei ihm zu individuellen Ausdrucksmitteln. In seinen Bildern fügen sich die Elemente der Landschaft zu einer neuen Bildsprache zusammen, deren symbolhafte Ausdruckskraft den Kern der Romantik zum Vorschein bringt. Im berühmten Tetschener Altar (1808) ist die religiöse Symbolik am offensichtlichsten. Die Landschaft bildet den geometrischen Sockel zum Kreuzsymbol. Drei Sonnenstrahlen brechen durch die Wolkendecke wie eine Gloriole. Das Bild erregte Aufregung, weil es statt der üblichen religiösen Figuren-

Mondaufgang am Meer,
Gemälde von Caspar David Friedrich

malerei ‚nur‘ eine Landschaft darstellte. Aber für Friedrich war Landschaft nie ‚nur‘ Landschaft. Sie hatte immer etwas auszudrücken. Friedrich meinte: „Der Maler soll nicht bloß malen, was er vor sich sieht, sondern auch, was er in sich sieht."[13] Die unsichtbare und daher eigentlich unmalbare ‚Idee‘ der Landschaft wird unter anderem durch die besonders intensive Beleuchtung spürbar gemacht. Friedrich war wie Runge an der Ostseeküste aufgewachsen und bevorzugte Landschaften mit weiten, ungebrochenen Aussichten. Die romantische Sehnsucht nach der Ferne wird in seinen Bildern optisch betont. Sie vermitteln auch das Gefühl der Einsamkeit des Betrachters in der Landschaft. Charakteristisch ist das Bild *Der Mönch am Meer*, das einen kleinen Streifen Strand, das Meer und den Himmel zeigt – keinen Vordergrund, nur unendliche Weite. Die winzige Gestalt des ‚Mönches‘ bemerkt man kaum. Das Bild ist keine Ausnahme. Wenn in Friedrichs Land-

---

[13] Zit. nach Hans Weigert: „Geschichte der deutschen Kunst." Frankfurt am Main 1963. Bd. 2, S. 239.

schaften menschliche Gestalten überhaupt zu sehen sind, dann sind sie meist klein und unbedeutend, oder sie werden von hinten gezeigt, als würden auch sie, wie der Betrachter, in die Unendlichkeit hineinblicken. So entsteht der Eindruck, daß die Landschaft mehr ist als das, was im Bild selbst wirklich zu sehen ist.

Caspar David Friedrich war in gewisser Hinsicht ein Einzelgänger unter den Künstlern seiner Zeit. Anders als die meisten namhaften Zeitgenossen besuchte er niemals Italien und ließ sich nicht von den dort entstandenen Ideen beeinflussen. Er hatte auch keine Schüler, dennoch beeinflußte er einige Freunde in Dresden, wie Carl Gustav Carus (1789-1869) und Johann Christian Dahl (1788-1857).

Der Historismus in der Kunst und Architektur

Die romantische Beschäftigung mit der Geschichte und der Kunstgeschichte spielt in der Malerei eine besonders große Rolle. Der ,Historismus' wird an den Akademien und Kunstschulen während des ganzen Jahrhunderts gepflegt. Einen wichtigen Anfang machten die ,Nazarener', eine Malergruppe, die zu Beginn des Jahrhunderts zeitweilig in Rom tätig war. Diese Maler wandten sich fast ausschließlich religiösen Themen zu und versuchten den Stil, den die Renaissance vor ihrer angeblichen Verweltlichung durch Raffael erreicht hatte, wiederherzustellen.

Die größte Rolle spielte der Historismus des 19. Jahrhunderts in der Architektur. Der architektonische Klassizismus ging im allgemeinen Historismus auf. So wurde der griechische Stil als ein Baustil neben vielen anderen gepflegt. Welcher Stil gewählt wurde, hing meistens von der Zweckbestimmung des Gebäudes ab. So konnte derselbe Karl Schinkel, der in Berlin die Neue Wache und das Alte Museum im griechischen Stil gebaut hatte, dort auch die Werdersche Kirche in reiner Gotik bauen.

Auch in der Architektur ist der Historismus mit der nationalen Ideologie der Romantik verbunden. Angeregt durch die Romantik und den gewonnen Krieg gegen Napoleon, ließen die Herrscher der einzelnen deutschen Staaten prächtige Denkmäler errichten. Auf diese Weise konnten sie der Nationalbewegung entgegenkommen, ohne an der Verfassung etwas zu ändern. So gab der bayrische König Ludwig I. einen riesigen Tempel für die Würdigung großer Deutscher in Auftrag. Das Produkt, die *Walhalla* bei Regensburg von Leo Klenze, ist eine riesige freie Nachahmung der Akropolis in Athen.

Das größte Bauprojekt romantisch nationaler Gesinnung war jedoch die Vollendung des Kölner Doms. Durch die Säkularisierung zahlreicher Klöster nach den napoleonischen Eroberungen war viel spätmittelalterliche Kirchenkunst auf den

Italia und Germania, Gemälde des Nazareners Friedrich Overbeck

napoleonischen Eroberungen war viel spätmittelalterliche Kirchenkunst auf den Markt gekommen, deren Wert zum erstenmal voll anerkannt wurde. So lag der Gedanke auch nahe, das größte Zeugnis der religiösen Kunst des Rheinlands, den Kölner Dom, zu vollenden. Ein Aufruf des Dichters Joseph Görres im Jahre 1814 machte die Domvollendung von einem kunsthistorisch inspirierten Gedanken zu einer nationalen Aufgabe. Zunächst wurde das Projekt durch private Initiativen vorangetrieben, bis der preußische König Friedrich Wilhelm IV. nach seiner Thronbesteigung 1840 dem Projekt den staatlichen Segen gab.

Das Vorhaben wurde allerdings nicht ganz einhellig begrüßt, denn vielen war die Verbindung von Nationaldenkmal und Prestigeobjekt der katholischen Kirche nicht geheuer. Dennoch hatte der Katholizismus im Zeitalter der Romantik einige spektakuläre Erfolge erzielt und etwas von der unbestimmten religiösen Sehnsucht der Zeit aufgefangen. Prominente Schriftsteller wie Clemens Brentano konvertierten zum Katholizismus. Für Heinrich Heine jedoch war das Dombauvorhaben ein Ausdruck des schlimmsten Obskurantismus. „Er sollte des Geistes Bastille sein" schrieb Heine im vierten Teil von *Deutschland ein Wintermärchen* vom Dom. Im irrationalistischen geistigen Klima der Zeit sprach Heine, der im Alter ebenfalls der Kirche nähertrat, nur für eine Minderheit. So wurde die Vollendung des Doms als nationales Denkmal und als Versöhnungsgeste des preußischen Staates mit der katholischen Kirche verwirklicht.

8 Zwischen Restauration und Revolution

Die erste Dampfeisenbahn von Nürnberg nach Fürth

Mit dem Tod Hegels 1831 und Goethes 1832 ging eine glanzvolle Epoche der deutschen Geistesgeschichte zu Ende. Während neue Dimensionen für die deutsche Literatur erschlossen wurden und die Philosophie sich auf den abstrakten Höhen der absoluten Idee bewegte, hatte sich die Gesellschaft sehr stark verändert. Was nun in allen Bereichen kultureller Tätigkeit eintrat, war eine gewisse Ernüchterung und eine Besinnung auf die veränderten Bedingungen der Realität.

Das 19. Jahrhundert ist das Jahrhundert der industriellen Revolution, die Deutschland bis 1900 mit England und den USA zu einer der wichtigsten Industrienationen der Welt machte. Die ersten Anfänge einer verstärkten Industrialisierung waren zu

113

Beginn des Jahrhunderts in Schlesien und im Rheinland erkennbar, wo die ersten Dampfmaschinen in der industriellen Produktion eingesetzt wurden. Die sozialen Reformen, die durch die napoleonische Umstrukturierung Deutschlands eingeleitet wurden, trugen zur größeren wirtschaftlichen Flexibilität bei. An die Stelle der direkten persönlichen Abhängigkeit von adeligen Herrschaftsstrukturen trat nun die abstraktere Präsenz des Staates, der im Verlauf des Jahrhunderts immer mehr Zuständigkeiten gewann. Von größter Bedeutung war eine Landreform, welche die Reste der Feudalordnung weitgehend aufhob. Jetzt konnten die Bauern Land erwerben, und die Arbeit auf fremden Gütern wurde mit Geld bezahlt. Die rechtliche Verbesserung für die Landbevölkerung trug jedoch nicht zu ihrer sozialen Sicherheit bei. Die neuerworbenen Höfe waren oft zu klein und zu verschuldet, um existenzfähig zu sein. Durch die agrartechnische Modernisierung und die Rationalisierung der größeren Gutshöfe verschlechterten sich zugleich die Beschäftigungsmöglichkeiten für ländliche Tagelöhner. Aus der überschüssigen Landbevölkerung rekrutierte sich in der zweiten Jahrhunderthälfte die Arbeiterschaft der Industrie und der Baukolonnen.

Im Zuge dieser gesellschaftlichen Modernisierung verloren auch konfessionelle Unterschiede an Bedeutung. Die Angliederung großer katholischer Gebiete am Rhein und in Westfalen an das protestantische Preußen beschleunigte diesen Prozeß. 1812 wurde in Preußen auch die rechtliche Diskriminierung der Juden aufgehoben, die bis dahin bei der Wohnorts- und Berufswahl starken Einschränkungen ausgesetzt waren.

Die gesellschaftliche Umschichtung wurde aber vor allem durch das Bevölkerungswachstum gefördert. In der ersten Hälfte des 19. Jahrhunderts verdoppelte sich die Bevölkerung Preußens nahezu. Die großen Städte wuchsen noch schneller. Der Wachstumsprozeß war jedoch weder kontinuierlich noch schmerzlos. Das Wachstum war am stärksten in den ärmsten Gesellschaftsschichten. Es wurde trotz verbesserter hygienischer Bedingungen von großen Epidemien in den dreißiger und von Hungerkatastrophen in den vierziger Jahren unterbrochen. Um die Jahrhundertmitte erreichte die Auswanderung nach Übersee, vor allem in die USA, ihren Gipfel.

1844 kam es in Schlesien zu großen sozialen Unruhen unter den Tuchwebern, die weitgehend noch in Heimarbeit tätig waren. Die Tuchfabrikanten, die noch in vorindustrieller Manier das Rohmaterial stellten, das von den Leinewebern zu Hause verarbeitet wurde, mußten wegen der zunehmenden Konkurrenz der mechanisierten Industrie ihre Preise und Löhne senken. Es war ein klassischer Fall der Verelendung der arbeitenden Bevölkerung infolge der Industrialisierung. Der Weberaufstand schärfte den Blick vieler Künstler für das soziale Elend der Unterschichten. Heinrich Heine schrieb *Die schlesischen Weber*, ein Lied, das mit dem Vers: ‚Deutschland, wir weben dein Leichentuch' revolutionäre Konsequenzen prophezeite. Noch 1892 wurde die Aufführung von Gerhart Hauptmanns naturalistischem Drama *Die Weber* von der Berliner Zensurbehörde aufgrund ihrer politischen Brisanz verboten. Die zunehmende Verelendung bildete den sozialen Hintergrund der Revolution von 1848, die für eine kurze Zeit den Fürstenhäusern die Macht entriß.

Politisch hatte Deutschland keine Form gefunden, die dem sozialen Wandel voll entsprochen hätte. Der deutsche Bund, der nach der Niederlage Napoleons gegründet worden war und dem nunmehr 38 souveräne Staaten angehörten, stellte nur eine halbherzige Modernisierung deutscher Verhältnisse dar. In der Nachwirkung des nationalen Eifers der sogenannten Befreiungskriege gegen Napoleon glaubten manche, daß dieser Bund den Weg zur Einigung Deutschlands ebnen könnte. Schon früh stellte sich jedoch heraus, daß er die Einigung eher bremste als förderte.

Der Weberaufstand, Radierung von Käthe Kollwitz

Tatsächlich überwogen die Interessen der Einzelstaaten. Österreich als ständige Präsidialmacht sorgte mit seinem Minister Klemens Metternich (1773-1859) dafür, daß der Bund die Erhaltung des Status Quo in Deutschland streng bewachte. Der äußere Anlaß für die Politik der äußersten Zurückhaltung gegenüber den nationalen und demokratischen Bestrebungen war die Ermordung des erfolgreichen Dramatikers August Kotzebue durch den Studenten Georg Sand im Jahre 1819. Für diesen Terroranschlag gab der Student ein politisches Motiv an. Ihm gefiel der frankophile Rokokostil des Dramatikers nämlich nicht. Unter Metternichs Leitung vereinbarten daraufhin die Regierungen der einzelnen Staaten in Karlsbad eine Reihe von Maßnahmen, um politische Aktivitäten der Bürger einzudämmen. Ein ,Universitäten-Gesetz' unterband jede politische Aktivität an den Universitäten und sorgte für ihre Überwachung, während ein Presse-Gesetz die Zensur verschärfte und in den einzelnen Staaten vereinheitlichte. Ausgenommen von der Zensur blieben danach nur Bücher von über 320 Seiten Umfang. Diese ,Karlsbader Beschlüsse' und die mit ihnen einsetzende Politik der sogenannten Demagogenverfolgung lähmten die öffentliche Diskussion und das ganze kulturelle Leben der folgenden Jahrzehnte.

Von diesen Maßnahmen besonders betroffen waren die studentischen Verbindungen, ,Burschenschaften', die damals neben ihren nationalen zum Teil auch demokratische Ziele verfolgten. Ein namhaftes Opfer der Demagogenverfolgung war der ,Turnvater' Friedrich Jahn, der sich aktiv an der Gründung der Burschenschaftsbewegung beteiligt hatte.

Ein anderes Opfer war der Nationalökonom und Württemberger Landtagsabgeordnete Friedrich List (1789-1846). Nach Festungshaft und mehreren Jahren im amerikanischen Exil kehrte List 1832 nach Deutschland zurück, wo er sich energisch für die wirtschaftliche Einigung einsetzte und Pläne für ein nationales Eisenbahnnetz entwarf.

So sehr die deutsche Einigung politisch bekämpft wurde, so unaufhaltsam war andererseits der Prozeß der wirtschaftlichen Einigung. Mit der Zunahme der Industrialisierung wurden die Binnenzölle im deutschen Bund immer mehr als Hemmschuh empfunden. Als erster Schritt auf dem Weg zur Einigung Deutschlands unter preußischer Vorherrschaft trat zu Beginn des Jahres 1834 der Deutsche Zollverein in Kraft. Nach und nach wurde auch das Eisenbahnnetz Wirklichkeit.

Die erste kurze Eisenbahnstrecke in Deutschland wurde 1835 zwischen Nürnberg und Fürth eröffnet. Die Strecke Dresden-Leipzig folgte zwei Jahre später. Um die Mitte des Jahrhunderts waren die wichtigsten Zentren Deutschlands miteinander verbunden. Durch die Erleichterung des Warenaustausches bekam die gesamte Industrie Auftrieb. Die Eisenbahn selbst erhöhte den Bedarf an industriellen Gütern

116

und förderte insbesondere die Eisenproduktion und den Maschinenbau. Damit begann die rasche Entwicklung des Ruhrgebiets.
Die Eisenbahn hatte auch einen direkten Einfluß auf den Lebensstil. Das Reisen wurde plötzlich schneller, billiger und bequemer. Dadurch trug die Eisenbahn zur Demokratisierung der Gesellschaft bei. Für eine wachsende Mittelschicht wurde das Reisen erschwinglich. Allmählich verkürzte sich die Arbeitszeit, und es gab Urlaubstage. Die Eisenbahn machte Erholungsreisen möglich und förderte so die Entwicklung von Kurorten und Seebädern. Schließlich machte die Eisenbahn auch einen weiteren, tiefgreifenden Aspekt des gesellschaftlichen Wandels im 19. Jahrhundert sichtbar: Die Züge führten verschiedene Wagenklassen. Das Benutzungsrecht wurde, wie inzwischen auch bei den Plätzen im Theater, allein durch den Preis geregelt. Geld und Besitz ersetzten die Geburt in eine bestimmte gesellschaftliche Schicht als wichtigstes Unterscheidungsmerkmal sozialer Klassen.

Biedermeier und Vormärz

Doch in der Mitten
Liegt holdes Bescheiden.
Eduard Mörike

Der charakteristische kulturelle Ausdruck der Jahrzehnte nach dem Wiener Kongreß ist das ,Biedermeier'. Es stellt eine gewisse Reaktion auf die Romantik und eine Art Domestizierung des Neo-Klassizismus dar. Es teilt die klassische Vorliebe für einfache, schlichte Formen, aber wendet sie eher im Privatbereich an. Der Begriff Biedermeier ist in der Innendekoration geläufig und bezeichnet die Stilmöbel, wie sie in den Bürgerhäusern der Epoche zu finden waren. Eine funktionsnahe Gestaltung unter Verwendung klassischer Formelemente ist für diese Möbel kennzeichnend.
In der Kunst und Literatur versteht man unter Biedermeier eine bestimmte Haltung, die der allgemeinen Ernüchterung nach den Höhenflügen der Romantik entspricht. Es teilt mit der Klassik die Vorliebe für Ordnung und hat zugleich die romantische Erfahrung der Identitätssuche verarbeitet. Ihm fehlt aber der große humanistische Entwurf, das Allgemeingültige der Klassik und das Utopische der frühen Romantik. Das Biedermeier sucht nicht mehr das Ferne, sondern konzentriert sich auf die nähere Umgebung. In ihm deutet sich schon ein neuer Realismus an, aber es bleibt ein Realismus des Details. Einsicht in größere Zusammenhänge ist vorläufig nicht gefragt. Dafür gibt es im Alltag vieles, was wert ist, in Wort und Bild festgehalten zu werden.

117

Der Gratulant,
Gemälde von Carl Spitzweg

Ein typischer Vertreter des Biedermeier ist der Maler Carl Spitzweg (1808-85), dessen ironische Darstellung des *Armen Poeten* bereits erwähnt wurde. Wie der *Arme Poet* sind viele seiner Bilder anekdotisch. Sie erzählen kleine Geschichten und erinnern an die Tradition der niederländischen Genre-Malerei des 17. Jahrhunderts. Seine Szenen haben etwas Anheimelndes an sich. Sie kehren der von der Romantik bewunderten und dämonisierten Natur den Rücken. Das Kleinstadt-Milieu wird bevorzugt. Natur ist bei Spitzweg nur in kleinen gebändigten Portionen vorhanden, so etwa, wenn ein älterer Herr in der engen Kleinstadt die Blumenkästen vor seinem Fenster gießt. Andere romantische Klischees, wie die Sehnsucht nach der Ferne, kommen in seinen Bildern ebenfalls in verharmloster Form vor. So bringt in einem Bild der Postbote einer jungen Frau auf einer schmalen Kleinstadtgasse einen offenbar heiß ersehnten Brief vom fernen Geliebten.

Die sichtbare Enge dieser Bilder spiegelt die kulturelle Situation des Bürgertums in der ersten Hälfte des 19. Jahrhunderts in positiver und negativer Weise wieder. Positiv ist die Demokratisierung des Gegenstands, der nunmehr dem bürgerlichen Alltag entnommen ist. Andererseits läßt sich die bewußte Einengung des Horizonts in diesen Bildern als Symptom der fortwährenden Perspektivlosigkeit des bürgerlichen Daseins deuten.

Dieselbe Einengung findet man auch in der Literatur der Zeit. Die euphorische Allmacht des romantischen Dichters wird nicht nur von einer gesunden Rückkehr zur Realität abgelöst, sondern schlägt gleich in nahezu bedrückende Zurückhaltung und Bescheidenheit um. Das Werk und der Lebenslauf mancher Dichter weisen dieselben Züge auf. So kam der Pfarrer und Dichter Eduard Mörike (1804-75) nie aus der schwäbischen Landschaft seiner Geburt heraus. Das umfassende Netz sozialer und literarischer Kontakte, das noch die führenden Vertreter der Klassik und

Romantik zusammengehalten hatte, existierte nicht mehr. Die relative Isolation mancher Schriftsteller und der Blick auf das Nahe begünstigten jedoch andererseits die literarische Herausbildung regionaler Identitäten. Dialektliteratur erfährt ebenfalls eine Aufwertung. In Österreich und in der Schweiz führte der neue Heimatbezug zur Herausbildung eigener Nationalliteraturen. Der Landschaftsmaler und Novellist Adalbert Stifter (1805-68) gehört zu den Gründern einer spezifisch österreichischen Nationalliteratur.

Die Einengung des Horizonts betraf auch die literarischen Gattungen. Der Roman entwickelte sich im deutschen Sprachgebiet nur langsam. Statt dessen wurde neben der Lyrik die Novelle bevorzugt. Ein Sonderfall in der europäischen Romanliteratur ist außerdem der seit Goethes *Wilhelm Meister* etablierte Bildungsroman, der eine einzige Figur in ihrer sozialen Entwicklung in den Mittelpunkt stellt.

Spätestens nach der Pariser Julirevolution von 1830, die auch in Deutschland Unruhen auslöste, ließen sich in der deutschen Literatur auch radikalere Töne vernehmen. Mit seinen 1832-34 veröffentlichten zeitkritischen *Briefen aus Paris* knüpfte Ludwig Börne (1786-1837) an die publizistische Tradition der deutschen Jakobiner an, die im Reisebericht eine geeignete Form für Gesellschaftskritik sahen. Börne zählt zu den Schriftstellern und Publizisten, die als ‚Junges Deutschland‘ bekannt wurden und die ihren Patriotismus im radikalen demokratischen Sinne verstanden. Sie wollten mit ihrer Literatur unmittelbar politisch wirken und trugen u.a. mit ihrer Agitationslyrik zur radikalen politischen Stimmung bei, die zum Ausbruch der Revolution vom März 1848 führte. Diese Literatur wird daher auch als Vormärz-Literatur bezeichnet. Sie war stark von Zensurmaßnahmen betroffen. Viele Autoren führten über Jahre ein Emigrantendasein in Frankreich oder in der Schweiz. Ein großer Teil der Vormärz-Literatur verlor rasch an Aktualität und ist weitgehend in Vergessenheit geraten. Doch entstanden auch Werke, die ihrer Zeit weit voraus waren.

Der Mediziner Georg Büchner (1813-37), der zu Lebzeiten als Schriftsteller kaum bekannt war, sprengte mit seinem Revolutionsdrama *Dantons Tod* die Grenzen des idealistischen Geschichtsdramas. Als zukunftsweisend erwies sich sein postum veröffentlichtes Dramenfragment *Woyzeck*, ein psychologisches Porträt eines einfachen Mörders. Das Stück diente 1925 dem Komponisten Alban Berg als Vorlage für seine expressionistische Oper *Wozzeck*. Büchners realistische Schreibweise gründet auf seinem materialistischen Weltbild und weicht stark von der sonstigen deutschen Literatur der Zeit ab, die, ob gesellschaftskritisch oder nicht, in der idealistischen Tradition befangen blieb, die von Klassik und Romantik geprägt war. Diese Tradition überwand auch Heinrich Heine (1797-1856), der die letzten Jahrzehnte seines Lebens im französischen Exil verbrachte, indem er sie oft auf die

Heinrich Heine

Spitze trieb und parodierte. Das konnte er, weil er selber als Romantiker zu dichten begonnen hatte und später erkannte, daß der Ideengehalt der Romantik inzwischen leer geworden war. Seine jüdische Herkunft, seine mangelnde Ehrfurcht vor religiösen und nationalen Bekenntnissen und vielleicht vor allem noch der leichte Tonfall, in dem er im Sinne einer tief empfundenen Humanität falsche Ideale entlarvte, machten ihn zum schwarzen Schaf unter den großen deutschen Dichtern. So hat er in Deutschland nie die Würdigung erfahren, die ihm im Ausland zuteil wurde. Anders als Heine blieb der größte Teil der Vormärz-Dichter im idealistischen Pathos befangen. In ihren Gedichten und Liedern kamen relativ nebulose Vorstellungen von Freiheit und Einheit häufiger vor als konkrete soziale Probleme. Immer wieder wurde die deutsche Einigung als Allheilmittel gegen alle Mißstände beschworen und besungen. Ein typisches Produkt jener Dichtung ist das berühmte und berüchtigte *Lied der Deutschen (Deutschland, Deutschland über alles)* aus Hoffmann von Fallerslebens (1798-1874) *Unpolitischen Liedern* (1840/41). Das Lied, das mit seinem rhetorischen Pathos die kleinkarierte Politik der Länder des deutschen Bundes bekämpfen sollte, wurde später in der Weimarer Republik zur deutschen Nationalhymne. Als solche wurde sie von den Nationalsozialisten beibehalten, die ansonsten bemüht waren, die Anklänge an die Tradition des Vormärz zu tilgen. Der Ausruf ,Deutschland, Deutschland über alles' mit der sehr großzügigen geographischen Auslegung der Grenzen ,Von der Maas bis an die Memel' paßte ihrem nationalen Größenwahn sehr gut. Heute ist als Hymne der Bundesrepublik nur noch die dritte Strophe mit ihrem allgemein demokratischen Gedankengut im Gebrauch.

Ein weiteres und ganz andersgeartetes Beispiel populärer Literatur der Vormärz-Periode, das bis heute überlebt hat, ist der *Struwwelpeter* des Frankfurter Arztes Heinrich Hoffmann (1809-94). Das Bilderbuch mit seinen drastischen, didaktisch gemeinten Geschichten stellte seinerzeit eine fortschrittliche pädagogische Leistung dar.

1848 und der Beginn der Arbeiterbewegung

Im März 1848 ging von Paris bis Budapest ein Teil des Bürgertums, darunter auffallend viele Künstler und Schriftsteller, auf die Barrikaden. In Deutschland kam eine demokratische Nationalversammlung in der Frankfurter Paulskirche zustande. Die Mitglieder verstrickten sich bald in Debatten über die künftige Verfassung. Vor allem hielt man sich lange bei der Frage auf, ob Deutschland mit oder ohne Österreich geeinigt werden sollte. Als die Versammlung schließlich die sogenannte ‚kleindeutsche Lösung' ohne Österreich beschlossen hatte und dem preußischen König die Krone des ‚Kaisers der Deutschen' anbot, war es schon zu spät. Die Hauptstädte waren wieder fest in der Hand des alten Regimes, und der König konnte so gelassen die Krone ablehnen.

Langfristig machte sich die preußische Staatsführung die ‚kleindeutsche Lösung' jedoch zu eigen und forcierte ab 1862 unter dem neuen Ministerpräsidenten Otto von Bismarck (1815-98) selbst die deutsche Einigung, die 1871 nach zwei kurzen, innenpolitisch motivierten Kriegen gegen Österreich (1866) und Frankreich vollzogen wurde. In diesem neuen deutschen Reich blieb die Macht weiterhin auf die preußische Monarchie konzentriert, auch wenn kosmetische Zugeständnisse an das parlamentarische Prinzip gemacht wurden.

Das Scheitern der verspäteten bürgerlichen Revolution ist zum Teil darauf zurückzuführen, daß im Bürgertum die Angst vor den möglichen Konsequenzen den Eifer dämmte. In dem Maße, wie die politische Tragweite der sozialen Frage im Bürgertum erkannt wurde, suchte der wohlhabendere Mittelstand zum Schutz seines Eigentums das Bündnis mit der bestehenden Herrschaftsordnung. 1848 war auch das Jahr, in dem das *Kommunistische Manifest* von Karl Marx (1818-83) und Friedrich Engels (1820-95) erschien. Engels hatte auf einer längeren Geschäftsreise in der hochindustrialisierten englischen Stadt Manchester die Si-

Karl Marx und Friedrich Engels

121

tuation der dortigen Arbeiter studiert. In der *Lage der arbeitenden Klasse in England* (1845) schildert er die erbärmlichen Zustände in den Fabriken, die ein menschenwürdiges Leben unmöglich machten. Durch die Frauen- und Kinderarbeit ließ sich auch das vom Bürgertum so geschätzte Familienleben nicht verwirklichen. Anders als die meisten frühen Sozialisten glaubten Marx und Engels nicht, daß das soziale Elend auf dem Wege der Reform zu beseitigen sei, weil seine Wurzeln in der Verteilung von Eigentum und Arbeit lägen. Die Entfaltung der Bourgeoisie führe unweigerlich zur Verelendung der Arbeiter. Im *Kommunistischen Manifest* forderten sie daher die Abschaffung des Privatbesitzes von Produktionsmitteln als Voraussetzung für die menschliche Entfaltung aller.

Die Grundelemente ihrer Theorie standen schon relativ früh fest, auch wenn das theoretische Hauptwerk, Marx' *Kapital*, erst Jahrzehnte später im Londoner Exil fertig wurde. Der Marxismus hängt stark von Hegels dialektischer Geschichtsauffassung ab. Während aber Hegel die Geschichte als Entfaltung einer abstrakten Idee verstand, führten Marx und Engels die historische Entwicklung auf die materiellen Bedingungen der Produktion zurück. Mit Hegel meinten sie, daß der Mensch im Zustand der Entfremdung lebt. Diese sei jedoch konkret durch die gesellschaftliche Organisation bedingt, durch die ein Teil der Menschheit die Produktionsmittel besitze, während andere arbeiteten. Erst wenn der Mensch sich in seiner Arbeit verwirklichen könne, ohne den Interessen anderer zu dienen, werde er seine Entfremdung überwinden.

Der Einfluß des Marxismus auf die politische Kultur der nächsten hundert Jahre in der ganzen Welt ist unermeßlich. Die politischen Fronten, die sich danach bilden, lassen immer wieder die von Marx und Engels beschriebenen Klassengegensätze erkennen. In Deutschland geht die Initiative in der oppositionellen Politik bald von den bürgerlichen Gruppierungen auf die sich formierende Arbeiterbewegung über. Das deutsche Bürgertum zog sich nach 1848 weitgehend aus der Politik zurück. Zum Teil wurde aus der Not eine Tugend gemacht, und man besann sich auf ‚höhere' Werte wie den deutschen Idealismus. Das Bildungsbürgertum gefiel sich in der Rolle einer über dem alltäglichen Bereich der Politik stehenden Schicht. Diese politische Abstinenz dauerte mehrere Jahrzehnte und wurde im 20. Jahrhundert zum Verhängnis, als die deutsche Intelligenz unfähig war, den Militarismus und Faschismus aufzuhalten.

Bildung und Wissenschaft

Daß sich das politisch wenig einflußreiche Bürgertum ausgerechnet in den Bildungswerten seinen Trost suchte, kam nicht von ungefähr. Die deutsche Wissenschaft hatte auf vielen Gebieten einen guten Ruf. Das allgemeine Bildungsniveau der Bevölkerung war im internationalen Vergleich sehr hoch. Die allgemeine Schulpflicht war in Preußen schon unter Friedrich II. eingeführt worden. Infolgedessen war der Analphabetismus bis 1848 auf eine kleine Minderheit der Bevölkerung abgesunken.

Das Bildungssystem selbst wurde in der ersten Hälfte des 19. Jahrhunderts auf allen Ebenen modernisiert. Unter dem Einfluß der Ideen von Rousseau und Pestalozzi entwickelte sich die Pädogogik zur Wissenschaft. Die Schulen kamen unter staatliche Aufsicht, und die Ausbildung der Lehrer wurde nicht mehr dem Zufall überlassen, sondern an eigens eingerichteten Seminaren durchgeführt. Allmählich stieg auch das soziale Prestige der Lehrerschaft.

Die wichtigste weiterführende Schulform war das im Sinne Wilhelm von Humboldts aufgebaute neuhumanistische Gymnasium, das zum Abitur und damit zur Studienberechtigung führte. Daneben gewannen im Verlauf des Jahrhunderts auch die praxisorientierten Realschulen an Bedeutung.

Der sogenannte Neuhumanismus prägte auch den Geist der Universitäten. Er hatte sich in Göttingen entwickelt und durch die Gründung der Berliner Universität starken Auftrieb erhalten. Mit seiner Betonung der klassischen Philologie verstand sich der Neuhumanismus vor allem als Denkdisziplin. Er erwies sich als gute Grundlage für die Entwicklung weiterer geisteswissenschaftlicher Fächer und schuf ein Klima, in dem sich später auch die Naturwissenschaften weiter entfalten konnten. Allerdings war der Entfaltung der Wissenschaft an den deutschen Universitäten, die völlig vom Staat abhingen, lange eine finanzielle Grenze gesetzt. Politische Grenzen durften auch nicht überschritten werden, wie der Fall der ‚Göttinger Sieben‘ zeigt: 1837 wurden sieben Professoren der Göttinger Universität, darunter Jacob und Wilhelm Grimm, wegen ihres Einspruchs gegen Einschränkungen in der Hannoverschen Verfassung entlassen.

Im scharfen Gegensatz zu der institutionellen Abhängigkeit der Universitäten vom Staat stand die interne Regelung der Studienabläufe. Hier galt der Grundsatz der akademischen Freiheit. Auf verbindliche Curricula wurde weitgehend verzichtet, während die Mitarbeit an Seminaren und die selbständige wissenschaftliche Arbeit zur wichtigsten Studienform wurden.

Zu den höheren Schulen und Universitäten kamen im Verlauf des Jahrhunderts berufliche Bildungsanstalten hinzu. Von den 20er Jahren an konnten an Gewerbe-

123

schulen handwerkliche Berufe erlernt werden. Die ersten Vorstufen der technischen Hochschulen wurden ebenfalls in den ersten Jahrzehnten des Jahrhunderts geschaffen. In Wien wurde 1815 ein Polytechnisches Institut eröffnet. Weitere Gründungen, darunter später so bedeutende wie Karlsruhe und Dresden, folgten in den zwanziger Jahren. Das hohe Niveau der fachlichen Ausbildung trug später wesentlich dazu bei, den verspäteten Industrialisierungsbeginn auszugleichen.

Im 19. Jahrhundert holte die deutsche und österreichische Wissenschaft auch auf naturwissenschaftlichem Gebiet auf. Zu den zukunftsträchtigen Erfolgen der Grundlagenforschung zählen etwa Justus Liebigs (1803-73) Erkenntnisse in der organischen Chemie. Sie ermöglichten eine Steigerung der Agrarproduktion und trugen zur beschleunigten Industrialiserung Deutschlands bei. Liebigs Labor steht am Anfang einer langen Reihe von Entwicklungen in der Chemie, die zur Entstehung der Chemieindustrie, heute in Deutschland einer der wichtigsten Industriezweige, führte. Das Wachstum dieser Industrie spiegelt den Gesamtverlauf der deutschen Geschichte der letzten hundert Jahre wider. Dazu gehören die Beteiligung an zwei Weltkriegen, u.a. als Giftgaslieferantin, sowie die starke Belastung des ökologischen Systems seit den 50er Jahren des 20. Jahrhunderts.

Genaue empirische Forschung in den Naturwissenschaften beeinflußten auch die Haltung der Geistes- und Geschichtswissenschaften in der zweiten Hälfte des Jahrhunderts. Vertreter des ‚Positivismus‘ waren der Ansicht, daß man alle Phänomene verstehen kann, wenn man nur genügend Fakten besitzt. Ist man heute nicht immer vom eigentlichen Erkenntniswert positivistischer Arbeit überzeugt, so verdankt man ihrer Forschung doch sehr viel Wissen.

Das Musikleben im Zeichen der Romantik

Das Musikleben des ganzen 19. Jahrhunderts steht im Zeichen der Romantik. Beethoven war der erste Komponist, der sich eine gewisse gesellschaftliche Unabhängigkeit leisten konnte. Der Komponist als freischaffender Künstler wurde nach Beethoven zur Norm. Auch wenn nur wenige ausschließlich von ihren Kompositionen leben konnten, so schrieben sie doch meistens ohne unmittelbaren Auftrag. Wie schwer es noch war, diese künstlerische Autonomie mit einer gesicherten bürgerlichen Existenz zu verbinden, zeigen viele Musiker-Biographien. Oft glichen die Lebensumstände denen der verkannten und mißverstandenen Genies romantischer Fiktion. Das kurze Leben Franz Schuberts (1797-1828), der, von einem kleinen Freundeskreis unterstützt, als einer der ersten ‚Bohemiens‘ lebte und in

Armut starb, hätte nach Ansicht des Musikhistorikers Alfred Einstein ‚gedichtet werden können' [14].

Es gab jedoch nicht nur verkannte Genies. Einige Komponisten wie Felix Mendelssohn-Bartholdy (1809-47) standen ständig in der Gunst des Publikums. In der zweiten Jahrhunderthälfte konnte Johannes Brahms (1833-97) nach dem großen Erfolg seines *Deutschen Requiems* ein kleines Vermögen durch seine Arbeit erwirtschaften. Publikumsidole gab es auch und erst recht unter den Solisten. Unter Opernsängern und -sängerinnen hatte es sie schon früher gegeben; im 19. Jahrhundert wurden auch Virtuosen am Klavier oder auf der Geige zu ‚Stars'.

Die äußeren Bedingungen des Musiklebens änderten sich stark im 19. Jahrhundert. Der Markt wuchs, die Konzertsäle und die Zahl und Größe der Orchester wuchsen mit. Die Sinfonien wurden entsprechend länger, die Regeln des klassischen Satzbaus immer willkürlicher gehandhabt. Gleichzeitig wurde die Hausmusik in bürgerlichen Familien mit wachsender Bildung und steigendem Wohlstand immer beliebter. Von entscheidender Bedeutung war dabei der technische Fortschritt im Instrumentenbau. Mit dem modernen Flügel bzw. Klavier wurde ein ideales Instrument für das private Musizieren geschaffen. Die Einführung des eisernen Rahmens für die Saiten ist eine direkte Einwirkung der industriellen Revolution auf die Musik. Sie ermöglichte die industrielle Herstellung des Instruments und verbesserte gleichzeitig den Klang.

„Im Umfang seiner sieben Oktaven umschließt es den ganzen Umfang eines Orchesters, und die zehn Finger eines Menschen genügen, um die Harmonien wiederzugeben, welche durch den Verein von hundert Musizierenden hervorgebracht werden" [15],

schrieb Franz Liszt (1811-86), einer der begabtesten Klaviervirtuosen aller Zeiten, der konsequenterweise zahlreiche Klavierbearbeitungen von Orchesterwerken schrieb. Andere Komponisten wie Robert Schumann (1810-56) widmeten ebenfalls dem Klavier ihr Hauptinteresse, und das Angebot an Klaviermusik wurde viel breiter. Zur formstrengen Sonate traten kleinere, weniger formgebundene Gattungen wie Impromptus, Intermezzi oder Moments musicaux hinzu.

Zu den allgemeinen Zügen der Romantik, die in der Musik begrenzt wirksam sind, gehören auch der Nationalismus und der Historismus. So wurde Johann Sebastian Bach von Mendelssohn ‚entdeckt', der Bachs Matthäus-Passion zum ersten Mal

---

[14] Alfred Einstein: Die Romantik in der Musik. Wien 1950, S.109.

[15] Zit. nach Kurt Blaukopf: Musik im Wandel der Gesellschaft. Grundzüge der Musiksoziologie. München 1984, S. 96.

1829 aufführte. Die Aufführung war dem romantischen Publikumsgeschmack angepaßt und wäre in unserem eigenen, puristisch denkenden Jahrhundert kaum akzeptabel. Sie zeigt aber den unbefangenen Umgang mit Geschichte, der dem 19. Jahrhundert zu eigen war.

Die Rolle des Nationalismus in der Musik ist eher widersprüchlich. Die europäische Musik steht in einer übernationalen Tradition, und der Musikbetrieb des 19. Jahrhunderts war womöglich noch internationaler als früher. Aber Nationalismus war Mode und wurde vor allem von Musikern aus den Randgebieten Europas beschworen. Chopin und Liszt spielten ihre von polnischer bzw. ungarischer Heimatliebe inspirierte Musik einem begeisterten Pariser Publikum vor, das seine Freude an Exotik hatte. Diese Art von Nationalismus war gewiß auch nützlich beim Aufbau der Musikkulturen abseits der traditionellen Zentren. In Deutschland und Österreich spielte sie eine geringere Rolle. Deutlich nationalistische Züge weist erst Richard Wagner mit der Themenwahl seiner Opern auf. Ansonsten war in der Musik das Nationale eher im Volkstümlichen zu finden.

Die Entdeckung des Volksliedes in der Vorromantik und die Bedeutung, die ihm seit Herder zugesprochen wurde, hinterließ Spuren in allen Musikgattungen. Die allgemeine Vorliebe für einprägsame, singbare Melodien ist auf den Eindruck der Natürlichkeit des Volksliedes zurückzuführen. Dabei wurde in der Musik das Volkstümliche genauso idealisiert wie in allen anderen Gattungen. Das wichtigste Produkt der Begegnung mit dem echten Volkslied ist das Kunstlied, dessen Anfänge besonders mit dem Namen Franz Schuberts verbunden sind. Diese Begegnung hatte zunächst die deutsche Lyrik angeregt und vom Sturm und Drang bis zum Romantiker Joseph Freiherr v. Eichendorff (1788-1857) eine einmalige Blüte inspiriert. Diese mehr oder weniger zeitgenössische Lyrik wurde von Schubert, Schumann und anderen für Singstimme mit Klavierbegleitung vertont. Manche dieser Kunstlieder wurden sogar so populär, daß man sie als Volkslieder empfand. Einige Komponisten, wie Carl Loewe (1796-1869) und Hugo Wolf (1860-1903), sind heute nahezu ausschließlich aufgrund ihrer Lieder bekannt.

Die intime Gattung des Liedes ist für einen Aspekt der Musikkultur der Zeit sehr typisch. Doch war das 19. Jahrhundert auch die Glanzzeit der großen Oper. In der Oper wurde das Erscheinungsbild der modernen Unterhaltungsindustrie früh sichtbar. Man scheute bei Inszenierungen in den großen Städten Europas keine Kosten, wenn es um Bühnenbild, Ausstattung oder Größe der Chöre ging. Daß auch Pferde oder gar Elefanten[16] auf die Bühne gebracht wurden, paßte durchaus zu dieser

---

[16] 1821 in Berlin bei der Aufführung von Spontinis *Olympia*.

Opernauffassung. Die europäische Kulturhauptstadt Paris gab auch hier den Ton an. Dort entstanden sowohl ‚grands opéras' als auch ‚opéras comiques' nahezu in Massenproduktion. Zu den erfolgreichsten Komponisten der Pariser Oper gehört der in Berlin geborene Giacomo Meyerbeer (1791-1864). Er war eine geradezu typische Erscheinung des damals bereits sehr internationalen Musikbetriebs. Andererseits wurde gemäß den Vorstellungen der Romantik auch versucht, nationale Akzente zu setzen. Als nationale Oper in diesem Sinne, in deutscher Sprache gesungen und mit deutscher Thematik, wurde 1821 Carl Maria von Webers (1786-1826) *Freischütz* mit großem Erfolg in Berlin uraufgeführt.

1858 wurde in Paris das Werk *Orpheus in der Unterwelt* des aus Köln stammenden Jacques Offenbach (1819-80) uraufgeführt. Mit dieser fröhlichen Persiflage der Klassik – zu ihren bekanntesten Nummern gehört der *Cancan* – schlug die Geburtsstunde der Operette. Diese Gattung fand bald in ganz Europa Verbreitung und wurde besonders in Wien durch die Werke von Franz von Suppé (1819-95) und dem ‚Walzerkönig' Johann Strauß (Sohn) (1825-99), populär.

Wien war weiterhin das Zentrum des Musiklebens im deutschen Sprachraum. Das Musikleben war rege und genoß die Anteilnahme einer breiten Öffentlichkeit. Der Publikumsgeschmack war wohl konservativ, aber nicht elitär. In Wien hatte der Walzer nicht nur als Tanz eine wichtige Stellung im Gesellschaftsleben erringen können, sondern hatte sich mit Johann Strauß (Vater) (1804-49) und Johann Strauß (Sohn) auch als Musikgattung an der Grenze zur leichten Musik etablieren können. Die Musik der beiden Strauß hat viel zum weltweit vorherrschenden Image des fröhlich-sentimentalen Wien beigetragen. Nur hier hatte der Radetzky-Marsch – mit seinem fröhlich hüpfenden Rhythmus der unmartialischste aller Märsche – entstehen können. Es war aber auch in Wien, wo in den letzten Jahrzehnten des Jahrhunderts die moderne Musik keimte.

9 Die Gründerzeit

1. Eisenwalzwerk, Gemälde von Adolph Menzel

Industrialisierung und gesellschaftlicher Wandel

In der zweiten Hälfte des 19. Jahrhunderts beschleunigte sich die strukturelle und politische Veränderung Deutschlands. Die Frage der Rollenverteilung zwischen Österreich und Preußen in der deutschen Politik war endgültig zu Preußens Gunsten entschieden worden. Das Kaiserreich, das 1871 im Spiegelsaal zu Versailles ausgerufen wurde, war praktisch eine letzte Erweiterung des preußischen Staats, der als Bundesland im neuen Reich ohnehin zwei Drittel der Fläche und den größten Teil der Bevölkerung umfaßte. Der preußische König war automatisch Kaiser im neuen Reich, sein Ministerpräsident zugleich Reichskanzler. Dieser war, trotz Parlament, nur dem Kaiser verantwortlich. Damit hatte die neue deutsche Verfassung von vornherein eine sehr autoritäre Note.

In den ersten Jahren des neuen Reichs lenkte das Wirtschaftswachstum von den Mängeln der Verfassung ab. Es waren die sogenannten Gründerjahre. Ältere Firmen, wie etwa Krupp in Essen, wurden zu großen Konzernen ausgebaut. Laufend wurden neue Unternehmen gegründet. Durch Börsenspekulation machten viele ein

Vermögen, andere wurden wieder arm. Zwar dämpfte ein Börsensturz 1873 den Rausch, dennoch stand die Epoche insgesamt im Zeichen von Wachstum und Strukturwandel.

Mit der Industrialisierung nahm die städtische Bevölkerung immer weiter zu. Dramatische Wachstumsraten wurden vor allem in Berlin und an der Ruhr erreicht. Die Industrialisierung änderte die Landschaft und das Ortsbild der Städte vollkommen. In wenigen Generationen verwandelten sich die Kleinstädte und Dörfer an den Flüssen Wupper und Ruhr in eine Kette von Großstädten. Ganze Stadtviertel wurden in kürzester Zeit gebaut. Es entstand erstmals eine klare Trennung zwischen ,besseren' und ,schlechteren' Wohngegenden.

In Berlin enstanden die bekannten Hinterhofwohnungen der Arbeiter. So konnte billig gebaut und doch noch zur Straße hin eine anständige Fassade gezeigt werden. Die Wohnungen im Vorderhaus zur Straße hin waren entsprechend besser und teurer. Vier oder fünf Höfe hintereinander waren keine Seltenheit. Je weiter man von der Straße wohnte, desto billiger und elender wohnte man. Im ursprünglich noch ländlichen Ruhrgebiet wurde dagegen vielfach das englische Reihenhausmuster gewählt. Dabei entstanden allerdings nicht nur Elendsquartiere. In Essen entstand auf der ,Margarethenhöhe' eine Mustersiedlung für die Arbeiter der Firma Krupp[17]. Einige Unternehmer kümmerten sich auch um Fragen der sozialen Sicherheit ihrer Arbeiter und richteten Krankenkassen ein. Bei der Stiftung Zeiss, der bekannten optischen Fabrik in Jena, wurde den Arbeitern schon ein Mitbestimmungsrecht in Firmenangelegenheiten eingeräumt.

Das menschliche Gesicht, das der Kapitalismus in solchen Fällen zeigte, war aber keineswegs uneigennützig. Auch die staatlichen Maßnahmen zur Verbesserung der Lage der Arbeiter wurden nicht aus rein philanthropischen Rücksichten getroffen, denn die Arbeiterschaft stellte die potentiell gefährlichste Opposition im jungen Reich dar. Als erste Arbeiterpartei in Deutschland wurde 1863 der Allgemeine Arbeiterverein von Ferdinand Lassalle gegründet. 1869 erfolgte die Gründung der Sozialdemokratischen Partei Deutschlands durch Wilhelm Liebknecht und August Bebel. Beide Arbeiterparteien vereinigten sich 1875 mit dem Gothaer Programm auf der Grundlage der marxistischen Gesellschaftsauffassung.

Die Sozialdemokratie wurde vom Reichskanzler Bismarck durch die Einschränkung ihrer politischen Rechte bekämpft. Von 1878 bis 1890 waren die ,Sozialistengesetze' in Kraft, die jede politische Aktivität der Arbeiterbewegung verboten, mit

---

[17] Für den eigenen Gebrauch ließ sich die Familie Krupp in schönster Parklandschaft in einer monströsen historistischen Stilmischung die *Villa Hügel* bauen, die an Größe und Ausstattung manches barocke Schlößchen übertrifft.

Ausnahme der Teilnahme an Wahlen. Gleichzeitig führte der Staat jedoch Maß-
nahmen durch, welche die soziale Lage der Arbeiter verbesserten. So sollten den
Sozialdemokraten die Wähler abgeworben werden, was allerdings nicht gelang.
Immerhin wurden in den achtziger Jahren Gesetze zur Regelung der Kranken- und
Unfallversicherung und der Altersversorgung in Kraft gesetzt. Das so gespannte
Netz der sozialen Sicherheit war für die damalige Zeit vorbildlich und bildet heute
noch das Fundament der deutschen Sozialgesetzgebung.
Bismarcks Innenpolitik richtete sich auch gegen andere potentielle Gegner des
Staats. Im sogenannten ‚Kulturkampf' versuchte er, den Einfluß der katholischen
Kirche, der im neuen Reich größer war als im überwiegend protestantischen Preu-
ßen, einzudämmen. Bei dieser Auseinandersetzung konnte sich die gemäßigte
katholische ‚Zentrumspartei' politisch profilieren.

Lebensstil

Mit dem Aufblühen der Industrie gab es eine wachsende Schicht schnell reich ge-
wordener Bürger. Diese Bourgeoisie verhielt sich im Lebensstil deutlich anders als
etwa das Bürgertum zur Zeit der Aufklärung oder des Vormärz. Fleiß galt weiterhin
als Tugend, aber es war inzwischen Geld im Überfluß da. Nicht alle Vertreter dieser
Klasse brauchten gleich fleißig zu sein. Oft war es so wie im Feudalismus, daß der
älteste Sohn für die spätere Übernahme des Geschäfts erzogen wurde, während jüngere Geschwister freier waren. Die jüngeren Brüder wurden Offizier oder studierten. Wenn sie es mit dem Studium ernst nahmen, kam eine angesehene akademische Karriere für sie in Betracht. Es gab aber viele, die an den Universitäten nur ihre
Zeit vertrieben, keinen Abschluß anstrebten und bestenfalls ihre Allgemeinbildung
vertieften. Einige junge Leute schlossen sich der wachsenden Bohème an und tru-
gen ihrerseits zur Entstehung der besonderen Stimmung des Fin de siècle bei.
Das Gesellschaftsleben mit seinen Empfängen und Theaterbesuchen nahm viel
Zeit in Anspruch. Nicht zufällig stammen die prachtvollsten Theaterbauten wie das
Opernhaus von Gottfried Semper (1803-79) in Dresden aus dieser Zeit.
In den großen Villen der neureichen Bürger versuchte man, fürstlich zu leben. Viel
Geld wurde in repräsentative Gegenstände gesteckt. Man sammelte zum Beispiel
Antiquitäten. Darin kann man eine Art Kompensation für die fehlende Familien-
tradition sehen, um die der Adel offen oder insgeheim beneidet wurde. Während
aber der Adel die antiken Gegenstände gewissermaßen logisch und sinnvoll über
die Jahrhunderte gesammelt hatte, wurden die antiken Gegenstände von den Bürgern oft ohne Sinn für Stil und Zusammenhang angehäuft.

Der preußisch-deutsche Staat, der seinen Bürgern immer noch die wahre Beteiligung an politischen Entscheidungsprozessen vorenthielt, war großzügig mit Titeln und Auszeichnungen. Jeder Kaufmann wollte Hoflieferant oder Kommerzienrat sein. Der Snobismus dieser Jahre wird von Theodor Fontane (1819-98) in seinem Roman *Frau Jenny Treibel* lebhaft geschildert.

Fontane, der die Stimmung dieser Epoche so gut eingefangen hat und inzwischen zu den wichtigsten deutschen Romanciers des 19. Jahrhunderts gerechnet wird, gehörte nicht zu den meistgelesenen Autoren seiner Zeit. Man las lieber Autoren wie Gustav Freytag (1816-95), dessen Roman *Soll und Haben* schon im Titel die Thematik enthält, die der Bourgeoisie am Herzen lag. Breiten Leserschichten, die keine Geduld mit Büchern hatten, bot die äußerst beliebte Zeitschrift *Die Gartenlaube* mit wenig anspruchsvollen Fortsetzungsromanen leichte Unterhaltung. Charakteristisch für den Lesegeschmack der Zeit ist schließlich auch eine Hinwendung zu einem oberflächlichen Historismus. Historiker schrieben die Geschichte von ‚großen' Deutschen und reduzierten das historische Geschehen auf ihre Taten. Eine solche Geschichtsdarstellung war unterhaltsam und sprach auch ein breites Publikum an. Der historische Roman wurde als Gattung beliebt. Eines der erfolgreichsten Bücher der Zeit ist Felix Dahns (1834-1912) *Ein Kampf um Rom*, das den Mythos des germanischen Heldentums betont.

Die Selbstdarstellung der Erfolgsgesellschaft

Die Architektur und Kunst dieser Zeit reflektieren den raschen wirtschaftlichen Wandel. Es wurde viel gebaut, und das Bedürfnis war vorhanden, auch Nutzbauten wie etwa Bahnhöfe möglichst würdevoll und repräsentativ auszustatten. Andererseits konnte sich in der kurzen Zeit kein wirklich neuer Stil entwickeln. Ein solcher wurde auch nicht ernsthaft angestrebt, sondern die Stilrichtungen wurden eklektisch zusammengewürfelt. Nur im Bau von Hallen aus Glas und Stahl wurde ästhetisches Neuland betreten. Prachtvolle Bahnhöfe mit riesigen Hallen und imposanten Eingängen entstanden in den 80er Jahren in Berlin, Leipzig, Frankfurt, Köln und vielen anderen Städten. Sie dienten einem reibungslosen Ablauf des Verkehrs und schmeichelten zugleich dem kommunalen Bürgerstolz.

Was die Malerei betrifft, so ist die deutsche Kunstgeschichte des 19. Jahrhunderts in großem Maße eine Geschichte der wichtigsten deutschen Kunstakademien in Wien, Berlin, München, Dresden und Düsseldorf. Der Einfluß der Düsseldorfer Akademie reichte bis nach Skandinavien und Finnland. In ihrem Kern waren die bevorzugten Stilrichtungen der Akademien in der Summe von Klassizimus, romantischem Historismus und Biedermeier vorgeprägt, die alle dem Kunstwerk einen ideellen oder ideologischen Gehalt mitgeben wollten. Der Klassizismus idealisierte den Gegenstand und schuf vorbildliche menschliche Gestalten in harmonischer Umgebung. Die Romantik idealisierte die Natur und die Geschichte. Das Biedermeier erzählt im Bild kleine Anekdoten, die dem Bild einen ‚Sinn' geben, der das Visuelle ebenfalls übersteigt.

Mit dem Fortschreiten des Jahrhunderts wurde dieser vorherrschende Idealismus immer leerer und nahm immer bombastischere Züge an. Der große Umbruch der Gesellschaft verlangte große Kunstwerke, aber zur Reflexion blieb wenig Zeit. So entstanden Kunstwerke wie die Historiengemälde des höchst erfolgreichen Wiener Gesellschaftsmalers Hans Makart (1840-84), die buchstäblich groß waren und schwächere Qualität durch Umfang kompensierten.

Wie das späte 19. Jahrhundert in seinem überhöhten Selbstbewußtsein verschiedenste Stilrichtungen und Mythologien vereinnahmte, ist am Klassizismus Arnold Böcklins (1827-1901) sichtbar. Böcklin war zu Lebzeiten sehr erfolgreich. Das nachträgliche Urteil der Kunstkritik ist eher vernichtend, denn seine idyllischen Landschaften mit ihren mythologischen Requisiten grenzen an Kitsch und lassen jeden inneren Bezug zum Industriezeitalter, in dem sie entstanden, vermissen.

So wahllos wie Böcklins Einsatz mythologischer Motive war der allgemeine Umgang mit historischen Motiven. Hatten die Romantiker auf die Geschichte aufmerksam gemacht, um das nationale Selbstbewußtsein der Deutschen zu fördern, so war es nun umgekehrt. Das Selbstbewußtsein war da. Geschichte und Mythologie wurden nun eilig durchforstet, um brauchbare Symbole zu finden. Dabei war das Geschichtsinteresse durch denselben Heldenkult geprägt, der den Umgang mit der eigenen Zeit durchdrang. Künstler und Bildhauer stellten große Männer und Ereignisse dar. Adolf Menzel (1815-1905), dessen Bilder in Deutschland unübertroffene Sensibilität in bezug auf das optische Erlebnis und die Lichtverhältnisse vorweisen, malte mit Vorliebe Szenen aus dem Leben König Friedrichs II von Preußen.

Menzel war der deutsche Maler, der am deutlichsten die Auflösung der Gegenstände durch die starke Einwirkung von verschiedenen Lichtverhältnissen sah und wiedergab. Sein *Balkonzimmer* (1845), das ein karg möbliertes Zimmer mit einem geöffneten Fenster hinter flatternder Gardine als eigentliche Lichtquelle zeigt, läßt sich mit jedem impressionistischen Bild messen, obwohl es viel früher gemalt wurde. Man sieht förmlich das Sonnenlicht. Ebenso überzeugend konnte Menzel dämmrigen Kerzenschein vermitteln. Dafür ist das *Flötenkonzert*, das Friedrich II. beim Musizieren zeigt, ein gutes Beispiel. Menzels fortschrittliche Technik steht in solchen Bildern in einem gewissen Widerspruch zu seiner konventionellen Thematik.

Ein wirklich unbefangener Umgang mit der Wirklichkeit war in Deutschland selten. Eine Ausnahme war Wilhelm Leibl (1844-1900), der in Frankreich den Realismus Gustave Courbets kennengelernt hatte. Diese Art von Realismus, die auch dort in Opposition zum vorherrschenden idealisierenden akademischen Stil stand, ist eine der Voraussetzungen für die spätere Entwicklung des Impressionismus und stellt somit ein wichtiges Glied in der Kette dar, die zur modernen Malerei führt. Leibl ist am bekanntesten für seine Porträts, die mit großem Ernst und Aufrichtigkeit ganz gewöhnliche Menschen in ihrer eigenen Umgebung zeigen.

Leibls Werk fand zu Lebzeiten nicht die Anerkennung, die es verdient hätte. Man wollte nicht die eigene Wirklichkeit in der Kunst wiedersehen. Vielmehr sollten alle Kunstgattungen zum großen Theater beitragen, auf dem die Gesellschaft ihre Phantasien austrug. Dieses Bedürfnis konnte der Opernkomponist Richard Wagner wie kein anderer befriedigen.

Richard Wagner

Richard Wagner (1813-83) gilt als eine der zentralen kulturellen Erscheinungen des 19. Jahrhunderts. Sein relativ kleines Œuvre besteht hauptsächlich aus zehn Opern. Er selber verstand sich nicht als ‚nur‘ Komponist, sondern als Initiator einer völlig neuen, revolutionären Kunstform, der er mit theoretischen Schriften und mit seiner praktischen Arbeit als Komponist und Librettist den Weg bereiten wollte. In Wagners Idee des ‚Gesamtkunstwerks‘ werden die traditionellen Grenzen zwischen den Kunstgattungen Drama, Musik und Tanz sowie zwischen Kunst und Mythos gesprengt. Zwischen der Erneuerung der Kunst und einer politischen Erneuerung Deutschlands sah Wagner einen bestimmten Zusammenhang. Nach dem Scheitern der Revolution von 1848/49, an der er sich beteiligte, suchte er zunehmend nach kulturellen Bestimmungen einer Identität des deutschen Volks im germanischen Mythos und in der Literatur des Mittelalters.

Wagners erster Erfolg war die Oper *Rienzi*, die 1842 in Dresden uraufgeführt wurde. *Rienzi* ist eine Oper im großen Stil Giacomo Meyerbeers, wie sie Wagner in Paris kennengelernt hatte. Diese Art von Oper ermöglichte Wagner den öffentlichen Durchbruch, aber Meyerbeer und die ganze Welt der Grand-Opéra waren dem Nationalisten und Antisemiten Wagner verhaßt[18]. In seiner nächsten Oper,

---

[18] Wagners Antisemitismus wird u.a. in seiner 1850 anonym erschienenen Schrift: ‚Über das Judentum in der Musik‘ sichtbar.

133

dem *Fliegenden Holländer* kündigt sich Wagners Hinwendung zum Mythischen an.

Nach der Revolution ging Wagner ins Schweizer Exil. 1864 wurde er vom jungen bayrischen König Ludwig II. nach Bayern geholt. Der als verrückt geltende König liebte großartige romantische Extravaganzen. Er war es, der das heute bei Touristen so beliebte Märchenschloß *Neuschwanstein* in den Alpen errichten ließ. Wagners Opern mit ihrer mittelalterlichen und altdeutschen Thematik – *Tannhäuser*, *Lohengrin* und *Die Meistersinger von Nürnberg* waren inzwischen entstanden – lieferten den Stoff für die Architektur und Ausstattung dieses ‚Märchenschlosses‘. Wagners Bevorzugung solcher Gegenstände ist zum Teil Ausdruck jener nationalen Einstellung, die ihn schon 1848 auf die Barrikaden geführt hatte, aber die tiefere Anziehungskraft solcher Themen war von ästhetischer Art. Der Romantiker Wagner, der seine Libretti stets selber schrieb, ging viel weiter als irgendein Dichter der eigentlichen romantischen Schule und kehrte der neuzeitlichen Entwicklung der Literatur und des Theaters den Rücken. Er versuchte, die moderne individualisierte Psychologie ganz aus seinen Werken zu verbannen und durch mythische

Urmotive zu ersetzen. Die Geschichten sind einfach und scheinbar zeitlos. Es sind zugleich Geschichten, die sich in Worten kaum adäquat erzählen lassen und daher auf die Musik als eigentliches Ausdrucksmittel angewiesen sind.

Die Musik scheint direkt aus der Seele oder dem Unterbewußtsein zu sprechen. So sah es Schopenhauer, den Wagner mit großer Begeisterung gelesen hatte. Die abendländische Musik hat erst in der Neuzeit ihre Abhängigkeit von Text, Liturgie oder Tanz abgeworfen und sich als selbständige Kunstform durchgesetzt. In der Klassik wurde diese *absolute* Musik zunehmend dramatisch. Auf diese von der Musik selbst getragene Dramatik baute Wagner auf und meinte, eher in der Tradition des Sinfonikers Beethoven zu stehen als in

Richard Wagner

der Operntradition seiner Zeitgenossen. Spätestens in *Tristan und Isolde*, das 1865 in München uraufgeführt wurde, löst sich die traditionelle Rollenverteilung zwischen Drama und Musik ganz auf. Damit die Musik die Dramatik der Opernhandlung tragen konnte, mußte auf gewisse formale Aspekte der traditionellen Musikstruktur verzichtet werden. Kadenzen, Unterbrechungen oder Reprisen, die zwar zur Dramatik der sinfonischen Musik beisteuern, hätten hier gestört, denn sie leiten sich nicht von den inhaltlichen Erfordernissen der Handlung ab. Darum entwickelte Wagner die sogenannte ‚unendliche Melodie‘, die durch endlose Modulationen scheinbar immer weitergeht und fließende Übergänge im thematischen Material ermöglicht. Das war es, was das Klangerlebnis dieser Opern für das Publikum im 19. Jahrhundert so berauschend machte. Der mythische Grundcharakter der Werke wurde ferner durch den Gebrauch von ‚Leitmotiven‘ betont, die mit bestimmten Figuren oder Vorgängen zusammenhängen. Der geschickte Einsatz dieser Motive wirkt unterschwellig auf das Erinnerungsvermögen des Publikums und läßt es mehr ahnen, als im jeweiligen Augenblick auf der Bühne zu sehen ist.

Noch nie wurde die Kunst so feierlich zelebriert wie in den späteren Opern von Wagner. So wie die Idee der Erlösung in den Opern gefeiert wurde, die Erlösung durch Liebe in *Tristan und Isolde* und durch Verzicht im *Parsifal*, so sollten auch Form und Rahmen dieser geweihten Kunst entsprechen. Für Wagners Opern wurde in Bayreuth eigens ein großes Festspielhaus gebaut. Es wurde 1876 in Anwesenheit des Kaisers mit der ersten vollständigen Aufführung des *Rings der Nibelungen* eröffnet. Noch heute werden die alljährlichen Festspiele in Bayreuth mit fast religiösem Ernst gefeiert.

Mit dem *Ring* war Wagner nach Ansicht vieler Zeitgenossen in die Urtiefen germanischen Wesens getaucht. Er fand auch bald viele Nachahmer, die eine eindeutig ‚deutsche‘ Kunst fortführen wollten und auch vorübergehend mäßig erfolgreich waren. Überlebt hat von diesen epigonalen Werken keines. Nur Engelbert Humperdincks (1854-1921) Märchenoper *Hänsel und Gretel* hat den Weg ins heutige Opernrepertoire gefunden.

Wagner selbst stellte mit seinen kompositorischen Innovationen eine Herausforderung an die nachfolgende Generation von Komponisten dar, die zumindest in Mitteleuropa eine Zeitlang gespalten waren zwischen den ‚Wagnerianern‘ und den Anhängern des neoklassischen Sinfonikers Johannes Brahms, den ‚Brahminen‘. Die Kombination von einer von vielen als rauschhaft und verführerisch empfundenen Musik mit der Beschwörung des germanischen Mythos hat Extreme von Begeisterung und Ablehnung gefunden. Die angebliche Verbindung von Deutschtum und Musik wurde im 20. Jahrhundert im Faschismus besonders geschätzt. Die Verbindung von Musik und Philosophie ist auch vielfach in einen Zusammenhang mit der politischen Katastrophe des 20. Jahrhunderts gebracht worden. Thomas Mann, selber in seiner Jugend der Verführung Wagners erlegen, kam in Briefen und kritischen Schriften immer wieder auf die Problematik einer so absoluten und zugleich von Mythos durchtränkten Kunst zurück. Er wählte nicht zufällig einen Komponisten als Hauptfigur seines Romans *Doktor Faustus*, der den Zusammenhang zwischen der deutschen Intelligenz und der Entstehung des Faschismus beleuchtet. Ist Wagners Musik selbst aus einer tiefen Auseinandersetzung mit der Philosophie Schopenhauers entstanden, so hat sie ihrerseits entscheidend die Philosophie eines noch problematischeren Denkers, Friedrich Nietzsche, mitbestimmt.

Friedrich Nietzsche

In Friedrich Nietzsche (1844-1900) begegnen wir einem Philosophen, dessen Werk mit den Vorstellungen herkömmlicher Philosophie wenig gemeinsam hat. Die großen Philosophen des deutschen Idealismus hatten versucht, in großartigen systematischen Abhandlungen die Wahrheit offenzulegen. Nietzsche war nicht überzeugt, daß es eine ‚Wahrheit‘ gibt, die man offenlegen kann, und er war konsequent genug, seine Ablehnung von Systemen nicht selber zum System zu machen. Seine Schreibweise ist dem traditionellen Begriff von Dichtung näher als dem von Philosophie. Der Inhalt verschmilzt mit der Form. Widersprüche sind ebensowenig ausgeschlossen wie im Leben.

Wie Schopenhauer glaubte er, daß die Welt nicht von einer Idee, sondern vom Willen beherrscht sei. Darin sah er aber, anders als der Vorgänger, keinen Anlaß zum Pessimismus. Er sah vielmehr diesen Willen, den er als Lebenswillen, als ‚Willen zur Macht‘ verstand, als etwas durchaus Positives an. Allerdings würde dieser Wille in der bestehenden Gesellschaft und unter den dominierenden Moralvorstellungen unterdrückt. Nietzsche vermißte in der abendländischen Kultur seiner Zeit das Spontane und Lebensbejahende, das er bei den alten Griechen der vorklassischen Periode vermutete. In seinem ersten Werk, *Die Geburt der Tragödie aus dem Geiste der Musik*, 1871/72 im Siegesrausch nach dem deutsch-französischen Krieg geschrieben, stellte er die These auf, daß die griechische Tragödie in ihrer ursprünglichen Form eine auf dem Mythos fußende, lebensbejahende Kunst gewesen sei. Diese Kunst sei von zwei Elementen geprägt gewesen, die sich im Gleichgewicht hielten, und die er nach den Göttern Apoll (dem Gott der Kunst) und Dionysos (dem Gott des Weins) benannte. Im apollonischen Prinzip seien die Ordnung und Harmonie, die schon immer von der klassischen Ästhetik gewürdigt worden seien, begründet, während das Dionysische das Rauschhafte und Ursprüngliche verkörpere. Dem lebensbejahenden Zustand der griechischen Kunst habe dann Sokrates mit seinem Rationalismus ein Ende gesetzt. Seitdem trage die Menschheit an einer drückenden Last von logischen Vorstellungen und moralischen Hemmungen.

In der eigenen Zeit sah Nietzsche zunächst in den Opern Wagners den Ansatz einer Rückkehr zum ursprünglichen Geist der Musik und den Ausdruck eines wirklich schöpferischen Willens. Nietzsche und Wagner waren eine zeitlang persönlich befreundet, bis Wagner seinen *Parsifal* schrieb. Nietzsche hielt diese Oper mit ihrer christlichen Erlösungsmystik für einen Verrat. Für Nietzsche war das Christentum der Inbegriff der Versklavung der Menschheit. Die Angst vor Gott und vor der Hölle hindere den Menschen daran, seinen eigenen Lebenswillen durchzusetzen. Besonders abstoßend fand Nietzsche die christliche Vorstellung des Mitleids, die nach seiner Auffassung nur das Leiden auf Erden vermehre. Nietzsche lehnte konsequent jede Weltanschauung ab, die auf zwischenmenschlicher Solidarität beruhte. Der kategorische Imperativ, in welchem die Ethik der Aufklärung gipfelt, war ihm ebenso verhaßt wie das Christentum oder gar der Sozialismus. Diese stellten alle gleichermaßen eine Verschwörung der Schwachen gegen die Starken dar. Die Schwachen wagen aber nicht, das Leben voll auszuschöpfen. Um wirklich am Leben teilzuhaben, müsse der Mensch nach Nietzsche von allen Rücksichten auf andere frei sein. Eine solche Freiheit wird die bestehende Menschheit nicht erreichen. In *Also sprach Zarathustra* (1883) verkündete Nietzsche den ‚Tod Gottes‘ und die Herankunft eines ‚Übermenschen‘, der die letzten Menschen unterjocht.

Nietzsches Verteidigung des Rechtes der Starken war der wirklichen gesellschaftlichen Praxis viel näher, als die meisten Zeitgenossen hören wollten. Seine Ideen spiegeln die aggressive Praxis des Kapitalismus jener Jahre wider und antizipieren die noch aggressivere Kolonialpolitik der Jahrhundertwende. Sein Angriff galt vor allem der Doppelmoral der Zeit. Nietzsche ahnte, daß die immer noch beschworenen, aber immer offensichtlicher ausgehöhlten moralischen Werte ohnehin bald in eine Krise geraten würden. Er sprach daher von einer ‚Umwertung aller Werte‘.

Friedrich Nietzsche

137

In Nietzsches Ideen kann man eine philosophische Parallele zu Darwins Theorie der biologischen Auslese sehen. Nach Darwins 1859 veröffentlichter Evolutionstheorie setzen sich in der Natur die stärkeren, angepaßten Arten durch, während die schwächeren aussterben. Die Verbindung von Nietzsches Philosophie mit dem Darwinismus ist ein wichtiger Bestandteil der faschistischen Ideologie des 20. Jahrhunderts.

Nietzsches Einfluß auf den Faschismus ist groß. Umstritten ist nur, wieweit der Faschismus tatsächlich mit seinen Ideen übereinstimmt. Der aggressive Grundtenor seines Denkens und seine häufige Verherrlichung des Krieges passen durchaus zum Faschismus. Andererseits wäre Nietzsche niemals auf die Idee gekommen, ausgerechnet die germanische Rasse mit seinem Übermenschen zu identifizieren, wie dies in der Nazi-Ideologie geschah. Er fand schon den übertriebenen Nationalismus seiner eigenen Zeit lächerlich und lehnte den Antisemitismus erst recht ab. Auch hätte ihn die Art, wie sich ein ganzes Volk einem Diktator unterwirft, wenig beeindruckt – der Erfolg des Diktators selbst vielleicht umso mehr!

Gänzlich unumstritten ist jedoch der Einfluß, den Nietzsche dort ausgeübt hat, wo sein eigener Ausgangspunkt war, in der Ästhetik. Sein Lob des Dionysischen, seine Suche nach dem mythischen Ursprung der Kunst und vor allem seine Ansicht, die Kunst habe sich dem vollen Taumel des Lebens hemmungslos zu stellen, feuerten viele zeitgenössische Dichter und Künstler an und wirken bis heute nach.

Der Naturalismus

Bevor sich der Einfluß Nietzsches in der Literatur voll durchsetzte, verbreitete sich eine Richtung mit genau entgegengesetzten Zielen. Der ,Naturalismus' wollte alle Spuren des Subjektiven aus dem Werk tilgen und die Leserschaft auf die vorhandene soziale Wirklichkeit aufmerksam machen, um dadurch politische Veränderungen zu erreichen. Das Ideal war die Arbeitsweise des Naturwissenschaftlers, die in der Isolierung eines Stückes Natur, der genauen Beobachtung und dem Ausprobieren bestimmter Hypothesen in Form von kontrollierten Versuchen besteht. Die Schriftsteller des Naturalismus wollten ebenfalls möglichst wenig erfinden und viel beschreiben. Andeutungen wurden vermieden. Was zu sagen war, wurde genau gesagt. Literarische Anregungen kamen vom Realismus Tolstois, von den Dramen Henrik Ibsens und den Romanen Emile Zolas.

1889 wurde Gerhart Hauptmanns (1862-1946) Drama *Vor Sonnenaufgang* in Berlin gespielt. Es behandelt die Probleme der Inzucht und des Alkoholismus aus genetischer Sicht. Heute wirkt das Stück übertrieben und ist in seinen wissenschaftlichen Grundlagen veraltet. Es illustriert aber sehr gut, welchen Eindruck die junge genetische Wissenschaft in den Jahrzehnten nach dem Erscheinen von Darwins Evolutionslehre machte.

Das größte Ereignis des deutschen Naturalismus war Hauptmanns Stück *Die Weber* (1892) dessen öffentliche Aufführung zunächst verboten wurde. Das Stück schildert die Lage der schlesischen Weber bei ihrem Aufstand von 1844 und war von Hauptmann sehr genau recherchiert.

Plakat für die Aufführung
„Die Weber"
von Gerhard Hauptmann

Auf lange Sicht erwies sich die naturalistische Perspektive als etwas begrenzt. Der von den Autoren selbst auferlegte Zwang, sich nur an die Wirklichkeit zu halten ohne zu ordnen und zu interpretieren, begrenzte die Aussagekraft des naturalistischen Werks. Zudem war die thematische Auswahl unbefriedigend. Der fast klinische Blick auf das Leben der unterprivilegierten sozialen Schichten war zu unbeteiligt, um wirklich zu überzeugen. So blieb der Naturalismus eine Erscheinung von relativ kurzer Dauer. Die Fragen, die er aufwarf, sind dagegen von entscheidender Bedeutung für die ganze moderne Diskussion über das Verhältnis von ästhetischem Produkt und Wirklichkeit.

10 Dekadenz und Moderne im Wien der Jahrhundertwende

Ich liebe, was niemand erlesen,
Was keinem zu lieben gelang:
Mein eignes, urinnerstes Wesen
Und alles was seltsam und krank.
Felix Dörmann (1870-1928)

Mitteleuropa vor dem 1. Weltkrieg

Österreich und Wien

Der Prozeß der deutschen Einigung im 19. Jahrhundert erfaßte einen großen Teil des eigentlichen Sprachraums. Der kulturelle Einfluß des Deutschen umfaßte jedoch vor allem im Osten und Südosten Europas ein viel weiteres Gebiet, wo es neben slawischen, magyarischen und jüdischen Kulturen bestand. Im Verlauf der Jahrhunderte hatten sich deutschsprachige Umsiedler weit östlich von ihrer Heimat niedergelassen. So wie Preußen selbst ursprünglich kolonisiertes Gebiet gewesen war, so gab es wichtige Siedlungsgebiete beispielsweise im heute rumänischen Siebenbürgen und im Banat. Darüber hinaus spielte das Deutsche als Bildungs- und Verkehrssprache eine völkerverbindende Rolle besonders in den Städten. Das Nebeneinander und Durcheinander der Kulturen in einer Stadt wie Prag, der Heimatstadt Rilkes und Kafkas, war charakteristisch für die Situation in einem großen Teil Ost- und Mitteleuropas. Neben dem Deutschen bestand noch das nah verwandte Jiddische als überregionale Mundart der osteuropäischen Juden.

Während sich der preußische Staat im Verlauf der Neuzeit immer mehr nach Westen hin ins Kerngebiet des deutschen Sprachraums orientierte, hatte die Dynastie der Habsburger ihren Einfluß vor allem im kulturell gemischten Südosten gefestigt. Wien war Ende des 19. Jahrhunderts Hauptstadt eines Staates, der mit seinen 31 Millionen Einwohnern den größten Teil Südosteuropas umfaßte. Das 1848er Revolutionsziel einer Einigung Deutschlands unter einer gemeinsamen Verfassung hätte für alle Fürsten, auch für die Habsburger, einen deutlichen Machtverlust bedeutet. Auch nach dem Scheitern der demokratischen Revolution konnte sich der österreichische Staat kaum am nationalen Eifer Deutschlands und anderer europäischer Länder beteiligen, denn das nationale Prinzip hätte einen Zusammenbruch dieses Vielvölkerstaats bedeutet. Der Staatspatriotismus, der sich in Österreich entwickelte, konnte sich daher nicht auf eine Nation berufen, sondern war, wie schon im Mittelalter, auf die Person des Kaisers bezogen.

Die Verwaltung dieses Staates, der seit 1867 als kaiserliche und königliche Doppelmonarchie Österreich-Ungarn zwei Hauptstädte und zwei Verwaltungsapparate besaß, war äußerst kompliziert und schwerfällig. Dieses juristische Unikum, das der Schriftsteller Robert Musil in seinem Roman *Der Mann ohne Eigenschaften* nach der offiziellen kaiserlichen und königlichen Abkürzung KuK ‚Kakanien' nannte, war auf eigentümliche Weise unzeitgemäß. Nicht zuletzt als späte Blüte von Erfahrungen mit der österreichisch-ungarischen Bürokratie ist noch das Werk des Prager Schriftstellers Franz Kafka zu sehen.

Österreich war von der Industrialisierung kaum weniger betroffen als Deutschland, und Budapest wies sogar um die Jahrhundertwende das schnellste Bevölkerungswachstum Europas auf. Dennoch bot der österreichische Staat in dieser sich immer schneller verändernden Welt den Anblick besonnener Kontinuität. Der Kaiser Franz Joseph besetzte von 1848 bis 1916 den Thron. Die Befugnisse des Parlaments waren unklar. Franz Joseph ist bekannt dafür, daß er nicht nur im politischen Leben, sondern auch im Privatbereich jede Neuerung ablehnte. Er verabscheute das Telefon und die Schreibmaschine und infizierte die ganze Bürokratie mit seiner Einstellung.

Wien war, bis es Ende des Jahrhunderts von Berlin überholt wurde, die drittgrößte Stadt Europas nach London und Paris. Die kulturelle Vielfalt des Habsburgerreichs, in der nur eine kleine Minderheit Deutsch als Muttersprache sprach, trug sehr zur Bereicherung der Hauptstadt bei. Wien lag zwar im deutschen Sprachgebiet, hatte aber im politischen und kulturellen Zusammenhang Österreichs eine Sonderstellung. Man vertraute auf die Kontinuität, und viel Energie, die vielleicht sonst ein politisches Ventil gesucht hätte, richtete sich auf die Kultur. Wien besaß wie keine andere Stadt im deutschen Sprachraum die Voraussetzungen einer Kulturmetropole, in der auch Raum war für avantgardistische Entwicklungen. Die Dynamik, die der Staat vermissen ließ, wies die Hauptstadt Wien in großen Projekten wie dem Bau der Ringstraßen auf, der die überflüssige Stadtmauer durch eine Kette von breiten Boulevards ersetzte. Diese war von den Prachtbauten der Zeit, Rathaus, Parlament, neue Universität, Oper und Burgtheater gesäumt und wurde für Wien zum eigenen Inbegriff der Gründerzeit. Daneben entstanden teure Wohnhäuser und Kaffeehäuser für den höheren Mittelstand.

Während der wohlhabende Mittelstand in Ringstraßennähe Kulturgenüssen frönte, boten die Vorstädte einen Vorgeschmack der sozialen Großstadtproblematik des 20. Jahrhunderts. Für die Ringstraßen-Gesellschaft war das Leben der Vorstädte, abgesehen von einigen wenigen Berührungspunkten, wie dem gemeinsamen Ausflugsziel im Vergügungspark ‚Prater‘, exotische Fremde. Mit den Vorstädten verband sie das Hauspersonal und das in der Literatur viel gepriesene ‚süße Mädel‘, das für unverbindliche erotische Abenteuer gut war.

Soziale Gegensätze gab es genug in diesem Wien. Die ärmsten der Armen, die sogenannten Bettgänger, verfügten nur über einen Schlafplatz. Sie mieteten ein Bett oder den Anspruch auf ein Bett, das sie nach einigen Stunden einem anderen überließen. Das Wiener Proletariat rekrutierte sich aus allen Teilen des Habsburgerreichs, wobei große Spannungen zwischen den alteingessenen Wienern und den Zugereisten entstanden. Sprachliche Gegensätze und Rassenvorurteile verschärften das Problem. Der große Anteil sehr armer osteuropäischer Juden an der Bevölkerung brachte die traurige Folge mit sich, daß 1897 mit der Wahl des christlich-sozialen Politikers Karl Lueger zum Wiener Oberbürgermeister erstmals der moderne politische Antisemitismus zum Machtfaktor wurde. Die prominente Rolle jüdischer Intellektueller in der Wissenschaft und im Kulturleben der Stadt trug zu diesem Antagonismus bei. Für die jüdische Bevölkerung schienen die Nationalismen des 19. Jahrhunderts keinen Platz zu lassen. Das war im Vielvölkerstaat besonders stark zu spüren. In diesem Kontext entwickelte Theodor Herzl (1860-1904) im Zionismus die Idee eines eigenen jüdischen Staates.

Sigmund Freud

Die Gesellschaft der Ringstraße hatte viel Geld und Freizeit. Sie bezog ihr Einkommen durch Besitz von Landgütern oder aus der Industrie. Hinzu kamen Offiziere, Beamte und Akademiker, Ärzte, Juristen usw. Aus dieser Gesellschaft kamen die Patienten, die dem Arzt Sigmund Freud (1856-1939) zu den Thesen verhalfen, mit denen er das moderne Weltbild nachhaltig beeinflußt hat. Freud wurde 1900 einer breiteren Öffentlichkeit mit der Veröffentlichung seiner *Traumdeutung* bekannt, in der die Grundgedanken seiner Psychoanalyse schon weitgehend vorgestellt wurden. Freud sah in der menschlichen Persönlichkeit einen Konflikt zwischen bewußten und unbewußten Kräften, zwischen dem ‚Ich‘ und dem ‚Es‘. Dem Sexualtrieb und danach dem Todestrieb maß Freud besondere Bedeutung zu. Diese Triebe seien im Unterbewußtsein des Menschen durchaus wirksam, obwohl sie im gesellschaftlichen Leben unterdrückt oder sublimiert werden. In einer Zeit, in der die Sexualität öffentlich totgeschwiegen wurde, fanden Freuds Ausführungen unter Fachkollegen wenig Anklang. Zwar schockierten seine Thesen in der kulturellen Atmosphäre Wiens weniger als anderswo. Einige Vorläufer hatten bereits die Bedeutung des Sexuellen erkannt. Was Freud besonders das Mißvergnügen seiner Kollegen eintrug, war nicht zuletzt die therapeutische Konsequenz, die das traditionelle Berufsbild des Arztes in Frage stellte, indem er physische Eingriffe weitgehend durch Gespräche ersetzen wollte.

Sigmund Freud

143

Freuds Erkenntnisse zur Bedeutung der Triebe hatte Konsequenzen, die weit über den fachlichen Rahmen hinausgingen. Nachdem Darwin auf die bescheidene evolutionäre Herkunft des Menschen hingewiesen und Marx und Engels die Beziehung zwischen menschlichem Handeln und ökonomischen Interessen aufgezeigt hatten, trug nun auch Freud zur Erschütterung des optimistischen Glaubens an den Menschen als vollkommen frei handelndes, rationales Wesen bei. Gehemmt durch das irrationale *Es* war der Mensch nicht mehr ganz Herr seines Tuns. Für die Kunst und Literatur des 20. Jahrhunderts bietet die Einsicht in das Vorhandensein des Unterbewußtseins dagegen völlig neue Möglichkeiten des Ausdrucks und der freien Entfaltung von Phantasie.

Literatur und Sprachkritik

Das Bild, das wir heute von der Jahrhundertwende in Wien besitzen, entstammt zwei gleich einseitigen literarischen Quellen. Zum einen gibt es Werke, die in der Zeit und für das damalige Publikum geschrieben wurden. Zum anderen gibt es die retrospektiven Werke, die als Fiktion oder Erinnerung nach dem ersten Weltkrieg entstanden sind und jene Welt im nostalgischen Sinne zu rekonstruieren versuchen. Beide Quellen sind gleich introspektiv.

Der Mittelstand, der sein Leben in der näheren Umgebung der Wiener Ringstraße verbrachte und von den politischen Problemen der Zeit, der Nationalitätenfrage im Habsburgerreich und den sozialen Gegensätzen in Wien selbst, kaum Notiz nahm, bildete eine sehr kulturbewußte Öffentlichkeit.

Wien blickte auf eine lange Theater- und Operntradition zurück. Es war schon im 18. Jahrhundert die führende deutsche Theaterstadt gewesen. Die Faszination des Wechsels von Schein und Wirklichkeit ist ein zentrales Thema nicht nur der unmittelbaren Theaterliteratur. Für die Wiener war das (kaiserliche) Burgtheater nach der Aussage von Stefan Zweig:

> „...der Mikrokosmos, der den Makrokosmos spiegelte... An dem Hofschauspieler sah der Zuschauer vorbildlich, wie man sich kleidete, wie man in ein Zimmer trat, wie man konversierte..."[19].

Neben dem Theater verliehen die Kaffeehäuser dem literarischen Leben Wiens um die Jahrhundertwende einen öffentlichen Charakter, denn ein beträchtlicher Teil der Freizeit wurde vom privaten Raum dorthin verlegt. Der Mangel an adäquatem

---

[19] Stefan Zweig: Die Welt von Gestern. Stockholm 1944, S. 25

Wohnraum war nicht nur für die Armen ein Problem. Daher bezeichnete man zurecht die Kaffeehäuser als ‚Wohnzimmer' der Wiener. Die Kaffeehäuser dienten als Kommunikationszentren. Dort lagen die gängigen Zeitungen aus. Viele Schriftsteller wie Peter Altenberg (1859-1919), dessen Erzählungen viel von der Atmosphäre der Zeit festhalten, arbeiteten dort. Fast alle Schriftsteller- und Künstlerkontakte fanden in den Kaffeehäusern statt, was der kulturellen Atmosphäre eine gewisse Homogenität verlieh.

Von bleibendem Interesse sind die Dramen und Novellen des Arztes Arthur Schnitzler (1862-1931), dessen Patienten denselben sozialen Schichten entstammten wie die Freuds. Was für Freud zur Grundlage der wissenschaftlichen Psychoanalyse wurde, bildete für Schnitzler den Stoff seiner literarischen Arbeit, wobei auch bei ihm die Sexualität und die sexuelle Doppelmoral im Mittelpunkt standen.

Neben dem allgegenwärtigen Eros ist auch die Beschäftigung mit dem Tode charakteristisch, nicht nur für das Wiener Fin de siècle, sondern für die ästhetische Dekadenz überhaupt. Der Tod war das Hauptthema der frühen lyrischen Dramen des jungen Hugo von Hofmannsthal (1874-1929) *Der Tor und der Tod* und *Der Tod des Titian*. Hofmannsthals Werk stellt zusammen mit der Lyrik Stefan Georges

Café Grriensteidl, Wien

145

und Rainer Maria Rilkes einen Gipfel des Ästhetizismus in der deutschen Literatur dar. Schon als Gymnasiast schrieb Hofmannsthal Aufsätze für die Feuilletons. Nach diesem frühreifen Start geriet Hofmannsthal zu Beginn des neuen Jahrhunderts in eine Schaffenskrise. Nachdem so viele schöne Worte aus Hofmannsthals Feder geflossen waren, die wenig mehr beabsichtigten, als schön zu sein, waren auf einmal keine mehr da, als es galt, inhaltlich Verbindliches zu sagen. Sein langes Schweigen endete mit der Veröffentlichung eines Essays, das als *Chandos-Brief* bekannt geworden ist. In diesem Essay beklagt sich Hofmannsthal in der fiktiven historischen Gestalt des Lord Chandos über die Untauglichkeit der Sprache, Wahrheit zum Ausdruck zu bringen. Jede sprachliche Äußerung impliziere mehr oder weniger verlogene Urteile. Die historische Bedeutung dieses Aufsatzes als Symptom der Bewußtseinskrise des 20. Jahrhunderts ist weit größer, als Hofmannsthal geahnt haben mag.

Die Unzulänglichkeit der Sprache durch die Abnutzung der Begriffe ist zu einem der wichtigsten Themen moderner Literatur und Philosophie geworden.. Der österreichische Philosoph Ludwig Wittgenstein (1889-1951) rückte die Sprachbetrachtung in den Mittelpunkt seiner Philosophie. Die sprachkritische Philosophie verzichtet auf die Metaphysik zugunsten der Logik, um nicht den Boden der Wirklichkeit zu verlassen. In seinem *Tractatus Logico-Philosophicus* steckt Wittgenstein die Grenzen der Philosophie in dem berühmten Satz ab:

„Wovon man nicht sprechen kann, darüber muß man schweigen."[20]

Die alltägliche Entwertung der Sprache durch bewußten politisch-ideologischen Mißbrauch ist ein modernes Phänomen, mit dem sich der Publizist Karl Kraus (1874-1936) früh auseinandersetzte. Kraus gründete 1899 die satirische Zeitschrift *Die Fackel*, in der er bis 1936 gegen Dummheit und Unmenschlichkeit in der Politik sowie ihrer verschönernden Darstellung in der Presse zu Felde zog. Wien besaß um die Jahrhundertwende das ausgeprägteste Pressewesen im deutschen Sprachraum. Das wichtigste Angriffsziel von Kraus' Satire war die *Neue Freie Presse*, die er wegen ihres seriösen Anspruchs für besonders gefährlich hielt. Im ersten Weltkrieg erreichte der Kontrast zwischen den Worten der Machthaber und der unmenschlichen Wirklichkeit auf den Schlachtfeldern einen zynischen Höhepunkt. Hinzu kam eine Hetzpropanganda übelster Art, die dem Kriegsfeind jeden Anspruch auf Menschenwürde absprach. Die *Fackel* konnte ihr Erscheinen zwar in den Kriegsjahren fortsetzen, aber Kraus' schärfste Kritik erschien erst nach dem Krieg in seinem monumentalen Drama *Die letzten Tage der Menschheit*. Die *Fak-*

---

[20] Ludwig Wittgenstein: Schriften 1. Frankfurt am Main 1967, S. 83.

kel stellte ihr Erscheinen in den 30er Jahren ein, als die Bedrohung durch die Nationalsozialisten akut wurde. Angesichts der absichtlichen Brutalität und des bewußten Zynismus der Nazis empfand Kraus die Satire als machtlos.

Kunst und Architektur

1897 trennte sich eine Gruppe junger Künstler von der Akademie und bezeichnete sich fortan als ‚Wiener Secession'. Der Hauptinitiator dieser Bewegung war der Maler Gustav Klimt (1862-1918). Klimt entwickelte einen leicht erkennbaren persönlichen Malstil. In seinen Porträts bettete er die Figuren in Ornamente ein. Hintergrund und Bekleidung der Figuren bilden eine dekorative Fläche, wobei oft nur die Köpfe und Hände plastisch modelliert sind. Modern sind Klimts Bilder in dem Sinne, daß sie nicht die Schönheit der Natur darstellen, sondern eine eigene Schönheit im Bild herstellen wollen. Andererseits ist sein Verhältnis zum Schönheitsbegriff selbst völlig unkritisch.

Bei Egon Schiele (1890-1918), dem zweiten Hauptvertreter der Secessionskunst, ist das Verhältnis zur Schönheit viel problematischer. Seine Figuren strahlen selten die gelassene Ruhe und Selbstbeherrschung aus, welche die klassische Schönheit der Bilder Klimts ausmacht. Sie sind im Gegenteil im Ausdruck oft verzerrt. Schiele malte und zeichnete mit Vorliebe nackte Menschen. Aber das Erotische ist bei Schiele anders als in der akademischen Maltradition und anders als bei seinem Kollegen Klimt. Der nackte Körper, der seit der Renaissance einen akzepierten Platz in der Kunst genießt, bot dem Künstler

Beethovenfries (Ausschnitt), Gemälde von Gustav Klimt

traditionell den Anlaß, sein handwerkliches Können am Beispiel der Anatomie zu beweisen. Die Nacktheit galt in der Kunst als Ausdruck klassischer Reinheit, während sie im Leben weiterhin als unmoralisch verpönt war. Die Kunst der

Jahrhundertwende greift diese Doppelmoral an, indem sie bewußt den nackten Körper erotisiert. Bei Schiele ist das Sexuelle als ungebändigter Trieb vordergründig. An der Secession waren noch zahlreiche andere Maler beteiligt, u.a. Oskar Kokoschka (1886-1980), dessen lange Laufbahn mehrere Etappen der modernen Kunst umfaßt. Für die Secession interessierten sich aber nicht nur Maler. Ihre Bedeutung liegt auch darin, daß sie eine Annäherung verschiedener Kunstgattungen darstellt.

Eine ihrer wichtigsten Ausstellungen wurde im Jahr 1902 zu Ehren Beethovens veranstaltet. Mittelpunkt der Ausstellung waren eine Statue des Komponisten sowie ein großer Fries Gustav Klimts zur Thematik der Schiller-Hymne *An die Freude* aus Beethovens 9. Sinfonie. Zur Eröffnung der Austellung dirigierte Gustav Mahler eine eigene Bearbeitung dieses letzten Satzes von Beethovens 9. Sinfonie. Die Idee dieser Veranstaltung kam der Vorstellung eines Gesamtkunstwerks nahe. Die Ästhetik der Secession griff konsequenterweise auf die Architektur und das Kunsthandwerk über. In den ‚Wiener Werkstätten' versuchte man, neue Formen bei alltäglichen Gegenständen anzuwenden. Das Ausstellungsgebäude der Secession selbst wurde von dem Jugendstilarchitekten Joseph Maria Olbrich (1867-1908) entworfen. Das Gebäude stellt einen vollkommenen Bruch mit dem Historismus dar. Zwar spielt das Ornament, das nun von traditionellen Formen abweicht, eine vielleicht noch größere Rolle als im Historismus, aber die Anlage des Gebäudes ist bereits weniger von einer bestimmten Stilrichtung diktiert als von der Funktion als möglichst flexibler Ausstellungsraum.

Einflußreicher als Olbrich war der Wiener Architekt Otto Wagner (1841-1918). Wagner sah die Architektur im sozialen und geographischen Kontext der wachsenden Großstadt und prägte durch eine umfangreiche Bautätigkeit das Antlitz der heutigen Großstadt Wien mit. Sein Interesse am Funktionieren der Großstadt als solcher ließ ihn neben einzelnen wichtigen öffentlichen Bauten wie der Wiener Postsparkasse oder der Steinhof-Kirche wichtige technische Anlagen wie Schleusen und die Bauten der Wiener Stadtbahn entwerfen. Ganz entschieden rückte Wagner vom historistischen Ornament ab. Die von ihm gewählte Dekoration pflegt Eigenschaften des Materials zu betonen. Sowohl die Fassade als auch die Inneneinrichtung der Postsparkasse von 1906 antizipieren den Funktionalismus späterer Jahrzehnte. Diesen weiteren Schritt tat der Wiener Architekt Adolf Loos (1870-1933), der an seinen schlichten Gebäuden so gut wie ganz auf Ornamente verzichtete. Mit einem ornamentlosen Geschäftshaus in prominenter Lage gegenüber der barocken kaiserlichen Hofburg sorgte er in den letzten Jahren des Kaiserreichs für einen Architekturskandal.

Anfänge der modernen Musik

Ähnlich wie in der Architektur vollzog sich in der Musik ein Umschwung in die Moderne. Um 1900 konnte Wien immer noch seine Rolle als eines der wichtigsten Zentren des europäischen Musiklebens behaupten. Starkes Traditionsbewußtsein und ein kritisches Publikum sorgten für Qualität in den Darbietungen der Oper und des Wiener Musikvereins. Allerdings hatte dieses Publikum, von den gemütlichen Klängen von Vater und Sohn Johann Strauß verwöhnt, einen recht konservativen Geschmack. Die Neuerungen, die diese Periode auszeichnen, wurden von den Zeitgenossen zunächst vielfach verkannt und abgelehnt. Das gilt ebenso für die monumentalen Sinfonien Anton Bruckners (1824-96) wie für die Lieder von Hugo Wolf. Beide litten unter der Gegnerschaft des einflußreichen Musikkritikers und Brahms-Freundes Eduard Hanslick (1825-1904). Immerhin bot das Musikleben dieser Stadt einen fruchtbaren Nährboden für die Entstehung einer ganz neuen Musik.

Der Komponist, der am engsten mit der Secessionsbewegung zu tun hatte, war Gustav Mahler (1860-1911). 1897 wurde er Direktor der Wiener Oper. Er selber komponierte jedoch keine Opern, sondern ist vor allem als Sinfoniker bekannt. Auch seine bekannten Liederzyklen für Solostimmen sehen eine Orchesterbegleitung vor. In Mahlers Werk ist schon ein gewisser Aufbruch spürbar. Mahler schrieb für ein sehr großes Orchester, und in der *Achten Sinfonie* – oft *Sinfonie der Tausend* genannt – setzte er einen großen Chor ein. Trotzdem strebte er selten eine große Klangtotalität im Sinne Wagners an. Er ließ vielmehr die Klangfarben einzelner Instrumentalgruppen über lange Strecken hinweg zur Geltung kommen. Dem Wechsel der Klangfarben entspricht auch die Anhäufung fragmentarischer melodischer Einsätze. Durch die oft parodierende Einbeziehung von Musikzitaten und Bruchstücken von populären Melodien trifft Mahler häufig einen leicht ironischen, gar melancholischen Ton, der in auffallendem Kontrast zum vorherrschenden Bombast der Zeit steht.

Mit den Möglichkeiten der Programmusik beschäftigte sich um die Jahrhundertwende der junge Komponist Richard Strauss (1864-1949). 1905 lieferte Strauss mit seiner Opernfassung von Oscar Wildes Drama *Salomé* einen wichtigen Beitrag zur internationalen Dekadenz. Die Oper wurde 1905 in Dresden uraufgeführt. Richard Strauss war kein Wiener, aber von 1905 an arbeitete er viel mit Hugo von Hofmannsthal als Librettisten zusammen. Zusammen schrieben sie u.a. *Die Frau ohne Schatten.*

Ein anderer Komponist, der dem Wiener Fin de siècle entstammte, ist Arnold Schönberg (1874-1951). Schönberg sorgte für eine Revolution in der modernen Musik. Sein Frühwerk ist äußerst emotionsgeladen. Das Streichquartett *Verklärte*

Nacht, das einer Kurzgeschichte nachkomponiert ist und so im wahrsten Sinne Programmusik darstellt, und die kleine Oper *Erwartung* sind Beispiele eines ausgesprochen expressionistischen Stils in der Musik. Anders als Richard Strauss, der zunehmend einen traditionelleren neoklassischen Stil pflegte, überschritt Schönberg konsequent die Grenzen der Tonalität. Nach einer Phase der freien Atonalität suchte Schönberg nach einem neuen musikalischen Ordnungsprinzip, das jedoch keine Rückkehr zur Dur-Moll-Tonalität bedeuten sollte. Er erfand das ‚Zwölftonsystem', das von seinen Schülern Alban Berg (1885-1935) und Anton Webern (1883-1945) übernommen wurde. Das Zwölftonsystem schließt die konventionelle Tonalität von vornherein aus, indem es vorschreibt, daß alle zwölf Töne und Zwischentöne der chromatischen Tonleiter in einer vom Komponisten festgelegten Reihe gleichwertig eingesetzt werden. Die so entstandene Tonreihe bildet die Grundlage für eine bestimmte Folge von Variationen, die zum Ordnungsprinzip der Komposition wird. So führte Schönberg die Musik auf ihren Grundbestandteil, den einzelnen Ton, zurück. Diese Musikentwicklung fand weitgehend ohne Anteilnahme des Wiener Publikums statt. Überhaupt gehört es zu den Eigentümlichkeiten der modernen Konzertmusik, daß sie innerhalb des allgemeinen Konzertpublikums nur eine kleine, zunehmend spezialisierte Gruppe anspricht. Dieser Schritt in die Moderne wurde zu Beginn des Jahrhunderts in Wien eingeleitet.

Die Glanzzeit Wiens fand im ersten Weltkrieg abrupt ein Ende. Das Attribut der Zeitlosigkeit, das man dieser Epoche gerne zuspricht, mag seine Berechtigung haben. Es ist aber ein Attribut, das nachträglich aus der Gewißheit des Untergangs verliehen wurde. Erst nachträglich feierte dieses Wien seine größten literarischen Triumphe. Die Romane von Joseph Roth oder Stefan Zweigs Autobiographie *Die Welt von Gestern* lassen diese Welt noch einmal auferstehen. In Musils *Mann ohne Eigenschaften* schließlich entfaltet sich das alte ‚Kakanien' als Reich der vertanen Möglichkeiten.

Das kleine Österreich, das nach dem ersten Weltkrieg übrigblieb, war desorientiert. Der Wunsch, sich Deutschland anzuschließen, war stark. Der Anschluß wurde vorerst durch die Sieger des Kriegs verhindert. Im Chaos der ersten Republik wurde der Schatten des auseinandergefallenen alten Habsburgerreichs zu einer Utopie. Das Habsburgerreich war tot und mit ihm die besondere Atmosphäre des Wiener Fin de siècle. Die Wiener Kultur war dagegen in der ersten Republik sehr lebendig und um einen verstärkten Realitätssinn bereichert.

11 Das Wilhelminische Deutschland

Salon um 1900

Dreißig Jahre nach der Reichsgründung 1871 zählte Deutschland zu den drei führenden Industrienationen der Welt. Die Wirtschaft um die Jahrhundertwende befand sich in einer Phase der Hochkonjunktur, und die Anfänge einer modernen Konsumgesellschaft waren sichtbar. Die deutsche Industrie war modern und stand weltweit in hohem Ansehen. Geschätzt war ebenfalls die deutsche Wissenschaft, die im 19. Jahrhundert auch auf naturwissenschaftlichem Gebiet aufgeholt hatte. Die frühe Einbeziehung praktischer Laborversuche ins naturwissenschaftliche Studium hatte eine Atmosphäre geprägt, die für empirische Forschung günstig war. Zu Beginn des neuen Jahrhunderts gipfelte der Erfolg der Naturwissenschaft in Deutschland in Albert Einsteins (1879-1955) Relativitäts-Theorie und Max Plancks (1858-1947) Beiträgen zur Quantenphysik.

Große wissenschaftliche Leistungen hatten in einer politisch weiterhin rückständigen Gesellschaft eine gewisse Alibi-Funktion; das Bildungsprivileg wurde immer noch als Trost für die nicht vorhandenen politischen Einflußmöglichkeiten aufgefaßt. Die Bildungselite selbst achtete streng auf die Wahrung ihrer Standesprivilegien. Neben dem Militär stellte die Hochschulhierarchie eine Institution dar, in der die Ambitionen ehrgeiziger Individuen aufgefangen und von etwaigen politischen Zielen abgelenkt werden konnten. Innerhalb der Studentenschaft erlebten die Verbindungen, Corps und Burschenschaften großen Zulauf. Die Mehrzahl der Vereine bildeten die schlagenden Verbindungen, zu deren Pflichtritual das Degengefecht gehörte. In den schlagenden Verbindungen wurde der traditionelle Ehrbegriff des Offiziersstandes in den akademischen Bereich übertragen. Im Verbindungsleben traten die Erfordernisse des Studiums gegenüber den geselligen Formen und Pflichten zurück. Trinkrituale und Mutproben gehörten zu ihren Hauptmerkmalen. Um die Jahrhundertwende waren ungefähr die Hälfte aller Studenten Mitglieder solcher Vereine. Anders als im Vormärz vertraten diese Verbindungen keine radikalen politischen Ziele, sondern bejahten vorbehaltlos den bestehenden Staat und den Kaiser.

Der Kolonialismus

Seit der frühen Neuzeit wurde der technische Fortschritt durch die europäische Expansion in immer entferntere Erdteile begleitet. Nun war jedoch die absolute Grenze dieser Expansion in Sicht. In einer letzten panischen Anstrengung bemühten sich die europäischen Mächte, die letzten weißen Flecken auf der Weltkarte unter ihre Kontrolle zu bringen. An diesem Wettrennen beteiligte sich nun zum ersten Mal auch Deutschland, das Kolonien im fernen Polynesien und in Afrika einrichtete. Tanganjika, Kamerun und das heutige Namibia waren eine Zeitlang deutsche Kolonien. Doch lange bevor sich das deutsche Reich am Kolonialismus beteiligte, hatten deutsche Wissenschaftler, Entdecker, Forschungsreisende und Sammler an der Erschließung anderer Kontinente wesentlich mitgewirkt. Einen maßgeblichen Beitrag zur Erschließung des Inneren des afrikanischen Kontinents leistete Heinrich Barth (1821-65), der die Sahara durchquerte und bis nach Tschad und Timbuktu kam.

Obwohl die Kolonien Deutschland wirtschaftlich und politisch wenig einbrachten, war ihre ideologische Bedeutung groß. Denn der Kolonialismus wurde als Art nationale Mission aufgefaßt und gewöhnte die Menschen in der Praxis an eine rassistische Denkweise, die später von den Nazis systematisiert wurde. Von der

Überheblichkeit, mit der die europäischen Staaten die letzten Kolonien eroberten, zeugt ein Satz aus dem *Brockhaus Konversationslexikon* vom Jahre 1898:
„Die vorteilhaftesten Bedingungen für eine derartige Expansion bieten die Länder, die entweder nur sehr dünn bevölkert und völlig unkultiviert sind, oder deren Bewohner auf einer niedrigen Stufe der Gesittung stehen" [21].
Was eine niedrige Stufe der Gesittung war, bestimmten natürlich die Kolonialherren. Die Kolonialbewegung schärfte ferner den Blick der Deutschen im neu geeinten Vaterland für deutsche Gemeinschaften im Ausland und in Übersee. Dieses weit verstreute ‚Volk' wurde nun stärker als früher zur Kenntnis genommen. Der deutsche Übersee-Kolonialismus blieb ein sehr kurzes Kapitel deutscher Geschichte. Der abrupte Verlust sämtlicher Kolonien durch den Versailler Friedensvertrag von 1919 trug mit zu dem Ressentiment bei, das den Faschisten den Weg zur Macht ebnete, indem die deutschen Kolonien von einer relativ bedeutungslosen Realität zu einem Mythos wurden, der mit nationalen Emotionen beladen wurde. Der kulturelle Eindruck, den Deutschland in seinen Kolonien hinterließ, war gering, und die kolonisierten Länder hatten kaum Gelegenheit, einen kulturellen Eindruck auf Deutschland zu machen. Es gibt nichts, was der nachhaltigen kulturgeschichtlichen Bedeutung der englischen Herrschaft in Indien entspricht. Dennoch blieb der europäische Kontakt mit Übersee in diesen Jahren auch für Deutschland nicht ohne kulturelle Resonanz. Fremde Kunst und Kultur boten Denkansätze, die von den materiellen Werten der westlichen Tradition unabhängig waren. 1911 unternahm der Schriftsteller Herman Hesse (1877-1962) eine Indienreise, die sein Werk, insbesondere die Erzählung *Siddhartha* (1922), stark beeinflußte. Die Lust am Exotischen beeinflußte auch den populären Lesegeschmack der Jahrhundertwende. Größte Beliebtheit genossen die Romane von Karl May (1842-1912), die in fernen Ländern des Orients oder bei den amerikanischen Indianern spielen. May machte erst in seinen letzten Lebensjahren Reisen zu den Schauplätzen seiner Romane. Auch wenn er mehr aus der Phantasie als aus gründlicher Sachkenntnis schreibt, heben sich seine Bücher in ihrem grundsätzlichen Respekt vor fremden Kulturen wohltuend von der kolonialen Wirklichkeit und vom Rassismus vieler seiner Kollegen ab.

---

[21] Aus dem Artikel ‚Kolonien.' 10. Bd., S. 507

Der Wilhelminische Untertanengeist

Der ‚Hurra'-Patriotismus, der sich in den Kolonien austoben konnte, prägte auch das innere Klima Deutschlands. Außenpolitische und wirtschaftliche Erfolge und der Kaiserkult hielten das junge Reich zusammen. Ein eindrucksvolles Bild jener wilhelminischen Gesellschaft zeichnete Heinrich Mann (1871-1950) in seinem Roman *Der Untertan*. Er erzählt den Werdegang eines national gesinnten Unternehmers, der aus eigener Charakterschwäche immer den starken Mann spielt und die menschliche Atmosphäre seiner Umgebung vergiftet; er trägt denselben Schnurrbart wie der Kaiser und verwechselt sich im Rausch mit seinem heißgeliebten Idol. Zumindest auf diese Romanfigur trifft die drastische Verallgemeinerung des Wiener Kulturhistorikers Egon Friedell zu, der „die meisten Deutschen der wilhelminischen Ära" als „...Taschenausgaben, verkleinerte Kopien, Miniaturdrucke Kaiser Wilhelms" bezeichnete [22].

Während Heinrich Mann im *Untertan* die Zustände der wilhelminischen Gesellschaft kritisierte, war die Haltung seines Bruders Thomas Mann, die dieser während des Ersten Weltkriegs in den *Betrachtungen eines Unpolitischen* zusammenfaßte, für die bürgerliche Intelligenz charakteristischer. Er hielt damals die gesellschaftliche Stellungnahme der Literatur und die Demokratie überhaupt für etwas grundsätzlich Fremdes und der deutschen Kultur Unangepaßtes. Später distanzierte sich Thomas Mann als engagierter Antifaschist völlig von den Thesen dieser Schrift. Als Dokument des damaligen Zeitgeistes bleibt sie jedoch von großer Bedeutung.

Die Gesellschaft um 1900 war insgesamt selbstzufrieden, steif und hierarchiebewußt. Das hierarchische Denken im Militär und im Schulwesen förderte autoritäre Strukturen in der Fami-

Wilhelm II

---

[22] Egon Friedell: Kulturgeschichte der Neuzeit. 2 Bde. München 1976. (Bd.2), S. 1364.

lie und in allen Bereichen der Gesellschaft. Allein schon die Kleidung hemmte die Menschen in ihrer freien Entfaltung. Trugen die Männer schon absurde Kleidungsstücke, wie den als ‚Vatermörder' bezeichneten steifen Kragen, so mußten die Frauen erst recht leiden. Stefan Zweig beschreibt die Mode oder vielmehr Kleiderordnung der Jahrhundertwende so:

„In der Mitte des Körpers wie eine Wespe abgeschnürt durch ein Korsett aus hartem Fischbein, den Unterkörper wiederum weit aufgebauscht zu einer riesigen Glocke, den Hals hoch verschlossen bis an das Kinn, die Füße bedeckt bis hart an die Zehen, das Haar mit unzähligen Löckchen und Schnecken und Flechten aufgetürmt unter einem majestätisch schwankenden Hutungetüm, die Hände selbst im heißesten Sommer in Handschuhe gestülpt, wirkt dies heute längst historische Wesen ‚Dame' [...] als ein unseliges Wesen von bedauernswerter Hilflosigkeit."[23]

Daß nun Frauen mit dem Beginn des neuen Jahrhunderts allmählich anfingen, die ihnen zugeordnete Rolle als ‚Puppe' und Mutter in Frage zu stellen, ist kaum verwunderlich. Die sogenannte Bohème, die durch den erhöhten Wohlstand des Bürgertums von den Kindern der Reichen starken Zulauf bekam, bot Frauen eine weniger begrenzte Alternative. Mit dem Beginn des neuen Jahrhunderts setzten Frauen das Recht auf ein Studium durch. Nach und nach wurden die Universitäten für sie zugänglich. Den Anfang machte die Schweiz. 1908 wurden auch in Preußen Frauen zum ordentlichen Studium zugelassen.

Jugend

Die politische Opposition im wilhelminischen Deutschland ging vor allem von der Arbeiterbewegung und ihrer Partei, der SPD, aus. Im breiteren Rahmen einer Kulturkritik wurde allmählich auch innerhalb des Bürgertums eine Art Opposition wirksam. Sie richtete sich gegen bestimmte Erscheinungsformen der bürgerlichen Gesellschaft und des modernen Lebens, wie die zunehmende Entfremdung von der Natur in den rasch wachsenden Großstädten und die Steifheit der Mode und Umgangsformen im autoritätsgläubigen Deutschland. Sie drückte sich in einem Generationskonflikt aus und verband sich in auffälliger Weise mit dem Wort ‚Jugend'.

Jugend war der Name einer Zeitschrift, die ab 1896 in München erschien und einer

---

[23] Stefan Zweig: Die Welt von Gestern. Stockholm 1944, S. 74.

Titelblatt „Jugend"

ganzen Stilrichtung in der Kunst, Architektur und Gestaltung ihren Namen gab. Der Jugendstil war eine Abkehr vom pompösen Historismus des 19. Jahrhunderts und bevorzugte dekorative Elemente, die keine kunsthistorische Vorgeschichte besaßen. Eine Art Gesamtkunstwerk als Lebenskulisse wurde angestrebt. In der hessischen Residenz Darmstadt entstand auf der Mathildenhöhe eine Anlage, wo Künstler und Architekten des Jugendstils ihre Vorstellungen in einem ganzen Stadtviertel verwirklichen durften. Die Mathildenhöhe ist die letzte große Anlage, die einem regierenden adligen Mäzen zu verdanken ist.

Als Erscheinung war der Jugendstil international: er wirkte in Frankreich und Belgien als ‚Art Nouveau', in Österreich in der ‚Wiener Secession', und erstreckte sich bis nach Rußland und Finnland. Man wollte eine ästhetische Verbindung zwischen Kunst, Handwerk und Leben finden. Großen Anklang fanden die utopischen Vorstellungen des englischen Architekten William Morris (1834-96). Morris war im Grunde Romantiker, der die Industrie völlig ablehnte und die Zukunft in einer Erneuerung des Handwerks sah.

Die Rückbesinnung auf authentisches und solides Handwerk war angesichts des historistischen Stildurcheinanders der vorangegangenen Jahrzehnte von großer Tragweite. In diesem Sinne wurde das Kunstgewerbe mit neuem Ernst betrieben, etwa von den Wiener Werkstätten und von einer ähnlichen Bewegung im sächsischen Hellerau. Die Möglichkeit, Formschönheit mit industriellen Produktionsverfahren zu vereinbaren, wurde dagegen vom ‚Werkbund' propagiert, der zum ersten Mal 1907 in Köln ausstellte. In diesem fruchtbaren Ansatz sowie in der schlichten ornamentlosen Architektur von Adolf Loos in Wien und Peter Behrens (1868-1940) in Deutschland war der künftige Weg der Architektur und Gestaltung schon erkennbar.

Das Schlagwort Jugend erfaßte jedoch viel mehr als nur eine ästhetische Stilrichtung. Um 1900 entstanden verschiedene Jugendbewegungen, von denen insbesondere die ‚Wandervögel' einen besonderen Einfluß auf spätere Jugendorganisationen ausübten. Das Ziel dieser Bewegung war es, auf Wanderschaften in der Natur neue Formen von Geselligkeit zu praktizieren und eine einfachere und natürlichere Lebensform zu suchen. In ihrer Bekleidung bevorzugten die Wandervögel lockere, bequeme Kleider im Gegensatz zu der bewegungshemmenden steifen Mode der Zeit. Zur Geselligkeit der Wandervögel gehörte besonders der Gesang. Ein bleibendes Zeugnis davon ist die heute noch bekannteste deutsche Liedersammlung *Der Zupfgeigenhansl.* Vor allem verkörperten die Wandervögel romantische Abenteuerlust. Anders als die romantische Bewegung ein Jahrhundert früher machte diese Bewegung Natur und Abenteuer einer viel breiteren Gesellschaftsschicht zugänglich. Dem pädagogischen Wert des Wanderns und der Bekanntschaft mit der Natur wurde ab 1909 mit der Einrichtung von Jugendherbergen Rechnung getragen.

Auf der Suche nach einem alternativen Lebensstil bildeten Mitglieder der Künstler-Bohème Landkommunen. Um die Malerin Paula Modersohn-Becker (1876-1907) entstand die vom Lyriker Rainer Maria Rilke (1875-1926) frequentierte Künstler-Kolonie Worpswede bei Bremen, heute noch als Künstler-Dorf bekannt.

Unzufriedenheit mit der Geistlosigkeit eines Denkens, das auf industrieller Produktion und Rationalismus beruht, kennzeichnet auch die Lehre Rudolf Steiners (1861-1925). Seine Anthroposophie besetzt einen Zwischenraum zwischen wissenschaftlicher Theorie und quasireligiöser Gemeinschaft. Sie betont die Harmonie von Mensch und Natur und wendet sich von der Stadt ab. Im Streben nach Harmonie betont sie das ästhetische Bewußtsein im Alltag. Zu den Quellen dieser Denkrichtung gehört das Werk Goethes, wobei seine sonst oft vernachlässigten naturwissenschaftlichen Schriften, die Steiner selber herausgab, hervorgehoben werden. Den größten Einfluß hat die Anthroposophie auf die Pädagogik ausgeübt, wo sie die natürliche Kreativität der Kinder durch die Betonung musischer Fächer fördern will. Heute sind die anthroposophischen ‚Freien Waldorfschulen' eine beliebte Alternative zur staatlichen Schule.

Der Expressionismus

Den stärksten Ausdruck erfuhr die Auflehnung gegen die gesellschaftliche Wirklichkeit ab etwa 1905 im Expressionismus. Der Expressionismus war keine geschlossene Bewegung, sondern eher eine bestimmte Haltung, die sich bei einer jungen Generation von Künstlern und Dichtern verbreitete. Die Expressionisten hatten jeweils sehr idealistische Vorstellungen davon, wie die Welt sein sollte. Sie hatten jedoch kein gemeinsames Programm und waren frei von der romantischen Sehnsucht nach der vorindustriellen Gesellschaft, die teilweise den Geist der Jugendbewegung mitbestimmte. Sie richteten sich in ihrer Kritik eindeutig gegen das Alte und wollten an Stelle der überkommenen ästhetischen Traditionen etwas ganz Neues schaffen, denn sie erkannten das Ausmaß der Veränderung, die das neue Jahrhundert mit sich bringen könnte. Kennzeichnend für diese Einstellung ist der Titel einer Anthologie, die Kurt Pinthus 1919 herausgab: *Menschheitsdämmerung*. Der Titel dieser bedeutendsten Sammlung expressionistischer Lyrik meint gleichzeitig die Abenddämmerung des Alten und die Morgendämmerung des Neuen. Ein Gedicht, das die energische und zugleich ironische Stimmung dieser Lyrik gut illustriert, ist *Weltende* von Jakob van Hoddis (1887-1942):

„Dem Bürger fliegt vom spitzen Kopf der Hut,
In allen Lüften hallt es wie Geschrei.
Dachdecker stürzen ab und gehn entzwei,
Und an den Küsten – liest man – steigt die Flut.

Der Sturm ist da, die wilden Meere hupfen
An Land, um dicke Dämme zu zerdrücken.
Die meisten Menschen haben einen Schnupfen.
Die Eisenbahnen fallen von den Brücken." [24]

Weniger klar als die Kritik an der alten bürgerlichen Lebensform war die Vorstellung von dem Neuen, was kommen sollte. Häufig wurde in der expressionistischen Literatur der ‚Neue Mensch' gefordert. Der Einfluß von Nietzsches Kulturkritik ist deutlich stärker als irgendwelche konkreten gesellschaftlichen Vorstellungen. Aus der Ablehnung verlogener bürgerlicher Moralvorstellungen folgte jedoch in der Regel keine grundsätzliche Ablehnung jeder Verbindlichkeit. Im Gegenteil: Liebe und Brüderlichkeit wurden in der Dichtung viel beschworen. Die russische Oktoberrevolution und die revolutionären Ansätze in Deutschland ein Jahr später wurden weitgehend begrüßt. In der fortgesetzten Konfrontation mit der veränderten gesellschaftlichen Situation nach dem Ersten Weltkrieg löste sich der Expressionismus als zusammenhängende Erscheinung allerdings auf. Seine führenden Vertreter gingen ganz unterschiedliche Wege. So wurde etwa der Dichter Johannes R. Becher (1891-1958) zum Verfechter einer sozialistischen Literatur in Deutschland und später zum Kulturminister der DDR, während Gottfried Benn

---

[24] Zitiert nach: Menschheitsdämmerung. Ein Dokument des Expressionismus. Neu hg. von Kurt Pinthus. Leipzig 1972, S. 47.

(1886-1956) durch den Nihilismus zurück zu einem verspäteten Ästhetizismus fand. Benn, der eine Zeitlang für den Faschismus Partei ergriffen hatte, wurde nach dem zweiten Weltkrieg zu einer gefeierten literarischen Persönlichkeit in der Bundesrepublik.

Während der Expressionismus also kein zusammenhängendes politisches Konzept besaß, war sein ästhetischer Zusammenhalt um so auffälliger. Selten findet man so deutliche thematische und stilistische Übereinstimmungen zwischen der Literatur und anderen Künsten. Viele Künstler waren auf mehreren Gebieten tätig. Die dichterischen Werke des Bildhauers Ernst Barlach (1870-1938) oder des Malers Oskar Kokoschka sind nicht nur Dilettantismus. Dasselbe gilt für die Malerei des Komponisten Arnold Schönberg.

Zur gemeinsamen Thematik der Literatur und Kunst zählt das Großstadtleben mit allen unbürgerlichen Randerscheinungen. Das Bild der Stadt, das dabei gezeichnet wird, ist nach wie vor oft negativ, aber der Expressionismus flieht nicht mehr in eine ästhetische Idylle. Statt dessen kehrt er das Häßliche bewußt hervor. Ein gutes Beispiel ist der erste Lyrikband des Arztes Gottfried Benn, *Morgue*. Der Titel bedeutet Leichenschauhaus. Die Leichen, die dort zur Obduktion liegen, hat der Mediziner Benn zum unkonventionellen Gegenstand von Gedichten gemacht. Im Gedicht *Kleine Aster* wird eine Blume, zeitloser Topos des Schönen in der Lyrik, in eine von Benn ironisch als *Vase* bezeichnete Leiche eingenäht. Mit solchen drastischen Mitteln knüpfte Benn an Baudelaires *Fleurs du mal* an und bekämpfte damit das Vorurteil, daß die Lyrik wohlgefällig und die Kunst ‚schön‘ zu sein habe. Nun hat sich ernstzunehmende Kunst nie auf diese Ziele beschränkt, aber die Krisen des 20. Jahrhunderts zerstörten auch die klassisch-romantische Idee, daß man der unvollkommenen Wirklichkeit ein vollkommenes Gegenbild in der Kunst vorhalten könnte. Zwar gelang es Benn in *Morgue* nicht, seine Einstellung ohne Mißachtung der Menschenwürde zu vermitteln. Dennoch besteht eine tragische Ironie in der Tatsache, daß das bürgerliche Publikum sich mehr über die Verletzung des guten Geschmacks in der Kunst und Literatur aufregte als über die Verbrechen, die wenig später im Weltkrieg gegen die Menschenwürde begangen wurden. Gerade dieses krankhafte Mißverhältnis im allgemeinen Bewußtsein führte während des Krieges zur Entstehung des Dadaismus, einer Richtung, die im Expressionismus wurzelte, aber vorgab, auf jegliche Absicht und jedweden Sinn in der Kunst zu verzichten.

Vom Expressionismus zur abstrakten Malerei

Mit dem Expressionismus erreicht die deutsche Malerei zum ersten Mal seit dem Beginn der Neuzeit hohes internationales Ansehen. Zwar bleibt Paris auch in der ersten Hälfte des 20. Jahrhunderts die Kunsthauptstadt Europas, aber deutsche Kunstzentren wie München, Dresden oder Berlin, wo verspätete Impressionisten wie Max Liebermann (1847-1935) und Lovis Corinth (1858-1925) wirkten, leisten nun auch einen beachtlichen Beitrag zur Entwicklung der modernen Kunst. Gegen Ende des 19. Jahrhunderts kündigte sich mit der Abwendung vom Impressionismus im Werk Paul Cézannes und Vincent van Goghs eine veränderte Einstellung zum Verhältnis zwischen Bild und Wirklichkeit an. Das Bild wurde nicht mehr wie früher als Abbild einer äußeren Wirklichkeit gesehen, sondern in erster Linie als selbständiges visuelles Objekt. 1903 starb der französische Maler Paul Gauguin auf Tahiti, wohin er vor der europäischen Zivilisation und den Zwängen der Kulturtradition geflüchtet war. Dort malte er in kräftigen Farben und ohne Rücksicht auf mathematische Perspektive oder geometrische Genauigkeit Bilder vom unverdorbenen Leben. Man brauchte aber nicht bis nach Tahiti zu fahren, um solche Möglichkeiten in der Malerei auszuprobieren. Ähnliches machten wenig später in Paris die Fauves um Henri Matisse. Auch sie nahmen Anregung aus der sogenannten ‚primitiven Kunst‘ außereuropäischer Kulturen auf.

Zur gleichen Zeit fanden sich mehrere Künstler in Dresden zusammen, die ein entsprechendes Interesse an kräftigen Farben und unkomplizierten Inhalten hatten. 1905 gründeten dort Erich Heckel (1883-1970), Ludwig Kirchner (1880-1938) und Karl Schmidt-Rottluff (1884-76) die Gruppe ‚Die Brücke‘. Diese Gruppe wurde zeitweilig zum internationalen Sammelpunkt expressionistischer Malerei. Zu ihren Mitgliedern zählten vorübergehend der Norweger Edvard Munch (1863-1944) und der Finne Axel Gallen-Kallela (1865-1931). Munch hatte bereits 1895 mit

Der Schrei,
Lithographie von Edvard Munch

seiner berühmten Graphik *Der Schrei* die innere Not zum Ausdruck gebracht, die die Grundhaltung des Expressionismus kennzeichnet.
In ihrer Suche nach einer Alternative zur modernen Zivilisation, die sie als Sackgasse empfanden, kamen die Expressionisten immer wieder auf die Natur zurück. Ein beliebtes Thema vieler Maler waren Badende an idyllischen Waldseen. Aber es ging diesen Malern nicht um das Idyllische selbst und nicht um ein romantisches Verhältnis zur Natur, sondern um Motive, die sie auf völlig neue Art mit kräftigen Farben erschlossen. So sind ihre Bilder weit entfernt von der traditonellen Salon-Kunst des 19. Jahrhunderts. Malern wie Kirchner und Heckel oder auch Emil Nolde (1867-1956) waren die Farbkontraste im Bild wichtiger als die realistische Darstellung des Gegenstands. Einzelheiten, die von der Ausdruckskraft der Farben ablenkten, wurden eliminiert.
Der Stil der ‚Brücke‘ übte einen bleibenden Einfluß auf die Malerei dieses Jahrhunderts aus und erlebte in den siebziger und achtziger Jahren im Werk der ‚neuen Wilden‘ eine gewisse Renaissance. Mindestens so wichtig für die internationale Entwicklung ist jedoch das Werk einer anderen Gruppe von Malern, die unter dem Namen ‚Blauer Reiter‘ bekannt wurde. „Blauer Reiter" ist der Titel eines Almanachs, den die Maler Franz Marc (1880-1916) und Wassily Kandinsky (1866-1944) 1912 herausgaben. Ab 1911 fanden mehrere Ausstellungen unter diesem Namen statt. Der ‚Blaue Reiter‘ war mit den Russen Kandinsky und Alexej Jawlenski (1864-1941) und dem Schweizer Paul Klee (1879-1940) grundsätzlich international. Er unterhielt Kontakte zu den neuesten Kunstrichtungen in Paris und nahm Einflüsse vom Fauvismus und vom Kubismus auf. Während die Bilder der ‚Brücke‘ oft einen spontanen Gefühlsausdruck darstellen, verbirgt sich hinter der Arbeit des ‚Blauen Reiters‘ eine ausführlichere Philosophie. Insbesondere Kandinsky legte seiner Malerei ein philosophisches System zugrunde, das Elemente aus der Mystik und der Steinerschen Anthroposophie aufnahm. Diese Maler waren von der unmittelbaren

Der blaue Reiter,
Vignette von Wassily Kandinsky

161

Aussagekraft der reinen Farbe und der geometrischen Form überzeugt. Dabei verlor der Gegenstand des Bildes immer mehr an Bedeutung. Franz Marc malte mit Vorliebe Tiere im Wald. Seine Bilder sind aber in erster Linie geometrische und farbliche Erlebnisse. Oft erkennt man erst beim zweiten Hinsehen das Tiermotiv. Dann aber staunt man über die Sicherheit, mit der Marc, den ein zeitgenössischer Kritiker einen fernen Schüler des Orpheus nannte[25], das eigentlich Tierische, die anatomische Eigenart des jeweiligen Tiers wiedergibt. Bei Kandinsky geht die Auflösung der Formen noch weiter. Er suchte einen direkten Weg von der abstrakten Idee zum Bild. 1910 malte er das erste ganz abstrakte Bild, seine *Komposition II*.

Der ‚Blaue Reiter‘ endete mit dem Ersten Weltkrieg. Franz Marc wurde getötet, Kandinsky mußte nach Rußland zurück. Dort war er an der avantgardistischen Kunstbewegung der ersten Revolutionsjahre maßgeblich beteiligt. Nach seiner Rückkehr nach Deutschland wurde er, wie auch Paul Klee, Lehrer am neuen ‚Bauhaus‘. Dort entwickelten sie ihre auf reinen Farben und Formen basierende Kunstkonzeption weiter.

Der Erste Weltkrieg

Der Erste Weltkrieg stellt zweifellos eine der großen Zäsuren der europäischen Geschichte dar. Das aufgestaute aggressive Potential von mehreren Jahrzehnten mit verkehrten ideologischen Werten wurde auf einmal frei. Zugleich erschien der Kriegsausbruch vielen als Erlösung von der Stagnation der Vorkriegsgesellschaft. Der Krieg wurde daher zunächst überall in Europa jubelnd begrüßt. Im ersten Kriegsjahr konnten die Armeen gar nicht so viele Soldaten gebrauchen, wie sich freiwillig zum Frontdienst meldeten. Doch zeigte sich bald, daß sich der patriotische Hochmut nicht in sichtbare Eroberungen umsetzen ließ. Der Vormarsch der deutschen Truppen sackte ab und verwandelte sich in einen mörderischen Stellungskrieg. Jahrelang war Westeuropa durch die Schützengräben der Kämpfenden zerrissen. Trotz Millionen Todesopfer änderte sich der westliche Frontverlauf immer nur geringfügig. Der Krieg zeigte zum ersten Mal in aller Deutlichkeit das neue Verhältnis zwischen Mensch und Technik. In der Anonymität ihrer Schützengräben waren die Soldaten dem mechanisierten Tod hilflos ausgeliefert. Die

---

[25] Theodor Däubler: Kampf um die moderne Kunst und andere Schriften hg.von Friedhelm Kemp u. Friedrich Pfäfflin. Darmstadt und Neuwied 1988, S. 171.

Verbissenheit, mit der der Krieg geführt wurde, stellte eine Abkehr vom allgemeinen Humanisierungsprozeß der abendländischen Gesellschaft seit der Aufklärung dar.

Der Krieg änderte auch das Verhältnis der Kultur zur Gesellschaft. Zahlreiche Dichter und Künstler wurden getötet, darunter die Maler August Macke und Franz Marc. Die Überlebenden waren von der Erfahrung des Kriegs geprägt. Der Expressionismus bekam plötzlich eine inhaltliche Richtung, als seine Vertreter unter dem Eindruck ihrer Erlebnisse zu Pazifisten wurden oder sich politische engagierten.

Der Eindruck, den Tod und Verstümmelung auf die Künstler gemacht hatten, ist im Werk vieler Maler nach dem Krieg zu sehen. Die grotesken Figuren im Werk von Otto Dix (1891-1969) und George Grosz (1893-1959) sind nachhaltig von der Kriegserfahrung geprägt. Max Beckmann (1884-1950) malte ein großes Triptychon gegen den Krieg. Im Verlauf der zwanziger Jahre erschienen mehrere Romane, die den Schrecken des Krieges schilderten. Zu den bekanntesten zählt Erich Maria Remarques (1898-1970) *Im Westen nichts Neues*.

Der Eindruck der Technik und der Gefahr hatte allerdings bei einigen die gegenteilige Wirkung. So schrieb Ernst Jünger (*1895) nach dem Krieg den Roman *In Stahlgewittern*, in dem er diese Faszination zum Ausdruck bringt. Die perverse Idee, daß der Krieg mit seiner ständigen Todesgefahr das wirkliche Leben sei, bekam einen festen Platz im faschistischen Gedankengut. Die unterschiedliche Einschätzung der Kriegserfahrung trug viel zu den unüberwindlichen gesellschaftlichen Spannungen der Weimarer Republik bei.

12 Die Weimarer Republik

Potsdamer Platz um 1925

Die Novemberrevolution

Das Ende des Ersten Weltkriegs und der Abschluß der Friedensverträge im Jahr danach schufen in Europa völlig veränderte politische und gesellschaftliche Verhältnisse. Von den beteiligten großen europäischen Nationen waren nur noch Frankreich und Großbritannien in ihrer alten Gestalt wiederzuerkennen. Deutschland und Österreich waren beide flächenmäßig kleiner geworden – Österreich sogar auf ein Zehntel seiner früheren Ausdehnung geschrumpft – und in beiden Ländern hatte der Monarch abgedankt. Unter denkbar ungünstigen Umständen entstanden in beiden Ländern Republiken mit parlamentarischer Verfassung. Die größte politische Umwälzung hatte jedoch bereits 1917 mit der Oktoberrevolution in Rußland stattgefunden. Die Entstehung eines sozialistischen Staates änderte die politischen Rahmenbedingungen in ganz Europa.

Der Krieg war auch in Deutschland mit einer Revolution zu Ende gegangen. Die Novemberrevolution von 1918 blieb aber auf halbem Wege stecken. Die SPD, die zunächst die Macht übernahm, war seit Beginn des Krieges gespalten. Während der linke Flügel in der USPD und im Spartakusbund versuchte, durch die Organisation von Arbeiter- und Soldatenräten eine Räterepublik nach sowjetischem Muster vorzubereiten, setzte die Mehrheits-SPD unter dem ersten Reichspräsidenten Friedrich Ebert auf den bürgerlichen Parlamentarismus und auf weitgehende Kontinuität in der Verwaltung. Sie wollte das Chaos beim Übergang von der Monarchie zur Republik auf alle Fälle minimieren.

Die Wahl Weimars als Tagungsort für die verfassunggebende National-versammlung (daher die Bezeichnung ,Weimarer Republik') war ein halbherziger Versuch, an die geistige Tradition der deutschen Klassik anzuknüpfen und damit eine Alternative zur militaristischen Tradition Preußens und des Kaiserreichs zu bieten. Trotzdem wurde die Hilfe von Polizei, Militär und paramilitärischen Freikorps in den ersten Jahren der Republik mehrfach gegen radikale sozialistische Aufstände in Anspruch genommen. Dieselben militärischen Kräfte, welche die Republik gegen linke Angriffe zu schützen vorgaben, stellten jedoch auf der rechten Seite eine ebensogroße politische Bedrohung dar. Das galt besonders für die irregulären Freikorps. Denn während die Demokratisierung Deutschlands auf parlamentarischem Wege den einen nicht schnell und weit genug ging, war die bürgerliche Republik den Traditionalisten in Verwaltung und Militär ein Dorn im Auge. So kam es oft zu bürgerkriegsnahen Zuständen.

Verschlimmert wurde die politische Situation durch die desolate wirtschaftliche Lage. Nachdem der Krieg die deutsche Wirtschaft schwer strapaziert hatte, machten die hohen Reparationsforderungen der Sieger eine Erholung in den ersten Jahren nahezu unmöglich.

Vor diesem wirtschaftlich trüben und politisch chaotischen Hintergrund wurden in allen Bereichen der Kultur ungeahnte Energien freigesetzt. Das Verhältnis zwischen Künstler und Publikum wurde neu reflektiert. Der Eindruck neuer Medien, insbesondere des Films, verstärkte den Drang zum Experiment. Die unklare politische Situation beschleunigte die Entwicklung eines demokratischen Bewußtseins im kulturellen Bereich. Aber auch Künstler und Schriftsteller, die sich weniger für die Ereignisse auf der Straße interessierten, wurden von einer gewissen Politisierung erfaßt, denn ihre Arbeitsbedingungen wurden schwieriger. Die Konkurrenz im Verlagswesen verschärfte sich, und in der jungen Filmindustrie konzentrierte sich das Kapital auf wenige Monopole. Daher fingen Künstler und Schriftsteller an, ihre Rechte in Interessenverbänden wie dem 1921 gegründeten PEN-Club zu verteidigen.

Die Novemberrevolution leitete eine Art Kulturrevolution ein. In den ersten Monaten, als die Entwicklung Deutschlands zur Räterepublik nach russischem Muster noch nicht ausgeschlossen war, schien sich den Künstlern, Architekten und auch Schriftstellern die Möglichkeit einer faktischen Beteiligung an der politischen Umgestaltung zu bieten. Die Berichte aus dem revolutionären Rußland waren durchaus ermutigend. Dort hatte sich die künstlerische Avantgarde hinter die Ziele der Revolution gestellt und leistete in den ersten Jahren der Sowjetmacht einen beträchtlichen Beitrag zum Aufbau der sowjetischen Kultur. Nach diesem Vorbild bildeten sich in Berlin eine sogenannte ‚Novembergruppe' sowie ein ‚Arbeitsrat für Kunst', der die Künstler in der Revolution politisch vertreten wollte. Schon 1919 war jedoch deutlich, daß die Räte nicht die politische Führungsrolle in Deutschland übernehmen würden. Nur in München existierte für drei Wochen im April 1919 eine Räterepublik, die tatsächlich von einem Schriftsteller, dem expressionistischen Dramatiker Ernst Toller (1893-1939), geführt wurde. Die Räterepublik wurde bald von Reichswehr- und Freikorpsverbänden beseitigt.

DADA

Schon wenige Monate nach Kriegsende war klar, daß die Kulturschaffenden in Deutschland nicht den klaren politischen Auftrag erhalten würden, den ihre Kollegen in Rußland durch die Revolution bekommen hatten. Die politisch engagierten Künstler mußten sich darauf einstellen, die Voraussetzungen für ein politisches Bewußtsein erst einmal ohne Unterstützung durch die politische Führung zu verbessern. Sie mußten sich selber den gesellschaftlichen Auftrag geben. Die Form und die Sprache, in denen sie dieses versuchten, waren anfangs noch stark vom Expressionismus geprägt. Angesichts der Schrecken des Krieges erschien der Expressionismus zunächst als einzig angemessener ästhetischer Standpunkt. Die sinnlosen Opfer, die das Vaterland seinen Söhnen abverlangt hatte, schienen das expressionistische Thema des Vater-Sohn-Konflikts mit Inhalt zu füllen.

Der Expressionismus hatte jedoch von der bürgerlichen Vorkriegsgesellschaft einen Fehler geerbt, der ihn schließlich auf lange Sicht beim Aufbau einer demokratischen Kultur disqualifizierte. Er war zu idealistisch. Nicht der Traum vom neuen Menschen machte den Expressionismus ungeeignet, sondern seine Unfähigkeit, zwischen der vorhandenen Wirklichkeit und diesem Traum zu vermitteln. Der Traum blieb Traum. Kunst und Dichtung waren letztlich auch noch im Expressionismus eine heilige Stätte, wo das Bürgertum seine Ideale aufbewahren konnte. Bevor die Kultur aus dieser Sackgasse heraus konnte, mußte die ganze

Kraft des Expressionismus gegen das bürgerliche Kunstideal selbst gewendet werden. Das geschah im Dadaismus. Was war Dada? Dada war, mit den Worten des Dadaisten Raoul Hausmanns „die Negation des bisherigen Sinnes des Lebens oder einer Kultur, die nicht tragisch, sondern vertrocknet war."[26] Die Waffe, mit der Dada die bürgerliche Gesellschaft angriff, war der Unsinn. Der Dadaismus entstand während des Krieges in der neutralen Schweiz in einem kleinen Zürcher Kabaret, dem Cabaret Voltaire, wo eine Gruppe junger Künstler und Dichter, darunter der Rumäne Tristan Tzara und der zweisprachige Dichter und Bildhauer Hans Arp (1887-1966), ein gemischtes Programm mit sehr viel Ulk und Unsinn anboten. Das primäre Ziel war zunächst, das bürgerliche Publikum zu ärgern, das in allem Sinn und Ordnung

Buchumschlag von Kurt Schwitters

sehen wollte und sogar gewohnt war, die Sinnlosigkeit und Unordnung des Krieges idealistisch umzudeuten. Mit Veranstaltungen, die man heute vielleicht als ‚Happening' bezeichnen würde, schockierten die Gründer des Dada das Schweizer Publikum. Sie trugen Nonsens-Gedichte vor und machten dabei Gymnastik-Übungen. Das Publikum enttäuschte sie nicht und reagierte, wie erhofft, aggressiv.

Nach dem Krieg verbreitete sich Dada über Europa. Wichtige Zentren entstanden in Paris, Köln, Hannover und Berlin. In Paris beeinflußte der Dada die avantgardistische Szene der zwanziger Jahre. Jean Cocteau und die Komponisten der ‚Six' waren stark von ihm beeinflußt. Ganz im Sinne des Dada stellte Marcel Duchamp 1917 in New York ein Klosettbecken aus. Dieser „Gegenstand, der durch die bloße Auswahl des Künstlers zur Würde eines Kunstgegenstandes erhoben

---

[26] Zit. nach Richard Huelsenbeck (Hg.): Dada. Eine literarische Dokumentation. Reinbek bei Hamburg 1964, S. 39.

wird"[27], veranschaulicht die vermittelnde Rolle des Künstlers auf radikale Weise. Inzwischen gehört der Gebrauch von solchen sogenannten Ready-mades zum üblichen Repertoire moderner Kunst. In Hannover schuf Kurt Schwitters (1887-1948) eine eigene Variante des Dada, die er *MERZ* nannte. Er machte mit Vorliebe Collagen und füllte ein ganzes Haus mit scheinbar willkürlich gewählten Gegenständen. Sein *MERZ-Museum* ist inzwischen zerstört.

Der Dada hatte mit seiner radikalen Ablehnung jedes Sinns in der Kunst das Verhältnis von Kunst und Wirklichkeit freigelegt. Ohne den eigenen negativen Ausgangspunkt zu verleugnen, konnte er sich jedoch nicht weiter fortentwickeln und verlor mit der Zeit seine Frische. Von den Pariser Dadaisten gingen viele zum Surrealismus über. Dasselbe tat der Kölner Maler Max Ernst (1891-1976).

In Berlin, wo 1920 eine Dada-Messe stattfand, hatte die antibürgerliche Stoßrichtung des Dada eine deutlichere politische Note. Die Parteilichkeit gab der Kunst allerdings wieder einen Sinn, wodurch sie aufhörte, Dada zu sein. Einer der wichtigsten Vertreter des Berliner Dada war der Maler und Zeichner George Grosz, der während des ganzen Jahrzehnts als Illustrator für den linken Malik-Verlag und als Bühnenbildner tätig war. In seinen schonungslosen, karikaturhaften Darstellungen ähneln Kapitalisten und Militaristen mehr Schweinen als Menschen.

Während Dada bemüht war, den bürgerlichen Kulturbegriff zu erschüttern, gab es auf dem Theater Anstrengungen, proletarische Kultur zu schaffen. Es reichte nicht mehr, wenn im Rahmen der Arbeiterbildung Amateurbühnen unterstützt wurden, auf denen die bürgerlichen Klassiker aufgeführt wurden. Man wollte neue Inhalte, von denen die Arbeiter betroffen waren, künstlerisch umsetzen. So entstanden aus der Zusammenarbeit von Berufsschauspielern und Arbeitern Stücke für Sprechchor, die sich im Ausklang des Expressionismus einer kurzen Beliebtheit erfreuten. In vielen Städten wurden unter professioneller Leitung neue ,Proletarische Theater' gegründet. Der berühmteste Versuch in dieser Richtung war Erwin Piscators (1893-1966) proletarisches Theater in Berlin. Piscator versuchte mit modernster Technik, ein völlig neues Theatererlebnis zu schaffen, das den kollektiven Charakter des Theaters betonte und das Publikum aktiver einbezog.

---

[27] Karin Thomas: DuMont's kleines Sachwörterbuch zur Kunst des 20. Jahrhunderts. Von Anti-Kunst bis Zero. Köln 1973, S. 72.

Das Berlin der ‚Goldenen Zwanziger'

Die von Nietzsche Jahrzehnte früher angekündigte ‚Umwertung aller Werte' trat mit der Inflation im Winter 1923 in einem unerwartet konkreten Sinne ein. Immer mehr Geldscheine mit immer höheren Nennwerten wurden gedruckt. Gehälter wurden mit Koffern voll Scheinen ausgezahlt. Im Januar 1923 kostete ein US$ 20 000 Mark, im November 4200 Milliarden.[28] In raschem Tempo gingen alte Vermögen verloren, und neue wurden gemacht. Die Inflation öffnete jeder Art von Spekulation und Gaunertum Tür und Tor, während traditionelle Tugenden wie Fleiß und Sparsamkeit für den ehrlichen Bürger katastrophale Folgen haben konnten.

Einen dauerhaften Schaden von der Inflation erlitt vor allem das Kleinbürgertum, dessen Ersparnisse wertlos wurden. In dieser Gesellschaftsschicht wuchs das Ressentiment gegen den demokratischen Staat; von dort bekam die Rechte bei der nächsten großen Wirtschaftskrise ihren größten Zulauf.

Das Fehlen einer greifbaren Zukunftsperspektive wurde von manchen mit Sorglosigkeit überspielt. Der Umsatz der Cafés, Bars und Unterhaltungsstätten stieg gerade in den Inflationsmonaten steil an, denn es lohnte sich, das Geld möglichst schnell auszugeben, solange man noch etwas dafür bekam. Die Folge war eine weitverbreitete Mischung aus Nihilismus und Euphorie.

Die Euphorie überdauerte die Inflation, die mit der Einführung einer neuen Währung, der ‚Rentenmark', aufhörte. Was nun zwischen 1923 und 1929 folgte, war eine Periode wirtschaftlichen Aufschwungs und relativer politischer Stabilität. In der Politik ragt der Name Gustav Stresemann (1878-1929) hervor, der mit Mut und Mäßigung die schlimmsten Konfliktstoffe, wie die Frage der Reparationszahlungen, für einige Jahre entschärfte. Die Löhne stiegen, und man konnte sich den Genüssen der modernen Konsumgesellschaft widmen.

Von der Euphorie war insbesondere die Hauptstadt Berlin ergriffen. Ein Jahrzehnt lang war Berlin wirklich Weltstadt. Zum ersten Mal in der Geschichte hatte Deutschland eine richtige Hauptstadt, die Künstler und Schriftsteller aus allen Regionen, sogar aus dem Ausland, anzog. Was neu war, hatte in dieser jungen Weltstadt Konjunktur. Moderne Kunst, moderne Musik, modernes Theater, vor allem aber ganz allgemein modernes Leben gediehen hier. Und modernes Leben bedeutete vor allem Tempo. Das Zauberwort dafür hieß ‚Amerika'. Man kannte Amerika nun aus Filmen, und es war vor allem das städtische Amerika mit der Hochhaus-

---

[28] Vgl. Hermann Kellenbenz: Deutsche Wirtschaftsgeschichte. Bd.II. Vom Ausgang des 18. Jahrhunderts bis zum Ende des zweiten Weltkrieges. München 1981, S. 360.

Szenenfoto aus „Metropolis"

landschaft New Yorks und der Filmstadt Los Angeles, das Eindruck machte. Vom Mythos Amerika, wo alles schnell ging, waren auch linke Intellektuelle angesteckt. Eine Zeitlang machte Henry Ford dem Genossen Lenin Konkurrenz. Angeregt von New York drehte Fritz Lang 1926 den Film *Metropolis* mit der Zukunftsvision einer Großstadt, die alles Vorhandene in den Schatten stellte.

Indessen wurde Berlin selbst von Tag zu Tag mehr zur Metropolis. Als wäre der brodelnde Verkehr der Großstadt nicht genug, wurde in Berlin die AVUS, eine Autoversuchs- und Rennstrecke gebaut. Das ‚Sechs-Tage-Rennen', eine Radrennveranstaltung, wurde zum alljährlichen Großereignis. Überhaupt hatte der Sport Zulauf. Es galt als schick, den eigenen Körper sportlich zu trainieren und zur Schau zu stellen. Gleichzeitig wurde der Sport zur Massenunterhaltung.

In Berlin war alles möglich. Ein charakteristisches Epochenbild lieferte der englische Schriftsteller Christopher Isherwood in seinen Romanen *Mr Norris changes trains* und *Goodbye to Berlin*, die als *Cabaret* erfolgreich verfilmt wurden. Das Nachtleben der Zeit ist berühmt und verrufen. Die Auflockerung der sexuellen Moralvorstellungen wurde hier früh sichtbar; vielleicht übertrieben sichtbar, denn das, was vom sündigen Nachtleben der Hauptstadt erzählt wurde, entsprach natürlich nicht dem typischen Verhalten ihrer Einwohner.

Im Kabarett wurde eine Kulturform gepflegt, die nicht Ewigkeit, sondern Aktualität anstrebte. Mit den Mitteln des Chansons und des Couplets wurde der Zeitgeist in Kleinformat erfaßt. Besonders bekannt wurde das von Max Reinhardt (1873-1943) gegründete politische Kabarett *Schall und Rauch*, an dem der Satiriker Kurt Tucholsky (1890-1935) mitwirkte. Humor auf Kosten falscher Ideale, wie er von Tucholsky oder Erich Kästner (1899-1974) vertreten wurde, hatte in den zwanziger Jahren Konjunktur. Andererseits forderte dieser Humor oft maßlos haßerfüllte Reaktionen heraus. Außerhalb des Kabaretts lieferten Zeitschriften wie die von Carl von Ossietzky (1889-1938) herausgegebene *Weltbühne* oder die österreichische *Fackel* des Karl Kraus ein Forum für Kritik und Satire. Ossietzkys Schicksal – er starb an den Folgen von Mißhandlung im Konzentrationslager – zeigt, wie dünn der demokratische Boden der deutschen Gesellschaft war. Das Berlin der zwanziger Jahre wurde zum Inbegriff von allem, was den konservativen und faschistischen Gegnern der Weimarer Republik verhaßt war. Das moderne Leben dieser Stadt stellte in ihren Augen den moralischen Verfall dar.

Neue Sachlichkeit

‚Neue Sachlichkeit‘ bezeichnet eine neue Einstellung zur modernen Welt, die besonders stark in der Malerei wirksam war, wo nun Gegenstände des städtischen und industriellen Lebens dargestellt wurden. Der Begriff Sachlichkeit ist dabei zweideutig. Zum einen ist die Gegenständlichkeit gemeint. Obwohl sie aus ihr lernten, lehnten die Vertreter der Neuen Sachlichkeit die abstrakte Malerei ab. Ihre eigene Malerei war das Gegenteil von abstrakt. Sie betonte geradezu das Gegenständliche. Zum anderen bezeichnet der Begriff den sachlichen, d.h. objektiven Blick, der in den Bildern zutage tritt. Die Realität wurde nicht verschönert oder mit Gefühlen versehen, sondern generell kühl und distanziert dargestellt.

Die Neue Sachlichkeit war auch politisch, gewollt oder ungewollt. Mit größtem Zynismus waren dieselben Kräfte in der Wirtschaft und im Militär, die den Ersten Weltkrieg herbeigeführt hatten, nun dabei, die Demokratie zu sabotieren. Ihre große kulturelle Stütze war weiterhin ein Bildungsbürgertum, das einer idealistischen Ästhetik anhing, die die Widerlichkeiten der Wirklichkeit auf der höheren Ebene der Kunst harmonisierte. So war jeder echte Realismus in gewissem Sinne eine politische Stellungnahme für die Demokratie. Je mehr sich die Kunst von der Sentimentalität befreite, desto politischer war sie. Die Möglichkeiten der sachlichen Malweise, den politischen Blick zu schärfen, wurden von George Grosz bewußt eingesetzt. Mit Unerbittlichkeit malte er die Welt der zurückgekehrten Kriegs-

Schwere Zeiten,
Zeichnung von George Grosz

invaliden und der Prostituierten und ihrer Ausbeuter. Dasselbe Milieu stellt auch Otto Dix (1896-1969) dar.

Doch hatten die meisten Vertreter der Neuen Sachlichkeit keine ausdrückliche politische Absicht mit ihrer Kunst. Sie nahmen die Isolation des modernen Menschen in der Industriegesellschaft wahr und zeigten sie als ästhetisches Phänomen in ihren Bildern. Isolierte Gestalten auf überscharf perspektivisch gemalten Fabrikgeländen und seelenlose menschliche Figuren neben detailliert gemalten Maschinen sind typische Motive dieser Malerei.

Ansätze einer neuen Sachlichkeit sind auch in der Literatur der Zeit zu finden, etwa bei Tucholsky oder Kästner. Erich Kästners Gedichte sind kleine, humorvolle Texte, die in alltäglicher Sprache von alltäglichen Dingen handeln. In seinem Roman *Fabian* zeigt sich Kästner als Moralist, der, ohne vom leichten Tonfall abzurücken, den menschlich hohlen Charakter der modernen Gesellschaft bloßlegt. Kästner ist vor allem als Kinderbuchautor heute noch beliebt. Mit Büchern wie *Emil und die Detektive* oder *Pünktchen und Anton* gewann er das Großstadtmilieu für die Kinderliteratur.

Der deutsche Film

Die Anfänge des deutschen Films waren von einer gewissen Zurückhaltung gegenüber dem neuen Medium geprägt. Die Theater versuchten, sich die Konkurrenz des Kinos zunächst dadurch vom Leibe zu halten, daß sie sich selber am Film beteiligten. Das Ergebnis war verfilmtes Theater, das wegen des fehlenden Tons noch recht steif wirkte und verglichen mit der ausländischen, vor allem amerikanischen Konkurrenz, schlecht abschnitt.

Die Situation änderte sich im Ersten Weltkrieg, als die Konkurrenz wegfiel und die Möglichkeiten der Kamera aus dem Bedürfnis nach effektiver Propaganda genauer erforscht wurden. Dabei entstand durch Zusammenschluß mehrerer Studios in der Ufa ein finanzkräftiger Konzern, aus dem nach dem Krieg eine Reihe von international annerkannten Filmen hervorging. Zwar hatte die deutsche Filmindustrie keinen Charlie Chaplin oder Buster Keaton zu bieten, dafür aber Filme von einer erstaunlichen Spannung und psychologischen Tiefe. Literarische Traditionen der Romantik und des Expressionismus spielten zusammen bei der Entstehung solcher Filme wie Robert Wienes (1881-1938) *Kabinett des Dr. Caligari* (1920), F.W. Murnaus (1889-1931) Drakula-Geschichte *Nosferatu* (1922) oder Fritz Langs (1890-1976) *Dr. Mabuse, der Spieler* (1922). Es waren Gruselfilme, die trotz ihrer realitätsfernen Handlung auch eine nachdenkliche Ebene hatten. Sie waren Studien über die Ausübung und den Mißbrauch von Macht. Herrschaftsmythos spielte auch eine wichtige Rolle in Fritz Langs *Nibelungen*-Verfilmung (1924).

Im weiteren Verlauf der zwanziger Jahre wurde die Monopolstellung der Ufa zunehmend zum Hemmschuh für den deutschen Film. Wirtschaftliche Schwierigkeiten zwangen den Konzern zunächst zur engeren Zusammenarbeit mit Hollywood und zu einer Übernahme des realitätsfernen Hollywoodschen Filmkonzepts mit seinem obligatorischen ‚happy end'. 1927 wurde die Ufa vom reaktionären Pressekonzern Alfred Hugenbergs (1865-1951) übernommen. Realismus war nun in der Ufa nicht mehr gefragt. Einige Höhepunkte gab es noch, etwa in Filmen G. W. Pabsts (1885-1967). Zusammen mit einer einseitigen Zensur sorgte die Ufa für ein flaches, wenn auch noch nicht ausschließlich reaktionäres Angebot in den deutschen Kinos. In zahlreichen Heimatfilmen wurde die latente Nostalgie des Publikums nach der heilen Welt der Agrargesellschaft genährt. Eine Gattung, die große Beliebtheit genoß, war der ‚Berg-Film', der den Menschen in den harten Lebensbedingungen des Hochgebirges zeigt.

Eine unkritische Darstellung einer Führergestalt war von der Ufa schon 1922 mit dem Film *Fridericus Rex* gedreht worden. Der Film wurde zum Vorläufer einer sehr populären Reihe von Historienfilmen über den preußischen König Friedrich II. Die Wirkung solcher monarchistischer Filme war für die demokratische Entwicklung der jungen Demokratie durchaus ungünstig und gar nicht zu vergleichen mit der Harmlosigkeit der großen Historienfilme aus Hollywood, die den felsenfesten Republikanismus des amerikanischen Publikums kaum erschüttern konnten.

Interessante Filme wurden fast nur noch außerhalb der Ufa gedreht. Ganz im Sinne der neuen Sachlichkeit waren Filme wie Walter Ruttmanns *Sinfonie einer Großstadt* (1927), eine Zusammensetzung von Alltagsszenen aus dem Großstadtleben. Der Anbruch des Tonfilmzeitalters fällt mehr oder weniger mit dem Untergang der Weimarer Republik zusammen. G.W. Pabst drehte den pazifistischen Film *Westfront 1918*, als zu einem solchen Thema schon viel Mut gehörte. Die Vorführungen

173

der gleichzeitig entstandenen Hollywood-Verfilmung von Erich-Maria Remarques *Im Westen nichts Neues* wurden von Faschisten solange gestört, bis der Film vom Programm abgesetzt wurde.

Zu den frühen Erfolgen des Tonfilms gehört Sternbergs *Der blaue Engel* (1930) nach Heinrich Manns kritischem Roman *Professor Unrat*, der Film, der die Schauspielerin Marlene Dietrich berühmt machte.

Der Film war schon in den zwanziger Jahren das Medium mit dem breitesten Wirkungskreis. Er war zugleich das Medium, das am stärksten vom wirtschaftlichen Druck und von den Monopolisierungstendenzen des hochentwickelten Kapitalismus betroffen war. Dieser Druck hinderte die Entfaltung der demokratischen Möglichkeiten des Films, der in seiner sozialen Aussage weit hinter dem Theater zurückblieb. Andererseits war der deutsche Film in diesen Jahren von einer ungewöhnlich hohen technischen Qualität. Die Experimentierfreudigkeit der Filmregisseure steckte auch das Theater und den Roman an.

Das Theater

Beim Theater setzte nach dem Eifer der ersten Jahre der jungen Republik die Erkenntnis ein, daß die großen Massen von der szenischen Darstellung ihrer eigenen Situation nicht so zu begeistern waren wie zunächst erhofft. Flotte Revuen mit hübschen Mädchen kamen besser an. Von den Kasseneinnahmen revolutionärer Stücke allein konnte das Theater nicht leben. Piscators *Proletarisches Theater* schloß 1921. Dennoch bot die Weimarer Republik weiterhin ein beispielloses Experimentierfeld für das Theater. Das lag vor allem an der großen Zahl der Bühnen. Kommerzielles Theater und staatlich unterstützte Bühnen ergänzten sich. Hinzu kamen die Arbeiter- und Volksbühnen, die aus der Kulturarbeit der SPD vor dem Ersten Weltkrieg hervorgingen. Die prominenteste war die Volksbühne in Berlin, wo Piscator zwischen 1924 und 1927 tätig war. In der Provinz überwogen die städtischen Bühnen und Landestheater, wobei der Lokalstolz zu einem fruchtbaren Wettbewerb führte. So bildeten zum Beispiel die Bühnen des Ruhrgebiets eine ernstzunehmende Theaterlandschaft. Solche Bühnen konnten es wagen, die eine oder andere Inszenierung, die nicht unbedingt von vornherein ein Kassenerfolg zu werden versprach, in das gemischte Repertoire aufzunehmen.

Politische Aufklärung und eine konstruktive Reaktion auf die Herausforderung durch neue Medien gingen weiterhin Hand in Hand. Max Reinhardt am großen Schauspielhaus Berlin und Erwin Piscator experimentierten mit neuen Formen der Inszenierung. Als Bühnenbildner machten George Grosz und John Heartfield

(1891-1968), der Erfinder der sozialkritischen Fotomontage, mit den hübschen Illusionen auf der Bühne Schluß. Piscator setzte häufig den Film als Vermittler des Dramenhintergrunds oder als dokumentarische Ergänzung zur Handlung ein. Die allgemeine Faszination der Technik machte vor dem Theater nicht halt. Drehbühnen und andere Apparaturen wurden ausprobiert. Zugleich wurde das Theatergeschehen entmystifiziert. Die Welt der Bühne und die des Zuschauerraums sollten einander näher gebracht werden. Im sogenannten Zeitstück sollte das Publikum eine Diskussionsvorlage erhalten und nicht, wie im traditionellen naturalistischen Theater, abgeschlossene und abgekapselte Vorgänge vorgesetzt bekommen. Die Auflockerung der Handlung durch Tanz und Lieder erwies sich als sehr attraktiv und vermittelte das Tempo der Zeit. Die Innovationen, die bei den sogenannten Zeitstücken ausprobiert wurden, steckten allmählich auch Aufführungen traditionellerer Stücke an. Überhaupt waren die zwanziger Jahre eher eine Zeit der großen Inszenierungen als der großen Dramen.

Nach 1927 mietete Piscator ein eigenes Theater, wo er an seinem Theaterkonzept weiterarbeiten konnte. Zu seinen Mitarbeitern zählte Bertolt Brecht (1898-1956). In Brecht hatte das neue Theater einen Dramatiker, der Texte von hervorragender Qualität lieferte. Brecht entwickelte auch nach der Zusammenarbeit mit Piscator die neue Dramaturgie weiter und entwarf schließlich das systematische Konzept des ‚Epischen Theaters'. Mit seiner *Dreigroschenoper* nach einer englischen Vorlage aus dem 18. Jahrhundert, zu der Kurt Weill (1900-50) die Musik schrieb, erzielte Brecht den Theatererfolg der Epoche. Das Stück traf genau den leichten Ton, den das Berliner Publikum haben wollte, ohne dafür seine Gesellschaftskritik einzubüßen, und die Songs wurden zu Dauerschlagern. Die im Bettler- und Prostituiertenmilieu spielende Gaunergeschichte endet mit der großen Versöhnung zwischen dem Staat und dem Verbrechen. Entschieden schärfer im Ton ist das gleichzeitig entstandene Singspiel *Mahagonny*, das später in ein abendfüllendes Theaterstück erweitert wurde.

Bertolt Brecht

Moderne Musik

Dieselben Rahmenbedingungen, die dem Theaterleben zur Blüte verhalfen, begünstigten auch die moderne und experimentelle Musik. Es gab genug Konzertgelegenheiten, um ein vielseitiges Musikangebot zu ermöglichen. Deutsche Aufführungen waren wichtige Etappen für Komponisten wie Strawinski, Schostakowitsch, Bartók und Janacek. Arnold Schönberg lebte in den zwanziger Jahren in Berlin, wo auch Paul Hindemith (1895-1963) tätig war. Alban Bergs expressionistische Oper *Wozzeck* (nach dem Drama von Georg Büchner) wurde in Berlin uraufgeführt und gilt zusammen mit seiner *Lulu* nach Frank Wedekinds Theaterstück *Erdgeist* als öffentlicher Durchbruch moderner, atonaler Opernmusik.

Zur Förderung moderner Musik wurden Festspiele eingerichtet, zunächst im schwäbischen Donaueschingen und dann in Baden-Baden. In Berlin bot die staatlich unterstützte ‚Kroll-Oper‘ eine Bühne für moderne und auch zeitkritische Werke. Die ‚Kroll-Oper‘ war eine Musikeinrichtung der Volksbühne, die als Alternative zur ‚Staatsoper‘ gedacht war. Viele Komponisten teilten die politische und ästhetische Aufgeschlossenheit ihrer Theaterkollegen. Hanns Eisler (1898-1962), ein Schönberg-Schüler und späterer Mitarbeiter Brechts, lehnte die bürgerliche Musikkultur rundweg ab und bemühte sich, unter anderem als Korrespondent des KPD-Organs *Rote Fahne*, um eine breitere Klassenbasis für die Musik. Ernst Krenek (1900-91) und Paul Hindemith führten Jazzelemente in ihre Musik ein. Opern wie Hindemiths *Neues vom Tage* verstießen gegen traditionelle Vorstellungen von Opernthemen. Bert Brecht und Kurt Weill entfernten sich in ihrer Zusammenarbeit noch mehr von traditionellen Opernbegriffen. In den letzten Jahren der Republik arbeiteten Brecht und Weill bzw. Brecht und Hindemith an verschiedenen sogenannten Lehrstücken, die, als eine Art Schulmusik gedacht, die Musikerziehung mit einer sozialen Lehre verbanden.

Das Bauhaus

Sichtbare Erfolge erzielte die Demokratie der zwanziger Jahre im Bereich der Stadtplanung und des Wohnungsbaus. Freundliche, luftige Wohnsiedlungen wurden in vielen Großstädten gebaut. Neue Parkanlagen wurden angelegt und ältere erweitert. In Wien, das seit dem Ersten Weltkrieg von Sozialdemokraten regiert wurde und eine vorbildliche Sozialpolitik betrieb, entstanden riesige Anlagen wie der *Karl-Marx-Hof*. Dieser kilometerlange Bau, der mit seinen vielen Torbögen eine gewisse entfernte Ähnlichkeit mit einer Festung besaß, wurde tatsächlich für die Einwohner zu einer Festung, als er im Jahr 1934 von Faschisten belagert wurde.

Mit dem sozialen Wohnungsbau beschäftigten sich namhafte Architekten. In Stuttgart entstand die hochmoderne *Weißenhof-Siedlung*, wo verschiedene international bekannte Architekten wie Gropius und le Corbusier ihre Vorstellungen verwirklichen durften. Hinter solchen Projekten, die in bescheidenerem Umfang in vielen deutschen Städten wiederholt wurden, stand der vor dem Ersten Weltkrieg entstandene ‚Werkbund'.

Die Ideen des Werkbundes wurden am vollständigsten vom ‚Bauhaus', einer kleinen aber sehr einflußreichen Schule für Gestaltung, vertreten. Das Bauhaus entstand 1919 in Weimar durch den Zusammenschluß einer Kunstgewerbeschule mit einer Hochschule für bildende Kunst. Die Aufhebung des Gegensatzes zwischen der ‚reinen' und der angewandten Kunst war ein wesentlicher Bestandteil seines Programms. Das

Treppenszene,
Gemälde von Oskar Schlemmer

Bauhaus setzte sich zum Ziel, neue Formen in Architektur und Gestaltung zu entwickeln, die schön, aber nicht traditionsgebunden sind, und die sich durch industrielle Produktion billig herstellen lassen.

Zu den Lehrern am Bauhaus zählten nicht nur wichtige Architekten wie Walter Gropius (1883-1969) und L. Mies van der Rohe (1886-1969), sondern auch Künstler. Außer Kandinsky und Klee waren dort Maler wie Oskar Schlemmer (1888-1943) und Lyonel Feininger (1871-1956) tätig, einer der konsequentesten Vertreter der kubistischen Malerei.

Mit seinem demokratischen Ziel, schöne Formen allen zugänglich zu machen, war das Bauhaus politisch unbeliebt. 1924 mußte es nach einem regionalen Rechtsputsch Weimar verlassen und wurde im folgenden Jahr in Dessau neu eröffnet, in einem frühen funktionalistischen Bau aus Glas und Stahl von Walter Gropius. 1932 war die Schule erneut aus politischen Gründen gezwungen umzuziehen, diesmal nach Berlin, wo sie im folgenden Jahr nach der faschistischen Machtergreifung endgültig geschlossen wurde.

Vom Bauhaus wurden verschiedene schlichte Möbelstücke entworfen, die allerdings erst viel später in industrielle Massenproduktion gingen. Paradoxerweise gelangten diese Formen während der Existenz der Schule aufgrund ihrer hohen Preise als Einzelstücke nur in die Wohnungen der Reichen.

Nach 1933 emigrierte der größte Teil der Bauhaus-Lehrer. Mit ihnen wanderte auch der Stil ins Ausland, vor allem nach Amerika, von wo aus er nach dem zweiten Weltkrieg als Teil der internationalen Moderne nach Deutschland reimportiert wurde.

Die verstärkte Politisierung der Kultur in den letzten Jahren der Republik

Gegen Ende der zwanziger Jahre wurde es allen Beteiligten der Avantgarde klar, daß ihr Engagement die Massen nicht im erhofften Umfang erreichte. Das Theater und erst recht das Zeittheater konnten nicht mit dem Sport konkurrieren, die engagierte Literatur nicht mit den Erzeugnissen der Massenpresse. Der reaktionäre Hugenberg-Konzern beeinflußte die öffentliche Meinungsbildung durch seinen großen Anteil an der Tagespresse sowie durch die billige Trivialliteratur seines Scherl-Verlags.

Mit Unterstützung der SPD und vor allem der KPD wurde daher versucht, eine größere proletarische Öffentlichkeit zu erreichen oder zu bilden. Eine Maßnahme war die Bildung von Buchclubs, wie die von der Buchdruckergewerkschaft gegründete ‚Büchergilde Gutenberg‘. Vom linken Malik-Verlag wurde eine ‚Rote-Eine-Mark-Reihe‘ eingeführt, die Arbeitern eine Alternative zu den Groschenromanen der großen Verlage bieten sollte. Diese Reihe bot auch proletarischen Schriftstellern einen Zugang zur Öffentlichkeit. Angestrebt wurde nicht mehr nur die passive Beteiligung der Arbeiter am Kulturleben. So entstand in diesen Jahren eine echte, wenn auch noch bescheidene Arbeiterliteratur. Einige Vertreter dieser Literatur wie etwa Willi Bredel (1901-1964) wurden auf Dauer zu Berufsschriftstellern. Viele kamen aus der Arbeiterkorrespondenten-Bewegung, durch welche die KPD Arbeitern die Möglichkeit bot, Berichte aus ihren Betrieben in den Parteizeitungen zu veröffentlichen. Die Bevorzugung dokumentarischer Mittel kennzeichnet auch die fiktiven Werke der Arbeiterliteratur. Politisch aufklärerische Dokumentation prägte die Arbeiter-Illustrierte-Zeitung, an der u.a. John Heartfield als Fotojournalist mitwirkte und die als Alternative zu den inzwischen sehr beliebten illustrierten Wochenschriften mit ihren Bildern von Königshäusern und Prominenten erschien.

Die Weltwirtschaftskrise von 1929 setzte den Jahren des wirtschaftlichen Aufschwungs abrupt ein Ende und verschärfte erneut das politische Klima im Lande. Inzwischen hatte ein Richtungswechsel in der KPD stattgefunden. Die Partei hatte die Illusion, daß Deutschland bald reif für die große proletarische Revolution sei, und wollte sich ihre Führungsrolle in der revolutionären Bewegung rechtzeitig sichern. Deswegen richtete sie ihre politischen Angriffe immer mehr gegen die SPD, statt die wachsende Gefahr des Faschismus gebührend ernst zu nehmen. In der Kulturpolitik orientierte sie sich weiterhin an der sowjetischen KPdSU, die nun Stalin fest im Griff hatte.

In der Sowjetunion wurde in den letzten Jahren des Jahrzehnts unter dem Druck der forcierten Industrialisierung die sowjetische revolutionäre Avantgarde aufgelöst. Lenins aufgeschlossener Kulturkommissar Lunatscharski trat 1929 zurück. Der futuristische Dichter Majakovski beging im folgenden Jahr Selbstmord. An die Stelle dieser vermeintlichen ‚bourgeoisen Avantgarde' traten neue, der Parteidisziplin zugängliche Kulturorganisationen. In Deutschland ging die Partei ebenfalls auf Distanz zur Avantgarde. In parteinahen Kulturzeitschriften wurden Debatten geführt, die immer mehr auf die Bevorzugung eines traditionalistischen, angeblich allgemein verständlichen Stils hinausliefen. Was später als Doktrin des ‚sozialistischen Realismus' bekannt wurde, hatte hier seinen Ursprung. Somit gerieten die Vertreter der Avantgarde, den Rechten ohnehin ein rotes Tuch, nun auch innerhalb der linken Bewegung in zunehmende Isolation.

Der Elfenbeinturm

Eine Darstellung der Kultur der Weimarer Republik wäre nicht vollständig, ohne die Bereiche zu erwähnen, die – scheinbar unberührt von den politischen Verhältnissen und Möglichkeiten der Republik – bewährte bürgerliche Traditionen fortsetzten. Dazu gehört vor allem die Wissenschaft.

Der akademische Diskurs der zwanziger Jahre hatte zum Teil wenig oder gar nichts mit den Ereignissen auf den Straßen, in den Fabriken oder im Parlament zu tun. Man las Nietzsche und sprach über die Notwendigkeit von Mythen. Der Dichter Stefan George (1868-1933) sammelte einen Kreis von Intellektuellen um sich, um eine bewußt elitäre Kultur zu pflegen. Thomas Mann schrieb den Roman *Der Zauberberg* (erschienen 1924), in dem über sechshundert Seiten hinweg die Insassen eines Schweizer Sanatoriums geistreiche Gespräche führen. Und doch ist der Roman realitätsbewußt und erfaßt historisch wirksame ideologische Phänomene. Tatsächlich endet *Der Zauberberg* mit dem katastrophalen Vormarsch der Geschichte im Ersten Weltkrieg, der auch vor der idyllischen Romanwelt des Sanatoriums nicht haltmacht. Während in der Kunst und am Theater ein Angriff auf die Traditionen des Idealismus stattfand, wurde an den philosophischen Fakultäten im Neu-Kantianismus und in der Phänomenologie weiter an idealistischen Modellen gearbeitet. Das Problem des Verhältnisses von Realität und Bewußtsein galt als immer noch nicht befriedigend gelöst. Die neuesten Erkenntnisse der Physik wie etwa Einsteins Relativitätstheorie waren dazu angetan, den Begriff der objektiven Wirklichkeit fragwürdig zu machen. Die Rückwirkung solcher philosophischer Fragestellungen etwa auf die Literatur sind nicht zu unterschätzen. Von besonderer Bedeutung sind die von Edmund Husserl (1859-1938) gegründete Phänomenologie und die Existenzphilosophie Martin Heideggers (1889-1976), dessen frühes Hauptwerk *Sein und Zeit* 1927 erschien.

Eine kleine, unscheinbare Ausnahme in der wissenschaftlichen Diskussion der zwanziger Jahre machte das in Frankfurt am Main gegründete Institut für Sozialforschung, das später als ‚Frankfurter Schule' berühmt wurde. Zu seinen ersten wichtigen Mitgliedern zählen der Philosoph Max Horkheimer und der Philosoph und Komponist Theodor W. Adorno (1903-69). Das Institut versuchte einen theoretischen Rahmen zu entwickeln, der die Phänomene der Kultur erklären kann, ohne dabei die realen gesellschaftlichen Bedingungen aus den Augen zu verlieren. Nach der nationalsozialistischen Machtergreifung mußte auch dieses Institut seine Aktivität in die USA verlegen.

Für große Teile des gebildeten Bürgertums ging aber die Demokratie in Deutschland zu Ende, bevor sie ihre Möglichkeiten überhaupt wahrnahmen. Erst die erneute Abwesenheit der Demokratie machte vielen ihre Bedeutung klar.

13 *Der Faschismus*

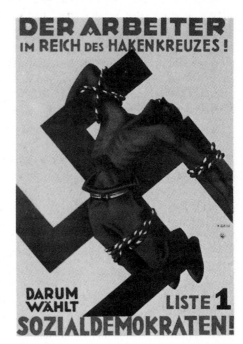

Wahlplakate

Wegbereiter. Die ‚konservative Revolution'

Die nationalsozialistische Machtergreifung 1933 wurde vor allem durch die finanzielle Unterstützung großer Industriekonzerne, das Vertrauen einflußreicher Kreise in Militär und Verwaltung sowie eine breite, vorwiegend kleinbürgerliche Basis in der Wählerschaft ermöglicht. Selbstverständlich hätte diese Konstellation nicht entstehen können, wenn die Nazis mit völlig neuen Ideen angetreten wären. Alle Bestandteile der Nazi-Ideologie, der rassistisch durchzogene Nationalismus, der Führerkult, der mythisch gestützte Irrationalismus sowie die Verherrlichung der Gewalt hatten eine Tradition, die viel älter war als die nationalsozialistische Partei. Zu den Bedingungen, die eine gesunde Entwicklung der Demokratie in den zwanziger Jahren erschwerten, gehört die Tatsache, daß die Republik ihre Beamtenschaft vom alten Kaiserreich übernommen hatte. Der preußisch-monarchische Geist war somit noch in der Verwaltung, der Justiz und der Lehrerschaft vertreten. Die Ideologie, mit der der erste Weltkrieg geführt worden war, beherrschte weiterhin das Weltbild dieser Leute. Die offensichtlichen politischen Mißerfolge der republikanischen Regierungen waren nicht dazu angetan, daran etwas zu ändern. So erklärt sich zum Beispiel die Parteilichkeit der Richter in politischen Prozessen. Bei den vielen Aufständen und Putschversuchen der ersten Jahre der Republik kamen rechte Putschisten häufig mit glimpflichen Urteilen davon. Das Urteil gegen den General Ludendorff und Adolf Hitler nach ihrem Putschversuch in München 1923 ist ein gutes Beispiel dafür. Hitlers anschließende Festungshaft reichte gerade dazu aus, ihm die Niederschrift seiner Programmschrift *Mein Kampf* zu ermöglichen. Noch gefährlicher als diese sogenannte ‚Klassenjustiz‘ war die antidemokratische Gesinnung eines großen Teils der Lehrerschaft. Die alten nationalistischen und militaristischen Werte wurden an die jüngere Generation weitergegeben, während die Erziehung zu einem selbstverständlichen staatsbürgerlichen Umgang mit der Demokratie weitgehend ausblieb.

Dieselbe undemokratische Einstellung wurde auch in der Presse kritiklos verbreitet, vor allem vom großen Hugenberg-Konzern. Hugenbergs Zeitungen förderten eine negative Einstellung zur Demokratie und standen einer Normalisierung der Beziehungen zum westlichen Ausland im Wege. Dieselbe Tendenz war vielfach in der billigen Massenliteratur zu finden, die Hugenbergs Scherl-Verlag verbreitete. In zahlreichen Kriegsgeschichten wurde der Weltkrieg in der Phantasie fortgesetzt und die Gewalt verherrlicht. Aber nicht nur der Kriegsroman, sondern auch scheinbar harmlosere Gattungen der Trivialliteratur und des Films trugen zur Wegbereitung des Faschismus bei. Heimatromane und die sehr beliebten ‚Berg-Filme‘ bereiteten durch ihre naive Gegenüberstellung von heiler Welt auf dem Lande und verbrecherischem Milieu der Großstadt die ‚Blut-und-Boden‘-Ideologie der Nazis vor.

Wegbereiter des Faschismus waren jedoch keineswegs nur in der Massenkultur zu finden. Vieles, was dort Verbreitung fand, war Ausdruck von Gedanken, die an den Universitäten oder in konservativen Theoriezeitschriften wie *Die Tat* im Umlauf waren. In Romanen wie Ernst Jüngers *In Stahlgewittern* wurde der erste Weltkrieg als elementares Erlebnis gefeiert. Dabei wurde die Gewalt in literarischer Form genauso verherrlicht wie im Schund der Groschenromane.

Von einer ‚konservativen Revolution‘ war viel die Rede. Darunter sind verschiedene Ideen zusammenzufassen, die alle eine Abkehr vom vorhandenen Zustand der Zivilisation zum Ziel hatten. Ja, das Wort Zivilisation selbst war den rechten Krei-

sen anrüchig. Der ‚Kultur'-Begriff, der statt dessen bevorzugt wurde, war im Mythos verwurzelt und implizierte Irrationalismus und organisches Wachstum.
Der Einfluß Nietzsches war nach dem ersten Weltkrieg auch in konservativen Kreisen gewachsen, wo sein Irrationalismus bewundert wurde. Mit Nietzsche lehnten
die konservativen Denker den Pragmatismus der Aufklärung ab, der die Entwicklung der modernen kapitalistischen Gesellschaft ermöglicht hatte. Anstelle von gesellschaftlichen Zusammenhängen wurden mythische Kräfte gesucht, wobei die
Besonderheit des deutschen Volks immer wieder betont wurde. Das Volk sei als
organische, rassische Gemeinschaft aufzufassen, und nicht wie im Marxismus als
Gesellschaft mit divergierenden Klasseninteressen. Die völkische Identität sei am
ehesten in einer Agrargesellschaft zu pflegen. Aus der Vorstellung vom Volk als
Organismus folgte häufig der antidemokratische Gedanke, daß diesem Organismus
ein ‚Kopf' in Gestalt eines starken Führers aufgesetzt werden sollte.
Großen Eindruck machte Oswald Spengler (1880-1936) mit seinem 1923 erschienenen kulturtheoretischen Werk *Der Untergang des Abendlandes*. Spengler ver-
stand historische Kulturen als organische Erscheinungen mit verschiedenen
Lebensaltern. Eine solche Verlagerung gesellschaftlicher Erscheinungen ins Biolo-
gische war typisch für die rechte Darwinismus-Rezeption und begünstigte den
Rassismus. Die Idee des Überlebenskampfes der Arten wurde ebenfalls auf die
menschliche Gesellschaft übertragen, wo sie sich im Wettbewerb der Völker um
‚Lebensraum' äußern sollte. 1926 erschien der Roman *Volk ohne Raum* von Hans
Grimm, der den Expansionskrieg mit rassistischen Argumenten rechtfertigte. Der
Roman handelt von einer kleinen Siedlergemeinschaft in einer fiktiven afrikani-
schen Kolonie, die auf Kosten des kolonisierten Volkes mehr Lebensraum erobert.
Der Roman stellt ein wichtiges Glied in der ideologischen Kette dar, die den europäischen Kolonialismus, insbesondere den des wilhelminischen Deutschland, mit
dem nationalsozialistischen Eroberungskrieg verbindet.
Trotz der verbreiteten rückwärtsgewandten Sehnsucht nach den Werten einer
Agrargesellschaft waren sich die verschiedenen konservativen Kreise nicht einig in
der Ablehnung der Technologie. Es gab durchaus eine technokratische Richtung,
die großen Einfluß auf die Nazis hatte. Um die Technik mit den agrarischen Werten
in Einklang zu bringen, wurde gerne zwischen produktiven Bereichen der Wirtschaft wie Landwirtschaft, Handwerk und Industrie einerseits und unproduktiven
Bereichen wie Banken und Börsen andererseits unterschieden. Nach dieser Auffassung sollte die Volksgemeinschaft, wenn sie einmal von diesen unproduktiven Bereichen befreit würde, erst recht von den Früchten der modernen Technik profi-
tieren. Der Idealfall war die Rüstungsindustrie, deren Produktion angeblich die
Stärke des Volkes ausmacht.

Durch die Trennung zwischen angeblich produktiver und unproduktiver Arbeit konnten die Nazis ihre populistische Kapitalismuskritik einseitig gegen das Finanzwesen richten und zum Bestandteil ihres Antisemitismus machen. Der Antisemitismus, der mit wiederkehrenden Pogromen und ständiger Diskriminierung so alt ist wie die jüdische Diaspora selbst, war zu Beginn dieses Jahrhunderts in Mitteleuropa wieder aufgeflammt und zu einem bedeutenden politischen Faktor geworden. Den Juden wurde der Vorwurf gemacht, daß sie in bestimmten Berufen überrepräsentiert seien, etwa als Kaufleute oder Bankiers und seit dem neunzehnten Jahrhundert auch in akademischen Berufen. Die Nazis erfanden eine weltweite Verschwörung des Judentums und machten es für den Börsenkrach von 1929 verantwortlich. Daß tatsächlich in bestimmten Berufen überdurchschnittlich viele Juden vertreten waren, hatte historische Gründe, die nichts mit irgendwelchen Rasseeigenschaften der Juden zu tun hatten, sehr wohl aber mit dem sozialen Verhalten der Christen im Mittelalter und danach. Juden waren bis zu ihrer allmählichen Emanzipation infolge der Aufklärung nur sporadisch in verschiedenen Teilen Europas geduldet worden, und zwar generell nur unter der Bedingung, daß sie kein Land erwerben durften. Dadurch war ihnen der Zugang zur Landwirtschaft und teilweise zum Handwerk von vornherein versperrt geblieben. Die Folgen waren eine zwangsläufig größere Mobilität als bei der Bevölkerungsmehrheit und eine starke Beteiligung am Handel.

Die Faschisten argumentierten jedoch nicht historisch. In ihren pseudowissenschaftlichen Argumenten spielten wirkliche historische Zusammenhänge keine Rolle. Die Geschichte war nur als Quelle von Mythen interessant. Je weiter die Ereignisse zurücklagen, d.h. je weniger objektives Material für ihre Beurteilung vorhanden war, desto brauchbarer waren sie. Wie die Romantiker hundert Jahre früher suchten die Nazis die Bausteine eines germanischen Mythos in der Völkerwanderungszeit und dem frühen Mittelalter. Im Gegensatz zu den Romantikern, deren Umgang mit Geschichte aufgrund von Materialmangel anfänglich spekulativ war, dann aber den Ansporn für exakte Forschungsarbeit gab, wollten die Nazis die Wirklichkeit hinter dem Mythos nicht kennenlernen. Sie wollten vielmehr die Wirklichkeit dem Mythos anpassen. Daher die archaische Bezeichnung ‚Tausendjähriges Reich‘, die weit von der Wirklichkeit des zwanzigsten Jahrhunderts in die Hysterie des Mittelalters und des Glaubens an die Endzeit führt.

Zu den alten religiösen und sozialen Vorurteilen kamen im modernen Antisemitismus ferner pseudowissenschaftliche biologische Argumente hinzu. Von einer angeblichen genetischen Überlegenheit der arischen Rasse gegenüber der semitischen leiteten die Nazis das Recht ab, die Juden zu versklaven und zu vernichten. Aus der fiktiven Bedrohung der germanischen Rasse durch das Judentum

machten die Nazis nicht nur erfolgreich Propaganda, sondern setzten diese schon vor der Machtergreifung ìn Terror um.
Nicht einmal diese für alle sichtbare Brutalität der Nazis hatte eine abschreckende Wirkung auf die konservative Intelligenz. Allzuviele von ihnen glaubten, zumindest theoretisch, an die reinigende Kraft des Krieges und der Gewalt, aus denen der neue Mensch, von den Übeln der Zivilisation gereinigt, hervorgehen sollte. So konnte Alfred Rosenberg, Verfasser des programmatischen *Mythus des zwanzigsten Jahrhunderts* (1930) in den letzten Jahren der Republik viele konservative Denker und Schriftsteller in einem neuen Dachverband, dem ‚Kampfbund deutscher Kultur‘, sammeln und so noch vor der Machtergreifung den ersten Schritt zur ‚Gleichschaltung‘ der Kultur tun.

Die Gleichschaltung der deutschen Kultur

Gleich nach den Märzwahlen von 1933, die Hitler im Amt des Reichskanzlers bestätigten, setzten die Nazis die sogenannte ‚Gleichschaltung‘ der Verwaltung und der Justiz durch. Innerhalb weniger Monate waren alle staatlichen Organisationen nationalsozialistisch. Alle Juden und politischen Gegner verloren ihre Stellungen. Nach und nach wurde die Gleichschaltung sämtlicher Institutionen und Vereinigungen in Deutschland vorgenommen. Sogar die Kirchen sollten gleichgeschaltet oder zumindest neutralisiert werden. Durch ein Konkordat von 1933 wurde die Organisation der katholischen Kirche garantiert, die sich im Gegenzug zur politischen Passivität verpflichtete, was einzelne Geistliche allerdings nicht vom Widerstand abhielt. Innerhalb der evangelischen Kirche war eine deutliche Sympathie für den Nationalsozialismus vorhanden. Allmählich kam es zu einer Spaltung zwischen den ‚deutschen Christen‘ der offiziellen Landeskirchen und der von Martin Niemöller (1892-1984) gegründeten antifaschistischen ‚Bekennenden Kirche‘. Diese war eine der wenigen öffentlich sichtbaren Zulaufstellen für die Opposition im Dritten Reich. Sie hatte einen entsprechend schweren Stand.
Die Gleichschaltung der Universitäten traf auf weniger Widerstand. Bereits vor der Machtergreifung hatten faschistische Studentenverbände und SA-Einheiten jüdische Studenten und Wissenschaftler sowie aktive Demokraten terrorisiert. Die wenigen vorhanden Ansätze einer kritischen Wissenschaft wurden erstickt. Viele jüdische und demokratische Wissenschaftler emigrierten. Diese Verwirklichung der konservativen Revolution an den Universitäten wurde von vielen Wissenschaftlern aus Überzeugung oder aus purem Opportunismus begrüßt. Viele namhafte Wissenschaftler kompromittierten sich in diesem Zusammenhang. Ein bekannter Fall ist

der des Philosophen Martin Heidegger, der von den Nazis zum Rektor der Universität Freiburg erhoben wurde. Sein Verhalten im Dritten Reich, das er selber später durch Unwissenheit zu erklären versuchte, stellt noch heute ein vieldiskutiertes Problem dar, denn es mindert den Wert einer Philosophie, die vorgibt, den Umfang des Seins zu erkennen, wenn ihr Autor unfähig ist, die politische Wirklichkeit zu erkennen.

Die Ausschaltung der jüdischen Kollegen bot vielen mittelmäßigen ‚arischen' Wissenschaftlern unverhoffte Aufstiegschancen. In der Folge verloren auch solche Fachgebiete, die inhaltlich weniger Veränderungen durch die Gleichschaltung aufwiesen, an internationalem Ansehen. Auf manchen Gebieten hatte der Einfluß der NS-Propaganda absurde Folgen. So wurde etwa versucht, eine ‚deutsche Physik' zu lehren, die die Erkenntnisse des jüdischen Physikers Einstein ignorierte. Die Germanistik, die ohnehin zu den am stärksten vom Nationalsozialismus infizierten Fächern zählte, fand sich mit bequemen Lügen ab. So wurde etwa Heinrich Heine als Jude, Demokrat und Emigrant aus der deutschen Literaturgeschichte getilgt. Sein berühmtes *Ich weiß nicht, was soll es bedeuten* wurde jedoch als deutsches Volkslied weiter gesungen, nunmehr aber von einem ‚unbekannten' Verfasser.

Die Gleichschaltung der Gegenwartsliteratur war schlimmer. Gleich im Mai 1933 wurden angeblich spontane Aktionen in den Universitätsstädten veranstaltet, bei denen die Bücher unliebsamer Autoren verbrannt wurden. Anschließend wurde mit der systematischen Entfernung von Büchern aus öffentlichen Büchereien begonnen. Wer in Deutschland noch schreiben wollte, mußte sich der nationalsozialistisch gesteuerten Reichsschrifttumskammer anschließen. Veröffentlicht wurde nur, was der Zensur paßte. Ein großer Teil der bekanntesten modernen Autoren emigrierte. Das eigentliche Literaturleben verlagerte sich ins Ausland.

Die Bücher und Gedichte, die noch erschienen, wagten keine Vorstöße mehr ins Unbekannte. Wenn sie nicht direkt Partei ergriffen für die Nazis, bemühten sie sich, möglichst unpolitisch zu sein. Dasselbe gilt auch für alle anderen Kunstgattungen. Für die bildende Kunst wurden von Hitler persönlich, der sich als gescheiterter Kunststudent für einen Fachmann hielt, strenge Richtlinien festgelegt. Jede moderne Stilrichtung seit dem Beginn des Expressionismus wurde abgelehnt. Die gesamte moderne Malerei hörte in Deutschland auf zu existieren. Die Kunst, die übrig blieb, war konservativ und vertrat einen unkritischen Realismus. Zum Teil wurden eindeutig faschistische Motive, der Führer, Kriegsszenen oder Paraden, gemalt. Einen großen Teil der Produktion machten jedoch scheinbar harmlose Landschaften aus, die ebenso gut hundert Jahre früher hätten entstanden sein können. Faschistischen Gehalt erhielten solche Werke durch ideologisch gefärbte Titel wie *Deutsche Erde*. Solche Landschaftsmalerei gefiel den faschistischen Machthabern, weil sie ihre großstadtfeindliche Grundhaltung teilte und scheinbar apolitische Werte wie Überschaubarkeit und Geborgenheit vermittelte.

1937 landete die Nazi-Regierung einen Propaganda-Coup besonderer Art. Unter dem Titel *Entartete Kunst* stellte sie in mehreren Städten gerade die moderne Kunst aus, die sie bekämpfte. Dort wurden repräsentative Werke des Expressionismus und der gegenstandslosen Malerei ausnahmsweise gezeigt, und zwar in der Absicht, einen negativen Eindruck von der Weimarer Republik zu vermitteln. Die Bilder dienten als ‚klinische' Beweise für das angeblich krankhafte Weltbild der Maler.

Ästhetisierung der Politik. *Propaganda als Kulturersatz*

Was in Deutschland an Kunst und Literatur noch erschien, war also in erster Linie eine Negativauslese, die eher durch das charakterisiert war, was sie ausschloß, als durch das, was sie enthielt. Hatte der deutsche Faschismus überhaupt ein eigenes kulturelles Gesicht? Legt man seinem Kulturbegriff die klassisch humanistische Gleichsetzung des Schönen, Wahren und Guten zugrunde, dann haben die Nazis keine Kultur produziert. Man könnte, so gesehen, die zwölf Jahre einfach überspringen. Das verkennt jedoch die Tatsache, daß das Deutschland der dreißiger Jahre sehr wohl ganz besondere, wenn auch vom Faschismus verseuchte kulturelle Erscheinungsformen hatte.

Nach der Machtergreifung veränderte sich die Aufgabe der Propaganda. Es ging nicht mehr darum, mögliche Wählerstimmen zu gewinnen, sondern darum, die gesellschaftliche Realität dem faschistischen Mythos anzupassen. Die totale Kontrolle der Presse und der anderen Medien ermöglichte es, die Realität, zumindest soweit sie öffentlich wahrgenommen werden konnte, weitgehend zu manipulieren. Diese manipulierte Realität war von der Illusion der Volksgemeinschaft geprägt. Die Nazis machten erstmals umfangreichen propagandistischen Gebrauch von den neuen Medien des Films und des Rundfunks. Es war erwünscht, daß in jedem Wohnzimmer ein Radio stand, aus dem die Stimmen des Führers und seines Propagandaministers Joseph Goebbels regelmäßig zu hören waren. Dazu wurde der sogenannte ‚Volksempfänger' hergestellt, ein billiges Gerät, mit dem man nur den Reichssender hören konnte. Ein bekanntes Gemälde aus diesen Jahren heißt *Der Führer spricht* und zeigt eine Familie, die gemeinsam um das Radio gruppiert ist. Es soll die organische Verbindung zwischen der Familie als Keimzelle der

Volksgemeinschaft und dem Führer als Repräsentanten des Volksganzen suggerieren.

Der sichtbarste Ausdruck der Nazi-Macht waren die Paraden und Großkundgebungen, bei denen vor allem die Jugendorganisationen uniformiert und diszipliniert auftraten. Diese trugen bewußt zur Ästhetisierung des öffentlichen Lebens bei. Die Führer-Diktatur kam effektiv einer Abschaffung der Politik gleich, denn wo keine Entscheidungen zu treffen sind, sondern nur Befehle ausgeführt werden, da findet im eigentlichen Sinne keine Politik statt. Statt dessen führt der Staat Spektakel auf. Am liebsten sah sich der faschistische Staat selbst als ‚Gesamtkunstwerk‘. Paraden wurden überall regelmäßig aufgeführt. Den Höhepunkt bildeten die Großveranstaltungen der Reichsparteitage. Inhaltlich liefen solche Veranstaltungen nach einem festgelegten Plan ab. Die Abfolge von Gesängen, Sprüchen und Reden glich einer religiösen Litanei. Dazu gehörte manchmal auch ein ‚Thingspiel‘, ein Drama mit ritualisierter Handlung und Massenauftritten, eine der wenigen von den Nazis selbst entwickelten Gattungen.

NSDAP Reichsparteitag 1934 in Nürnberg

Für den Parteitag von 1934 wurde in Nürnberg ein riesiges Gelände mit einer gewaltigen Tribüne erstellt. Diese Kulisse war von den einzelnen Teilnehmern der Aufmärsche gar nicht überschaubar. Sie war für den Eindruck von der Tribüne aus konzipiert. Dort stand die Parteiführung über den Massen. Den Überblick über das Ganze hatte aber auch die Filmkamera. Vermittelt durch das Medium des Films waren die NS-Großveranstaltungen überall im Reich zu sehen, denn die Wochenschau im Kino war bis zum Anbruch des Fernsehzeitalters das große optische Nachrichtenereignis.

Der Film spielte überhaupt eine große Rolle in der Nazipropaganda. Die Regisseurin Leni Riefenstahl, die den Nürnberger Parteitag 1934 in dem Film *Triumph des Willens* festhielt und die olympischen Spiele 1936 in Berlin verfilmte, gehört zu den ganz wenigen faschistischen Kulturproduzenten, die auch außerhalb des Dritten Reichs anerkannt wurden.

Das Nürnberger Parteitagsgelände kann als typisches Bauwerk des Faschismus gelten. Insgesamt nahm die Bautätigkeit im dritten Reich ab. Der Wohnungsbau wurde zugunsten großer Repräsentationsbauten, die den Anspruch des Tausendjährigen Reichs verkörpern sollten, vernachlässigt. Für die kommenden tausend Jahre wurde zum Teil tatsächlich dadurch vorgesorgt, daß sehr haltbares Material bevorzugt wurde und oft schon bei der Planung die Vision der späteren Gestalt des Gebäudes als Ruine mit berücksichtigt wurde. (Tatsächlich brauchten die Architekten keine tausend Jahre zu warten, um ihre Bauten als Ruine zu erleben.) Der eigentliche Baustil des Nationalsozialismus stellt eine Abkehr von der funktionalistischen Moderne der zwanziger Jahre dar. Der Neoklassizismus der faschistischen Repräsentationsarchitektur bedeutete dennoch keine Rückkehr zum Historismus des neunzehnten Jahrhunderts. Er leugnete nicht die Möglichkeiten des modernen Materials und bevorzugte eine schlichte, aber monumentale Dekoration. Es wurde betont massiv gebaut. Es war ein Stil, der nicht nur auf das faschistische Deutschland beschränkt war. Ähnliche Züge sind an Repräsentationsbauten anderer Länder zu finden. In Deutschland wurde allerdings die Monumentalität dieses Stils ganz besonders betont. Zum engeren Kern der Staatsführung gehörte der Architekt Albert Speer. Speer plante für die Zeit nach dem Krieg den Umbau der Reichshauptstadt Berlin mit überdimensionalen Bauten und überbreiten Straßen. Geplant war u.a. ein Triumphbogen von riesigen Ausmaßen, gegen den das Brandenburger Tor lächerlich klein wirken sollte. Ferner sollte ein Kuppelbau von der Größe des Parteitaggeländes entstehen. Bei alledem war an eine Verbindung von traditionellen Formen mit unvorstellbaren Dimensionen gedacht. Einen Vorgeschmack auf dieses geplante Berlin bot Speers neue Reichskanzlei, die 1939 fertiggestellt wurde. Allein schon der Eingang mit seinem über mehrere

Stockwerke hinaufgezogenen Säulenportal ließ den Eintretenden wie einen Zwerg erscheinen. Auf dem Wege zum Arbeitszimmer des Führers wurde der Besucher durch eine lange Zimmerflucht geführt, wodurch, ganz im Sinne barocker Palastarchitektur, der Abstand zur Außenwelt künstlich vergrößert wurde. Die Marmorgalerie, die vor dem Betreten des Arbeitszimmers noch passiert wurde, übertraf an Größe den Spiegelsaal in Versailles. Die Funktion des Baus als Verwaltungsgebäude nahm bei dieser dramaturgischen Architektur den zweiten Rang ein. Auch dieser Bau war in erster Linie eine Kulisse für die Selbstinszenierung faschistischer Macht.

Der Zweite Weltkrieg

Der Tod ist ein Meister aus Deutschland
Paul Celan: *Todesfuge*

Der Architekt Albert Speer war auch für die Organisation der Rüstungsindustrie im Dritten Reich zuständig. Diese Doppelrolle ist kennzeichnend für den grundsätzlich destruktiven Charakter des Faschismus. Der Krieg war von vornherein das Ziel aller politischen, wirtschaftlichen und kulturellen Maßnahmen des Regimes. Der faschistische Terror, den die SA in den letzten Jahren der Weimarer Republik ausübte, erweiterte sich sofort nach der Machtergreifung zum Staatsterror. In den ersten Monaten des neuen Regimes wurden die ersten Konzentrationslager eingerichtet. Ab und zu wurden Häftlinge, physisch und psychisch verkrüppelt, als abschrekkendes Beispiel aus den Lagern entlassen. Die Bürger lernten, vor Denunzianten Angst zu haben, und waren sehr vorsichtig mit dem, was sie laut aussprachen. Aus dieser Mischung von Angst und Jubel schmiedeten die Nazis ihre Volksgemeinschaft.

Während die Nazis den Deutschen einredeten, daß sie von Feinden umzingelt seien, betrieben sie eine Außenpolitik, die aus vermeintlichen Feinden wirkliche Feinde machte. Die Innenpolitik nahm sich ebenfalls wie eine Kriegsführung aus, deren Opfer vor allem die Juden waren. Gleich nach der Machtergreifung wurden Juden aus allen staatlichen Ämtern ausgeschlossen. Die Diskriminierung spitzte sich 1935 mit den Nürnberger Gesetzen zu, die u.a. Mischehen verboten. 1938 fand in der ‚Reichskristallnacht' die bis dahin größte einzelne Aktion gegen die jüdische Bevölkerung statt, die im Reich geblieben war. Geschäfte wurden geplündert, Synagogen niedergebrannt, Menschen umgebracht. Das war der Auftakt zur systematischen Verschleppung der Juden in Konzentrationslager und ihrer dortigen Ermor-

Selektion eines Judentransports nach Auschwitz

dung. Während so gegen die Juden vorgegangen wurde, nahm die materielle und psychologische Kriegsvorbereitung ihren Lauf. Die Wirtschaft wurde auf die Erfordernisse des Krieges umgestellt. Der Außenhandel nahm rasch ab. Für die wirtschaftliche Wiederbelebung im Inland sorgte vor allem die Rüstung. So kam es, daß trotz Abnahme der Arbeitslosigkeit der Lebensstandard in Deutschland stagnierte. ‚Kanonen statt Butter' sollte es für die Bevölkerung geben.

In den ersten Jahren des zweiten Weltkriegs weitete sich das Terrorsystem auf den größten Teil Europas aus. Der Krieg wurde mit besonderer Grausamkeit an der Ostfront geführt, wo sich die rassistische Ideologie der Nazis in Abscheulichkeiten gegen die Menschen in den besetzten Gebieten zeigte. In den Kriegsjahren steigerte sich die Verfolgung der Juden zu unvorstellbarer Grausamkeit. Immer mehr Konzentrationslager wurden in den besetzten Gebieten eingerichtet. Sie stellten zunächst eine scheinbar unerschöpfliche Quelle für billige Arbeitskräfte dar. 1942 wurde auf der Konferenz von Wannsee von der NS-Führung die systematische Ermordung der gesamten jüdischen Bevölkerung Europas beschlossen. Konzentrationslager wie Auschwitz, Majdanek, Treblinka und viele andere wurden zu Vernichtungslagern ausgebaut und von einer reibungslosen Todesbürokratie verwaltet. Bis Kriegsende waren an die sechs Millionen Menschen in diesen Lagern ums Leben gekommen. Die Verbrechen wurden bis in die letzten Wochen des Krieges verbissen fortgesetzt. Spätestens zu diesem Zeitpunkt wurde deutlich, daß den Nazis am Kampf selber mehr gelegen war, als an einem immer unwahrscheinlicheren Sieg.

In der letzten Phase des Kriegs fand der von Propagandaminister Goebbels versprochene ,Totale Krieg' statt. Bei den Luftangriffen wurde nicht mehr zwischen strategischen und zivilen Zielen unterschieden. Die Demoralisierung der gegnerischen Bevölkerung war von beiden Seiten beabsichtigt. Bei einem Großangriff auf Dresden im Februar 1945 wurde in einer einzigen Nacht die gesamte Innenstadt der prachtvollen sächsischen Residenz zerstört. Bei Kriegsende war das Ausmaß der Zerstörung in anderen deutschen Großstädten wie Berlin, Hamburg oder Köln kaum geringer.

Das Kriegsende war ein Untergang von mythischem Ausmaß, wie es dem Geschmack der Nazis entsprach. Der deutsche Faschismus hinterließ jedoch nicht nur zertrümmerte Großstädte, sondern auch eine unheilbare moralische Wunde. Die Verbrechen der Nazis diskreditierten die ganze Kultur, in deren Namen sie zu handeln vorgaben.

Das ,andere' Deutschland

Allen Anstrengungen der Nazis zum Trotz setzte sich die fortschrittliche und demokratische Kultur in den Jahren 1933-1945 fort. Nur wirkte sie jetzt im Ausland. Für die kulturelle Kontinuität ist das, was die deutschsprachigen Kulturproduzenten außerhalb Deutschlands leisteten, von viel größerer Bedeutung als das, was in Deutschland gemacht werden durfte.

Emigrantenkultur war in den dreißiger Jahren nichts Neues. Schon hundert Jahre früher hatten Paris und die Schweiz deutsche Emigranten, Vertreter des ,Jungen Deutschland', aufgenommen. Von freiwilligem Emigrantentum kann dagegen bei den vielen deutschen Malern, die seit Goethes Zeiten in Rom ansässig waren, gesprochen werden. Im zwanzigsten Jahrhundert hatte jede größere Stadt Ausländerkolonien. Die Emigrationswelle aus dem Dritten Reich hatte jedoch eine besondere quantitative und qualitative Dimension. Mindestens drei verschiedene Gruppen von Emigranten können deutlich unterschieden werden. Die erste ist die der Juden, die das Glück hatten, Deutschland zu verlassen, ehe mit ihrer systematischen Verschleppung und Ermordung begonnen wurde. In dieser Gruppe waren alle Berufe vertreten. In der zweiten Gruppe sind die Leute, die in Deutschland wegen ihrer politischen Aktivitäten verfolgt wurden. Es waren Menschen mit einem öffentlichen Wirkungskreis: Politiker, Schriftsteller, Schauspieler und Künstler. Für viele von ihnen bestand in Deutschland akute Lebensgefahr. Ihre Namen waren bereits vor der Machtergreifung auf verschiedenen schwarzen Listen der Nazis zu finden. Daß jemand wie Brecht zu diesen Gefährdeten gehörte, versteht sich von selbst, aber auch Vertreter moderner Kunstrichtungen, die sich politisch immer zurückgehalten hatten und deren Fortschrittlichkeit sich im Ästhetischen erschöpfte, waren in Deutschland unerwünscht. So gingen Vertreter der abstrakten Malerei, modernen Musik und modernen Architektur in die Emigration.

Zu der dritten Gruppe zählen Personen wie Thomas Mann, die zwar noch nicht zu den Verfolgten zählten, aber selber die Unmöglichkeit sinnvoller Arbeit unter den Bedingungen des Faschismus einsahen und Deutschland verließen, ehe sie sich dort unbeliebt machen konnten. Viele ihrer Kollegen blieben in Deutschland und produzierten nichts, was später oft etwas irreführend als ,innere Emigration' bezeichnet worden ist.

Die wirklichen Emigranten befanden sich im Ausland zwar nicht mehr in unmittel-

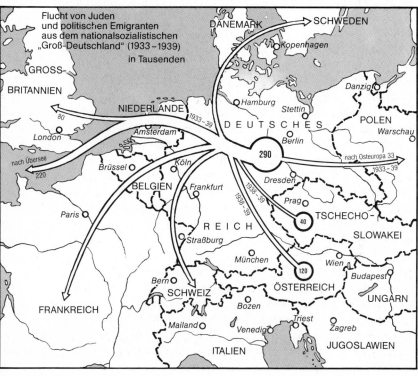

Graphik zur Exilgeographie

barer Lebensgefahr, aber sie hatten große Schwierigkeiten, ihre neue Existenz zu sichern. Die meisten Emigranten hatten ihr ganzes Vermögen in Deutschland lassen müssen. Bei der Arbeitssuche konkurrierten sie mit den Einheimischen und mußten für jegliche Beschäftigung dankbar sein. Für Künstler und Schriftsteller war die Lage noch schwieriger. Unter den Schriftstellern konnten nur solche mit einem regelmäßigen Einkommen rechnen, deren Bücher bereits vorher im Ausland bekannt und übersetzt waren. Zu diesen privilegierteren zählten die Brüder Thomas und Heinrich Mann. Für die anderen war es wichtig, so schnell wie möglich Anschluß an vorhandene Märkte zu finden oder neue zu erschließen. Dabei stellte es sich bald heraus, daß Schriftsteller und Schauspieler, die unmittelbar mit der deutschen Sprache arbeiten, einen ungünstigeren Stand hatten als etwa Maler oder Musiker. Diese hatten zumindest die theoretische Möglichkeit, sich mit ihrer Arbeit im Aufnahmeland zu integrieren. Die Schriftsteller und Theaterleute waren dagegen vor allem auf andere Emigranten als Publikum angewiesen. Das war zwar ein engagiertes, aber doch begrenztes und wenig wohlhabendes Publikum. Immerhin fiel es der Literatur unter diesen Umständen zu, Ausdruck der kulturellen Identität der Emigranten zu werden.

Die Frage, wieweit die Assimilierung in der fremden Gesellschaft möglich oder gar erstrebenswert ist, stellte sich in den jeweiligen Aufnahmeländern und in verschiedenen Phasen der Emigration auf unterschiedliche Weise. In den ersten Monaten herrschte generell die Hoffnung, daß eine Revolution die baldige Rückkehr nach Deutschland ermöglichen würde. Diese Hoffnung erwies sich jedoch bald als illusorisch. Je länger die Emigration dauerte und je weiter entfernt sich die Emigranten von Deutschland befanden, desto stärker wurde der Drang zur Assimilation. Für die jüdischen Emigranten trat ein altes Dilemma neu in Erscheinung. Sie befanden sich in einer doppelten Diaspora, als Juden und als deutsche Emigranten. Die Bereitschaft, sich auf eine neue Heimat einzustellen, war bei ihnen in vielen Fällen groß. Dabei wurde eine oft vorhandene kosmopolitische Einstellung verstärkt. Aber auch der Zionismus hatte Zulauf, und die jüdische Einwanderung nach Palästina nahm zu.

Die Emigration breitete sich spiralförmig zunächst über Europa, dann weltweit aus. In der Hoffnung auf baldige Rückkehr nach Deutschland zogen viele Emigranten zunächst in die unmittelbaren Nachbarländer. Spätestens beim Ausbruch des Zweiten Weltkriegs, im Falle der Tschechoslowakei und Österreichs bedeutend früher, wurden diese Länder für sie genauso gefährlich wie Deutschland selbst. Für viele war das Exil eine Wanderschaft mit mehreren Stationen und großen Unsicherheiten und Unannehmlichkeiten. Allein schon die bürokratische Schwierigkeit, einen Reisepaß, eine Aufenthaltsgenehmigung oder auch nur Durchreisevisen für bestimmte

Länder zu erhalten, konnte zu einem fast unüberwindbaren Problem werden. Die sozialistische Schriftstellerin Anna Seghers (1900-1983) machte in ihrem Roman *Transit* das Warten auf Papiere zu einem Sinnbild für den menschlichen Zustand überhaupt.

In den ersten Jahren der Emigration versuchten viele, im deutschsprachigen Ausland zu bleiben. Optimal waren die Bedingungen in diesen Ländern trotz der vertrauten Sprache jedoch nicht. In der Schweiz stießen die Emigranten auf das Mißtrauen ihrer einheimischen Kollegen. Besonders die Theater waren sehr bemüht, nicht zuviel zeitgenössisches Deutsches ins Programm aufzunehmen. In Österreich standen die Dinge noch schlechter, denn Österreich hatte seine eigenen Nazis. Der von Dollfuß 1934 errichtete Ständestaat bot den Nazis einige Jahre lang Einhalt, aber er war selber eine Variante des Faschismus: der sogenannte ,Austrofaschismus'. Immerhin erschien vorübergehend die Emigrantenzeitschrift *Die neue Weltbühne* in Wien, bevor sie nach Prag weiterzog.

Prag war ein günstigerer Ort. Die historische Verbindung zum deutschen Sprachraum war noch nicht abgerissen. Dorthin hatte Wieland Herzfelde seinen Malik-Verlag verlegt. Die wichtigsten europäischen Zentren der Emigration bildeten sich jedoch in Paris und Amsterdam. Die Niederlande hatten den Vorteil einer verwandten Sprache. Viele Niederländer konnten mühelos Deutsch sprechen und lesen. Paris hatte dagegen den Vorteil der Größe und der Tradition als internationale Metropole. Paris war als Mittelpunkt des europäischen Eisenbahnnetzes auch verkehrsmäßig günstig. Von dort aus ließen sich am leichtesten ein Verbindungsnetz zwischen den verschiedenen Zentren des Exils aufbauen und Kontakte zum deutschen Widerstand aufrechthalten. Dort erschien von 1933 bis 1940 die einzige deutsche Tageszeitung der Emigration.

So unterschiedlich Herkunft, Erwartungen und Vorstellungen der Emigranten sonst waren, so war die Notwendigkeit, Selbsthilfegruppen und entsprechende Organisationen aufzubauen, von vornherein klar. Für die politischen Parteien war die Organisation im Exil ein notwendiger Teil ihrer Überlebensstrategie. Aber auch für berufliche Interessenvertretungen wie den ,Schutzverband deutscher Schriftsteller', der sich 1933 in Paris neu formierte, gab es Aufgaben genug.

In größerem oder geringerem Umfang nahmen nahezu alle europäischen Länder Emigranten aus dem deutschen Reich auf. Nach Skandinavien verschlug es den jungen Journalisten und späteren Bundeskanzler Willy Brandt (1913-1992), den Maler und späteren Dramatiker Peter Weiss (1916-1982) sowie Bertolt Brecht. Als Exilland besonderer Art bot sich deutschen Kommunisten die Sowjetunion an. Zwar nahm sie Emigranten nur in begrenzter Zahl auf. Denjenigen, die dort lebten, blieben jedoch einige Schwierigkeiten des Exils erspart, denn die Sowjetunion hatte Interesse an den geschulten Arbeitskräften, die aus Deutschland kamen. Schon vor der Machtergreifung der Nazis waren viele Deutsche in die Sowjetunion gezogen; u.a. der im sozialen Wohnungsbau engagierte Architekt Bruno Taut (1880-1938) und der vorletzte Leiter des Bauhauses, Hannes Meyer (1889-1954). Auch der Beitrag deutscher Schriftsteller und Künstler war willkommen, sofern er sich für die sowjetische Kulturpolitik einspannen ließ. Für die deutschen Schriftsteller wurde eine eigene Sektion im sowjetischen Schriftstellerverband eingerichtet. Sie bekamen Wohnungen und hatten keine Schwierigkeiten, ihre Werke sowjetischen Verlagen anzubieten. In Engels, Hauptstadt der damaligen autonomen deutschen Region an der Wolga, konnte sogar für ein einheimisches deutschsprachiges Publikum Theater gemacht werden.

Im sowjetischen Exil formierten sich die späteren politischen und kulturellen Führungskader der DDR. Politiker wie Walter Ulbricht, Schriftsteller wie Johannes R. Becher, später Kulturminister der DDR, und der Arbeiterschriftsteller Willi Bredel, später Vorsitzender des DDR-Schriftstellerverbandes, verbrachten die Jahre des deutschen Faschismus in der Sowjetunion. Das Leben in der Sowjetunion hatte jedoch auch seine Nachteile, denn die Emigranten standen unter demselben politischen Druck, den ihre sowjetischen Kollegen unter Stalin ertragen mußten. Auch sie waren der Willkür der stalinistischen Säuberungen ausgesetzt.

Spätesten beim Ausbruch des Krieges zogen die meisten in Europa verbliebenen Emigranten nach Übersee, um eine sichere Zuflucht zu finden. Wichtigstes Exilland wurden jetzt die Vereinigten Staaten von Amerika. Das Leben in den USA stellte die Emigranten erneut vor Anpassungsprobleme. Als Deutsche, d.h. als Bürger eines feindlichen Staates, wurden sie von offizieller Seite beargwöhnt. Besondere Achtung als politische Flüchtlinge genossen sie in der Bevölkerung nicht. Amerika war schon immer Einwanderungsland gewesen und sah keinen besonderen Grund, die jüngste Einwanderungswelle irgendwie anders zu behandeln als frühere. Der Druck, sich zu assimilieren, war folglich größer als im europäischen Ausland, die Aufrechterhaltung der eigenen kulturellen Identität folglich schwieriger. Für viele wurde Amerika die endgültige Heimat. Erwin Piscator, Marlene Dietrich und Fritz Lang aus dem Theater und der Filmindustrie ließen sich in den USA nieder. Die Bauhaus-Architekten Walter Gropius und Ludwig Mies van der Rohe blieben dort. Der Komponist Arnold Schönberg, der Maler Max Beckmann und die Schriftsteller Lion Feuchtwanger und Hermann Broch (1886-1951) starben in der neuen amerikanischen Heimat. Einige Schriftsteller wie Arthur Koestler wechselten sogar die Sprache ihrer Bücher.

Wer nicht bereit war, sich auf die kommerziellen Bedingungen des amerikanischen Kulturbetriebs einzulassen, hatte dagegen Schwierigkeiten. Bertolt Brecht gelang es nicht, in Hollywood Fuß zu fassen. Zwar gelangte sein Stück *Galileo Galilei* in Amerika zur Uraufführung, aber Brecht war mit den Vorstellungen seines amerikanischen Mitarbeiters nicht zufrieden. Der Beginn des kalten Krieges brachte weitere Schwierigkeiten mit sich. Brecht gehörte zusammen mit dem Komponisten Hanns Eisler zu den Emigranten, die 1947 vor den McCarthy-Ausschuß zur Untersuchung sogenannter ‚unamerikanischer Aktivitäten‘ zitiert wurden und bald darauf das Land verließen, bzw. verlassen mußten.

Höheres Ansehen genoß in den USA Thomas Mann, dessen liberal bürgerliches Demokratieverständnis amerikanischen Vorstellungen eher entsprach als der Sozialismus vieler Emigranten. Thomas Mann beteiligte sich mit Vorträgen an der antifaschistischen Aufklärungsarbeit des amerikanischen Rundfunks und konnte seine angesehene Stellung als Vorsitzender des ‚Emergency Rescue Committee‘ nutzen, um weniger gut gestellten Emigranten materiell zu helfen.

Die Werke, die im Exil entstanden sind, dokumentieren das zunehmende Dilemma der Künstler, die einerseits in Opposition zum Regime im eigenen Lande standen und andererseits doch im Ausland die eigene Kultur vertreten wollten. Sie mußten versuchen zu beweisen, daß sie und nicht die Nazis im gleichgeschalteten Reich die wahre deutsche Kultur vertraten. Dabei stießen sie im Gastland oft auf Desinteresse oder gar Feindseligkeit. Wer wie Thomas Mann das ‚bessere‘ Deutschland zu vertreten vorgab, mußte zuerst beweisen, daß es das gab.

Dabei entstanden Werke von größter Bedeutung. Der materialistische Philosoph Ernst Bloch (1885-1977) schrieb im amerikanischen Exil sein Hauptwerk, *Das Prinzip Hoffnung*. In der Literatur, wo der Assimilierungsprozeß langsamer ablief als in anderen Bereichen, waren die Exiljahre für viele Autoren ebenfalls fruchtbar. Der Abstand von Deutschland ließ oft den Blick an historischer und analytischer Schärfe gewinnen. Brecht schrieb viele seiner bedeutendsten Werke im Exil. Sein Stück *Mutter Courage*, das einen scharfen Blick für die Mechanismen der Ausbeutung im Krieg mit tiefer Einsicht in den menschlichen Charakter verbindet, ist zu einem Klassiker des modernen Welttheaters geworden. Thomas Mann schrieb in den letzten Jahren des Krieges den Roman *Doktor Faustus*, in dem er im Rahmen einer fiktiven Komponisten-Biographie den Zusammenhang zwischen dem geistigen Klima bei der Entstehung des Faschismus und dem Absolutheitsanspruch moderner Kunst herausausarbeitet und mit Grundmotiven der deutschen Kulturtradition verbindet. Das Ergebnis ist ein Roman, der zugleich als Porträt der deutschen Identität und als Studie über die Grundbedingungen der Moderne gelesen werden kann.

14 Deutschland in einer schrumpfenden Welt

Parabolantenne in Raisting

In dem halben Jahrhundert seit dem Zweiten Weltkrieg hat sich der internationale Rahmen, in welchem sich das Leben des deutschen Sprachraums abspielt, vollkommen verändert. Die verschiedenen Erdteile sind in einem neuen Ausmaß miteinander verflochten. Das Verhältnis zwischen Raum und Zeit, für jede Welterfahrung von entscheidender Bedeutung, ist zum zweiten Mal innerhalb von zwei Jahrhunderten durch eine verkehrstechnische Revolution radikal verändert worden. Der Zweite Weltkrieg brachte den Durchbruch des Flugzeugs als Verkehrsmittel. Die Revolution in der Kommunikationstechnik ist vielleicht von noch größerer Tragweite. Erstmals können Menschen in wenigen Stunden und Nachrichten in Sekunden von einem Erdteil zum anderen gelangen. Diese Entwicklungen werden begleitet von einer immer engeren wirtschaftlichen Verflechtung. Die Bedürfnisse der Industriegesellschaft bestimmen den Takt. Die weltweite Veränderung und Zerstörung ökologischer, gesellschaftlicher und kultureller Strukturen sind die Folge. Neu ist auch die Angst, in der die Menschheit seit der Erfindung und Erprobung von Kernwaffen lebt. Die Möglichkeit, daß sich die Menschheit selber zerstört, hebt diese Zeit existentiell von jeder früheren Epoche der Geschichte ab.

Angesichts dieser globalen Gemeinsamkeiten verblassen die jeweiligen nationalen Unterschiede auch im kulturellen Bereich weiter. Die moderne Unterhaltungsindustrie mit Film und Schallplatte, Rundfunk und Fernsehen bildet einen übernationalen Zusammenhang, wobei bislang die USA eine dominierende Rolle spielen.

Bis zum Zweiten Weltkrieg waren Deutschland und Europa noch zu sehr mit sich selbst beschäftigt, um richtig wahrzunehmen, wie sehr die moderne Technologie und die Verbreitung der Industriegesellschaft bereits die Welt verkleinert hatten. Das änderte sich grundlegend durch die globalen Ausmaße des Krieges. Politisch wurde die neue Situation gleich nach Kriegsende durch die Teilung Europas in Einflußbereiche der neuen Weltmächte USA und Sowjetunion sichtbar. Weltpolitische Entscheidungen wurden zum ersten Mal in der neueren Geschichte außerhalb der traditionellen europäischen Machtzentren getroffen.

Für Deutschland bedeutete das Ende des Krieges ein jähes Erwachen nach zwölf Jahren erzwungener Isolation im Faschismus. Die ersten Jahrzehnte danach waren ein vorsichtiges Herantasten an eine veränderte Welt, an der die Deutschen nicht gleichberechtigt teilnahmen, sondern schuldbeladen, vom kritischen Auge des Auslandes bewacht. Anders als nach dem Ersten Weltkrieg wurden Deutschland und Österreich von den Siegern besetzt. Der Konflikt zwischen den westlichen Siegermächten und der Sowjetunion, der ‚Kalte Krieg‘, führte 1949 zur Gründung von zwei ideologisch konkurrierenden deutschen Staaten. Es entstand die schizophrene Lage, daß zwei benachbarte Staaten ihre Identität im wesentlichen in der Abgrenzung voneinander und im Abstand von der eigenen Vergangenheit zu bestimmen suchten.

Auf der anderen Seite setzte nach dem Krieg ein europäischer Integrationsprozeß auf militärischem, wirtschaftlichem und politischem Gebiet ein, an dem sich die neue Bundesrepublik Deutschland aktiv beteiligte. Zur weiteren Internationalisierung Europas trug auch indirekt der allmähliche Abzug der europäischen Nationen aus ihren Kolonien in Übersee bei. Die Bevölkerungsstruktur der alten Kolonialmächte wurde durch den Zuzug von Arbeitskräften aus den früheren Kolonialgebieten entscheidend verändert. Obwohl Deutschland schon seit dem Versailler Vertrag ohne eigene Kolonien war, wurde auch die Bundesrepublik zu einem wichtigen Einwanderungsland, das unmittelbar nach dem Krieg die deutsche Bevölkerung der früheren Ostgebiete und später Gastarbeiter vornehmlich aus Südeuropa und der Türkei aufnahm. Zum ersten Mal entstehen in vielen europäischen Ländern auch beachtliche islamische Minderheiten.

Stunde Null und Kahlschlag

1945 lag Deutschland materiell und moralisch in Trümmern. Die letzten Reste einer sozialen und wirtschaftlichen Ordnung brachen fürs erste zusammen. Die Wirtschaft fiel auf das Niveau des primitivsten Gütertausches oder, wenn es nicht anders ging, Güterklaus zurück. Das einzige, was funktionierte, war der Schwarzmarkt. Das stabilste Zahlungsmittel war zunächst einmal die amerikanische Zigarette. Mit dem ‚Feind' wurde fraternisiert, wobei die nationalsozialistischen Feindbilder plötzlich zusammenbrachen. Das Verhältnis der Bevölkerung zu den Besatzungstruppen war zwar nicht gut, aber generell besser, als man nach einem solchen Krieg hätte erwarten können. Die Amerikaner, die mit ihrem materiellen Wohlstand ins Land kamen und auch bereit waren, etwas davon mit der Bevölkerung zu teilen, schnitten dabei besonders günstig ab. Viele Familien erhielten Care-Pakete aus den Vereinigten Staaten, die zwar ihre Situation nicht wesentlich änderten, aber ihnen doch etwa mit der enthaltenen Schokolade für einen Augenblick etwas Luxus bescherten, den es seit Jahren in Deutschland nicht mehr gegeben hatte. Natürlich war das Verhältnis der Siegermächte zum besiegten Land nicht nur von der Sorge um das Wohl des besiegten Volkes bestimmt. Ein Hauptziel der unmittel-

München 1944

baren Nachkriegspolitik der Alliierten war, zu verhindern, daß Deutschland noch einmal die Welt bedrohen könnte. Neben der Demontage industrieller Anlagen wurde versucht, aktive Nazis aus den Führungsstellen der Gesellschaft zu entfernen. Allerdings blieb diese sogenannte ‚Entnazifizierung‘ zum Teil lückenhaft, denn man konnte auf ausgebildete Fachkräfte nicht völlig verzichten. Der ideologische Einsatz der Siegermächte erschöpfte sich nicht in der Austreibung des Nationalsozialismus. Kulturhäuser und Bibliotheken wurden errichtet, in denen positive Kulturarbeit geleistet wurde. Diese wurden in den ersten Jahrzehnten nach dem Krieg eifrig aufgesucht und vermittelten den lange vermißten Anschluß an die internationale Kultursituation.

Gleich nach Kriegsende wurden die ersten Parteien und Zeitungen wieder zugelassen und der Grundstein neuer politischer und kultureller Institutionen gelegt. Wie schon nach früheren Kriegen formierte sich die Literatur am schnellsten. Neben den etablierten Schriftstellern, die im Dritten Reich irgendwie ‚überwintert‘ hatten, meldete sich eine junge Generation zu Wort, die den Krieg gerade erlebt hatte und nun die Möglichkeit besaß, ihre realistische und kritische Darstellung des Erlebten zu veröffentlichen. In der 1947 von Hans Werner Richter (1908-93) gegründeten Gruppe 47, die bis in die sechziger Jahre hinein jährlich tagte, fand diese Generation ein Forum für den Austausch ihrer Ideen. Dagegen hatten es rückkehrwillige Emigranten in den Westzonen schwerer. Den Emigranten wurde vorgeworfen, die Katastrophe nicht direkt miterlebt zu haben, weswegen sie auch nichts zur Literatur der Nachkriegszeit beizutragen hätten. So blieben viele Emigranten im Ausland, auch wenn sie ihre Werke in der Bundesrepublik veröffentlichten.

Die Wiederaufnahme literarischer Arbeit war zunächst von sprachlichen Rücksichten geprägt. Ein starkes Bedürfnis nach Bereinigung der Sprache, die von faschistischer Ideologie verfälscht und verschmutzt war, wurde allgemein empfunden. Die Sprache war überwuchert von verlogenen und verkitschten Floskeln und verharmlosenden Abkürzungen, hinter denen sich eine Wirklichkeit von maßloser Brutalität verbarg. Ein eigener Jargon, die von Victor Klemperer beschriebene L.T.I. (Lingua Tertii Imperii)[29], hatte das öffentliche Leben beherrscht. Die Frage war, ob man die von den Nazis so mißbrauchte deutsche Sprache überhaupt noch für künstlerisches Schaffen gebrauchen konnte.

Aus der Forstwirtschaft übernahm man den Begriff des Kahlschlages für das, was erforderlich war, um die Sprache von ihren schlimmsten Auswüchsen zu befreien

---

[29] Der jüdische Philologe Victor Klemperer, von seiner Frau während des Krieges in Dresden versteckt gehalten, führte während der ganzen Nazizeit ein Tagebuch über die Sprache des Dritten Reichs, das er 1946 als ‚L.T.I.‘ veröffentlichte.

und neu wachsen zu lassen. Allem, was über einfache sachliche Feststellungen hinausging, wurde mißtraut.

Auch der Inhalt war kahl. Die sogenannte ‚Trümmerliteratur‘ gab die Lebensbedingungen der Gegenwart höchstens diskret kommentiert wieder. Anhand kleiner alltäglicher Begebenheiten machten Schriftsteller wie Wolfgang Borchert (1921-1947) oder Heinrich Böll (1917-1985) die Absurdität des menschlichen Schicksals sichtbar.

Kalter Krieg und Wirtschaftswunder

Die unmittelbare Nachkriegszeit endete 1948 mit der Währungsreform in den Westzonen, die als erster Schritt zur Gründung der Bundesrepublik ein Jahr später gilt. Damit gab es wieder Geld, das etwas wert war. Die Beschränkung der Maßnahme auf die Westzonen bedeutete schon effektiv die Teilung Deutschlands. Die Regierung Konrad Adenauers (1876-1967) betrieb eine Politik der konsequenten Öffnung zum Westen hin, die von wirtschaftlichem und außenpolitischem Erfolg gekrönt wurde. Die Bundesrepublik Deutschland wurde bald als Mitglied der NATO und der Europäischen Wirtschaftsgemeinschaft international ernstgenommen. Mit der Aufnahme der Bundesrepublik in die westliche Verteidigungsgemeinschaft NATO im Jahre 1955 wurde schon zehn Jahre nach Kriegsende der Traum von einem entmilitarisierten Deutschland zerstört. Statt dessen erlebte Deutschland in den folgenden Jahrzehnten mit den militärischen Einheiten der NATO und des Warschauer Paktes die größte Konzentration militärischen Potentials, die es je gegeben hat.

Zu den psychologischen Faktoren, die zur Bindung der Bundesrepublik an den Westen und zur Verinnerlichung des Kalten Krieges beitrugen, gehört die Erfahrung mit der Berliner Luftbrücke in den Jahren 1948-1949. Die Sowjetunion hatte auf die Währungsreform mit der Blockade Westberlins reagiert. Elf Monate lang konnte die Stadt nur aus der Luft versorgt werden. So erhielt die geteilte Stadt im Kalten Krieg eine besondere symbolische Bedeutung. Die Westsektoren wurden als Insel der Freiheit betrachtet. Der Begriff ‚Freiheit‘ wurde so mit der westlichen Gesellschaftsordnung gekoppelt, auch wenn der politische Aktionsraum in der Bundesrepublik, bedingt durch den Kalten Krieg und verglichen mit späteren Jahrzehnten, noch recht begrenzt war.

Die lange entbehrte Freiheit bekam im Alltag einen stark materiellen Sinn. Auf allen Gebieten gab es einen massiven Nachholbedarf. Am sichtbarsten war er im Konsumverhalten der Bevölkerung. Der Konsum wurde nach den wirtschaftlichen

BMW-Haus, München

Entbehrungen der zurückliegenden Jahrzehnte zu einem nicht zu unterschätzenden Faktor des gesellschaftlichen Wohlbefindens. Wellenartig wurden die Konsumbedürfnisse befriedigt. Von der ‚Freßwelle' nach der Währungsreform ging es über die Einrichtungswelle und Motorisierung bis zur Reisewelle in den sechziger und siebziger Jahren. Das Konsumbedürfnis stellte einen wichtigen psychologischen Antrieb für das ‚Wirtschaftswunder' dar und sorgte, von allen Gesellschaftsschichten geteilt, für sozialen Frieden. Der steigende Lebensstandard verlieh der Gesellschaft zudem wieder einen gewissen harmlosen, weil unmartialischen, Stolz, der nach der absoluten Talfahrt des Selbstbewußtseins in den vierziger Jahren erholsam war. Wie wichtig große und auch kleine Erfolge für die Deutschen waren, konnte man 1954 sehen, als die deutsche Fußball-Nationalmannschaft in Wien gegen Ungarn Weltmeister wurde. Die Euphorie über dieses Ereignis war unbeschreiblich.

Der Wiederaufbau der deutschen Städte vollzog sich in demselben raschen Tempo wie der Anstieg des Lebensstandards. In einigen günstigen Fällen, wie beim Wiederaufbau der Nürnberger Innenstadt, wurden traditionelle Formen, Materialien und Maße bevorzugt, so daß die alte Atmosphäre erhalten blieb. In anderen Städten wurde die Gelegenheit genutzt, den Stadtplan zugunsten des Verkehrs zu ändern. Mit dieser nur scheinbar weitsichtigen Politik wurde die Homogenität und die gewachsene urbane Struktur der Städte beeinträchtigt. Die spätere Umwandlung der Einkaufsstraßen in Fußgängerzonen erweist sich aus heutiger Sicht als recht unvollständige Korrektur.

Im Osten verlief der Wiederaufbau viel langsamer. Die unterschiedlichen gesellschaftlichen Voraussetzungen drücken sich auch unverkennbar im Stadtbild aus. Am deutlichsten ist dies in Berlin, wo die konkurrierenden Systeme in unmittelbarer Nachbarschaft lebten und beide bemüht waren, Repräsentatives zu leisten. Der Extremfall ist die Bebauung der Karl-Marx-Allee (zeitweilig Stalinallee) in Ostberlin in einem überdimensionierten neobarocken Stil nach sowjetischem Vorbild. Aber auch spätere städtebauliche Großprojekte, wie die Bebauung der Prager Straße in Dresden, sind deutlich sozialistisch geprägt, obwohl die einzelnen Bauten einen eher internationalen funktionalistischen Stil vorweisen. Das liegt vor allem an der großzügigen Flächengestaltung ostdeutscher Städte. Keine westdeutsche Stadt konnte sich eine so geringe Baudichte in der Innenstadt leisten. Während im Osten der wirtschaftliche Plan ausschlaggebend war, bestimmten im Westen die Grundstückspreise weitgehend den Takt und die Art der Bebauung. Doch gab es auf dem Höhepunkt des Wohnungsbaus in den sechziger und siebziger Jahren wiederum auffällige Ähnlichkeiten. In beiden Teilen Deutschlands wurden Hochhaussiedlungen bevorzugt, in denen sich heute soziale Probleme häufen.

Der Traditionsbruch durch den Faschismus war von besonderem Nachteil für die Architektur. Der internationale Stil der fünfziger und sechziger Jahre baute nicht auf örtlich vorhandene Traditionen auf. Die schlichten Formen des Bauhauses hatten sich in den Vereinigten Staaten unter den kommerziellen Bedingungen der amerikanischen Gesellschaft vor allem in Verwaltungsbauten für die Industrie entwickelt. Von dort wurden sie nach Deutschland reimportiert. Einige wenige Bauten ragen aus der eintönigen Masse hervor. Das schmale und harmonisch abgestufte Hochhaus aus Glas und Stahl der Firma Thyssen in Düsseldorf (1960) gehört zu den markantesten Beispielen dieses internationalen Stils. Harmonie und Einfallsreichtum kennzeichnen das Hochhaus von BMW in München (1973), das in seiner Form an den Automobilmotor anknüpft.

Bislang konnte sich die Architektur der Bundesrepublik am besten in öffentlichen Aufträgen entfalten, vor allem für Kulturbauten wie Theater und Museen. Das kulturelle Leben der Bundesrepublik ist in dieser ganz besonderen Weise mit seinem baulichen Rahmen verknüpft. Von Hans Scharouns zeltförmiger Philharmonie in Berlin (1963) bis zu den Neubauten der Gemäldegalerien in Stuttgart und Köln in den achtziger Jahren ist in diesem Bereich der Innovationsgeist besonders wirksam.

Restaurative Moderne

Das materielle Wachstum der ersten Jahrzehnte war im allgemeinen von einem deutlichen Konservatismus der geistigen Werte begleitet. Die Sicherheit von Institutionen wurde gesucht. Die öffentliche Förderung von Kultur in Theater, Rundfunk und Museen wurde allmählich ergänzt durch die Gründung immer neuer Preise und Stiftungen. Das kam zunächst einem harmlosen bürgerlich-klassischen Kulturverständnis zugute. Zu den Mechanismen des Kulturbetriebs zählt auch der Einfluß der Kulturredaktionen maßgeblicher Zeitungen wie der konservativen *Frankfurter Allgemeinen Zeitung* mit seiner relativ kleinen, aber finanzkräftigen Leserschaft.

Generell kam die Freiheit der westdeutschen Kultur in einer Hinwendung zu modernen Formen ohne radikale Inhalte zum Ausdruck. Besonders deutlich ist der vom Inhalt losgelöste formale Fortschritt in der Kunst und im industriellen Design der Zeit. Die Befreiung vom Faschismus brachte der Kunst einen neuen Anschluß an die internationale Moderne. Nach den Jahren eines vorgeschriebenen ‚realistischen' Kunststils wollten viele Maler Versäumtes nachholen. Der Anschluß an die unterbrochene avantgardistische Entwicklung war dabei recht selektiv. Von der eigentlichen Avantgarde der zwanziger Jahre, die ins Exil gegangen war, waren nicht viele Vertreter zurückgekehrt. Der Formalismus des Bauhauses wurde unter dem starken Einfluß des Bauhaus-Malers Willi Baumeister (1889-1955) schon gleich nach dem Krieg wieder aufgegriffen, während Ansätze aus dem Expressionismus, dem Dada und der politisch engagierten Kunst der zwanziger Jahre erst viel später oder gar nicht wieder aufgegriffen wurden. Dabei wären Erfahrungen aus der unmittelbaren Folgezeit des Ersten Weltkriegs gewiß auch nach dem Zweiten Weltkrieg relevant gewesen. Das Verhältnis der vorherrschenden abstrakten Kunst der fünfziger Jahre zum etablierten Kunstbetrieb war dem der Avantgarde in den ersten Jahrzehnten dieses Jahrhunderts jedoch genau entgegengesetzt. Die abstrakte Kunst war ursprünglich eine revolutionäre Erweiterung in unerforschtes Neuland gewesen. Diese spätere abstrakte Kunst war dagegen eher steril und nur noch neo-avantgardistisch. Sie entstammte weniger der unmittelbaren schöpferischen Situation der Künstler als vielmehr einem Bedürfnis nach Abgrenzung, sowohl gegenüber der nationalsozialistischen Vergangenheit als auch gegenüber dem dogmatischen sozialistischen Realismus, der im Schatten Stalins in der benachbarten DDR praktiziert werden mußte. Die Abstraktion wurde als Verkörperung von Freiheit verstanden, aber da sie mit dem Freiheitsbegriff konform war, der im Kalten Krieg gerne dem Gegner entgegengehalten wurde, rieb sie sich nicht an der eigenen Gesellschaft. Dennoch war diese Einstellung durchaus spontan, freiwillig und legitim. Der Eindruck des Nationalsozialismus insgesamt und der Kampagne gegen ‚entartete Kunst‘ im besonderen hatten bei den Künstlern zu einer echten Ideologieverdrossenheit geführt. Die Kunst wandte sich wieder dem Ästhetischen zu. Allerdings wurde der Kitsch des rein Dekorativen genauso vermieden wie das figurative Bild. Statt dessen entstanden, etwa im Werk Hans Hartungs (1908-1989), Farb- und Formstudien von seltener Vollendung.

Moderne Formen fanden auch im Alltag Verbreitung, wo sie in die Gestaltung von Möbeln und Haushaltsgeräten einbezogen wurden. Die Möbelindustrie hatte in der Wiederaufbauphase nach dem Krieg naturgemäß sehr großen Umsatz. Es mußte viel, schnell und billig produziert werden. Bevorzugt waren leichte Möbelstücke mit einfachen, oft geschwungenen, aber keineswegs immer zweckmäßigen Formen, deren Produktion möglichst unkompliziert war. Ein typisches Produkt der Zeit ist der nach seiner abgerundeten Form benannte Nierentisch. Da die moderne Form oft Vorrang über die Funktion hatte, wurde sie den Gesetzen der Mode unterworfen und wirkt heute oft veraltet.

Dasselbe kann von der Musik nicht behauptet werden. Die Musikkultur seit dem Zweiten Weltkrieg ist nun im wahrsten Sinne übernational. Während die populäre Musik jahrzehntelang der Entwicklung in den USA hinterherhinkte, war die BRD im Bereich der sogenannten ernsten Musik u. a. mit den ‚Internationalen Ferienkursen für Neue Musik‘ in Darmstadt oder dem Elektronischen Studio des Westdeutschen Rundfunks in Köln schon früh an den neuesten Entwicklungen beteiligt. Die klanglichen Möglichkeiten der reinen Elektronik wurden zum Beispiel bereits in den fünfziger Jahren von Karlheinz Stockhausen (*1928) und anderen erprobt. Diese formalen Experimente richteten sich aber im Unterschied zu Teilen der Avantgarde in den zwanziger Jahren an eine zunehmend spezialisierte Musikelite. Es wurde kaum noch versucht, soziale Barrieren zu überwinden.

Vergangenheitsbewältigung und Gegenwartskritik

Als die Bundesrepublik in ihr zweites Jahrzehnt ging, wurde eine gewisse Unzufriedenheit mit dem geistigen Klima im Lande deutlich. Der Lebensstandard war zwar auf ungeahnte Weise gestiegen, man diskutierte in Freiheit moderne Ideen, man hörte neue Musik, man sah moderne Kunst, und doch fehlte etwas. Im Schatten des Wiederaufbaus und des Anschlusses an das intellektuelle Leben des Westens war die ehrliche Auseinandersetzung mit der besonderen Situation Deutschlands zu kurz gekommen. Am deutlichsten wurde das bei der Entscheidung über die Wiederbewaffnung, wo realpolitische Rücksichten die pazifistischen Vorsätze der unmittelbaren Nachkriegszeit zunichte machten. Vor allem hatte sich der Kalte Krieg als Mittel erwiesen, die Verbrechen der Vergangenheit zu verdrängen.

In den fünfziger Jahren wurde die Nazi-Vergangenheit oft als eine Art Naturkatastrophe behandelt. Alle waren Opfer. Zwar erregte zu Beginn des Jahrzehnts der junge jüdische Dichter Paul Celan (1920-1970) großes Aufsehen mit seiner *Todesfuge*, einem Gedicht über die Konzentrationslager, doch wurde eine historische Diskussion zunächst vermieden. Um 1960 fing jedoch eine breite Auseinandersetzung an, die auch die Frage nach den Schuldigen und den Mitschuldigen stellte. Ein Meilenstein in dieser Entwicklung war das Erscheinen des kontroversen Romans *Die Blechtrommel* von Günter Grass (*1927) im Jahr 1959. Viel nüchterner als dieser Roman mit seinen phantastischen und barocken Zügen waren die Versuche, Faschismus und Antisemitismus für die Bühne zu erfassen. Stücke wie das Parabelstück *Andorra* (1961) des Schweizer Autors Max Frisch (1911-1991) zeigten die sozialen Mechanismen des Antisemitismus auf. Doch blieb auch ein analytisch hervorragendes Stück wie *Andorra* am Ende nur Theater. Viele Dramatiker und Regisseure empfanden, daß man der schrecklichen Tatsache des Faschismus mit Fiktion oder Drama nicht gerecht werden konnte. Mit dem sogenannten dokumentarischen Theater wurde daher versucht, die Wirklichkeit unmittelbar auf die Bühne zu bringen. 1965 wurde *Die Ermittlung* von Peter Weiss uraufgeführt. Das Stück besteht nur aus Zeugenaussagen aus dem Frankfurter Auschwitzprozeß.

Mit dem dokumentarischen Theater wurde ein experimenteller Ansatz aus den zwanziger Jahren wieder aufgegriffen. Zur gleichen Zeit wurde mit der Wiederbelebung der Arbeiterliteratur ein weiterer Versuch der zwanziger Jahre, den Abstand zwischen Literatur und Realität zu verringern, aktualisiert. Die wichtigste Initiative ging dabei von der Dortmunder ,Gruppe 61' um Max von der Grün (*1926) aus.

1967 und 1968 wurden die Vereinigten Staaten und Westeuropa von einer Welle studentischer Demonstrationen erfaßt. Sie sind ein Ausdruck der veränderten Stellung der Jugend in der Gesellschaft, die sich in diesen Jahren unter anderem durch die Anfänge der Rockmusik Gehör verschafft hatte. Für die Bundesrepublik war dies die erste größere Protestwelle. Die Ära Adenauer war inzwischen zu Ende gegangen. Erste Anzeichen, daß es mit der Wirtschaft nicht immer nur bergauf gehen konnte, waren sichtbar geworden. An den überfüllten Universitäten wuchs die Unzufriedenheit mit einer Wissenschaft, die zu den politischen und moralischen Problemen der Zeit nichts zu sagen hatte. 1966 wurde eine 'große Koalition' aus CDU/CSU und SPD gebildet, der nur noch eine winzige Oppositionsfraktion im Parlament gegenüberstand. Aus den Reihen der Studenten bildete sich eine sogenannte 'außerparlamentarische Opposition', die in der bislang stabilen Republik für Aufregung sorgte. Politisch verschärft wurde der Generationskonflikt ferner durch den Krieg in Vietnam, der als erster größerer Krieg im Fernsehen mitverfolgt werden konnte. In Vietnam sah man die USA in einer Rolle, die mit der großzügigen Besatzungsmacht, als welche man sie in Deutschland erlebt hatte, schwer zu vereinbaren war.

Studentenunruhen

Erstmals seit Ausbruch des Kalten Krieges gab es in Westdeutschland eine gesellschaftlich sichtbare Gruppe, für die Kommunismus kein Schimpfwort war. Als Modell wurde allerdings nicht der allzu vertraute Sozialismus der Sowjetunion und der DDR, sondern das exotischere China oder Kuba bevorzugt. Einige Studenten wagten sich in die Fabriken, um die Arbeiter aufzuklären. Ihre sehr theoretischen Bemühungen stießen auf wenig Gegenliebe bei den Arbeitern, die einen realen Klassengegensatz zu den Studenten empfanden. So konnte aus der Studentenbewegung keine Revolution werden. Darum ging es aber auch nicht. Die Studentenbewegung war vielmehr ein Medienereignis von großer Ausstrahlung in einer Zeit, in der das Fernsehen zum ersten Mal die Bevölkerungsmehrheit erreichte[30].

Auf lange Sicht trugen wahrscheinlich die Ereignisse von 1967 und 1968 zur Entwicklung eines politisch und kulturell toleranteren Klimas in der BRD bei, denn gerade ihre Wirkungslosigkeit bewies die Stabilität der Demokratie. Die Funktionsfähigkeit der Demokratie wurde im Herbst 1969 noch einmal bewiesen, als es mit der Wahl der SPD mit ihrem Vorsitzenden Willy Brandt zum ersten demokratischen Regierungswechsel auf Bundesebene kam.

Nach der Zäsur

Die Studentenrevolte und der Regierungswechsel können als Teil eines Reifeprozesses der jungen Republik gewertet werden. Die Bundesrepublik wird mittlerweile völlig akzeptiert als westeuropäische Demokratie wie andere auch. Sie wird auch rasch zu einer Gesellschaft der kulturellen Vielfalt, denn die Zahl der Gastarbeiter und ihrer Familien nimmt rapide zu. Außerdem suchen junge Menschen alternative Lebensformen. In Landkommunen und städtischen Wohngemeinschaften entsteht eine kleine, aber bedeutende Subkultur.

Die unerfreulichste Erbschaft der Studentenrevolte und eine erheblich Belastungsprobe für die neugewonnene Toleranz und das Selbstbewußtsein der Demokratie ist eine Welle von Terroranschlägen, die von einer kleinen Gruppe militanter Anarchisten vornehmlich auf Vertreter der Industrie verübt wird. Die Reaktion von Staat und Presse auf diese Ereignisse ist heftig. Es entsteht vorübergehend eine Atmosphäre, in der jede politische Aktivität außerhalb der etablierten Partien leicht

---

[30] Nicht zufällig gehörte der rechtsgerichtete Axel-Springer-Verlag, mit seiner populären BILD-Zeitung der größte Presse-Konzern der Bundesrepublik, zu den Hauptangriffszielen der Studentenbewegung.

unter Verdacht gerät. Auch die Literatur gerät ins politische Kreuzfeuer. Heinrich Böll, dessen Werk immer schon als Barometer der Bundesrepublik gelesen werden konnte, wurde zum Opfer einer recht breiten Verleumdungskampagne in der Presse, nachdem er in einem Artikel im einflußreichen Nachrichtenmagazin *Der Spiegel* den unkonventionellen und unrealistischen Vorschlag eines Dialogs mit den Terroristen gemacht hatte[31]. Böll schrieb daraufhin die Erzählung *Die verlorene Ehre der Katharina Blum*, die zwar am Rande den Terrorismus streift, aber hauptsächlich von dem sehr freien Umgang der Sensationspresse mit der Wahrheit handelt. Volker Schlöndorffs (*1939) Verfilmung des Werkes wurde wegen seiner besonderen Aktualität zum großen Kinoerfolg.

Das Problem der Wahrheitsmanipulation durch die Presse beschäftigte auch Günter Wallraff (*1942), dessen Arbeitsweise eine ganz besondere Form von literarisch-gesellschaftlichem Engagement darstellt. Sein wichtigstes Material ist die eigene Person. Seine Reportagen berichten meistens von Erfahrungen in der Arbeitswelt, die er selber, inkognito, gesammelt hat. Als *Der Mann, der bei BILD Hans Esser war* lernte er die Arbeit von Springers Bild-Redaktion von innen kennen.

Die Bereitschaft, sich mit aktuellen gesellschaftlichen Fragen zu beschäftigen und auch Kontroverses zu wagen, wuchs auch im Kino. Der Zustand der deutschen Filmindustrie, in den fünfziger Jahren schon angegriffen, war in den sechziger Jahren desolat. Gegen die Konkurrenz des Fernsehens vermochte sich das Kino in Deutschland ebensowenig zu schützen wie anderswo. Zu diesem allgemeinen Problem kamen aber in Deutschland die Spätfolgen des Faschismus hinzu. Die Filmindustrie hatte sich noch nicht von dem Talentverlust der dreißiger und vierziger Jahre erholt. Den Tiefstand erreichte sie in den sechziger Jahren, als sie die Prüderie der ersten Nachkriegsjahre ablegte und das Publikum mit einfältigen Sex-Filmen in die Kinos zu locken versuchte.

Abschied von gestern ist der vielsagende Titel eines Films von Alexander Kluge (*1932), der den radikalen Bruch einer jungen Generation von Filmmachern mit dem etablierten, aber degenerierten Kino ankündigte. Ihre Filme, die sich auf neue Weise mit der Realität der Bundesrepublik auseinandersetzten, erreichten zunächst nur ein kleines intellektuelles Publikum und waren wegen des fast immer knappen Budgets noch wenig glanzvoll. In den siebziger Jahren ermöglichten eine etwas großzügigere Förderung aus öffentlichen Mitteln und die immer häufiger werdende finanzielle Beteiligung durch die Rundfunkanstalten aufwendigere Produktionen. Bald machte sich der sogenannte ‚junge deutsche Film‘ mit Regisseuren wie Rainer

---

[31] Heinrich Böll: ‚Will Ulrike Gnade oder Freies Geleit?‘. In: Der Spiegel. 10.1.1972.

Werner Fassbinder (1946-1982) und Wim Wenders (*1945) einen Namen über die Grenzen des deutschen Sprachraums hinaus. Generell weniger idealistisch als das alte Kino zeigen sie gewöhnliche Menschen in ihrem Alltag. In Filmen wie Fassbinders *Angst essen Seele auf* (1973) über die Liebe zwischen einer Rentnerin und einem Gastarbeiter werden Gesellschaftsschichten einbezogen, die das traditionelle Kino vernachlässigt hatte.

In der Kunst verbreiteten sich seit den sechziger Jahren neue Formen wie die großflächige Raumkunst oder die lebende Kunst im ‚Happening‘. Diese neuen Formen stellten eine Übersteigerung des Realismus dar, indem sie Realität an Stelle von Malerei oder Plastik im traditionellen Sinne anboten. Durch die Sammeltätigkeit großer Mäzene wie des Schokoladenfabrikanten Peter Ludwig (Museen in Köln und Aachen) wurden zeitgenössische Trends der amerikanischen Kunst in Deutschland schnell bekannt. Als internationales Forum für zeitgenössische Kunst wirkt seit 1955 die ‚Dokumenta‘ in Kassel. In Deutschland erregte das Werk des Düsseldorfer Kunstprofessors Joseph Beuys (1921-1986) Aufmerksamkeit. Seinen Zusammenstellungen von Objekten und Materialfetzen scheint auf den ersten Blick jeder logische Zusammenhang zu fehlen. Tatsächlich sind die Werke äußerst symbolgeladen. Mit ihrer Bevorzugung von organischen Materialien (Holz, Fett, Filz usw.) bringen diese Werke eine ganze Philosophie zum Ausdruck, die ihre Quellen in der Romantik und in der Anthroposophie hat und die eine Reaktion auf Beuys' Kriegserfahrungen und die Zerstörung der Umwelt darstellt. Eine solche Kunst, die der ausführlichen Erklärung durch den Künstler bedarf, um überhaupt erst richtig ‚sichtbar‘ zu werden, ist symptomatisch für die Isolation weiter Teile der Kunst und Literatur in der zweiten Hälfte dieses Jahrhunderts.

Ein möglicher Ausbruch aus dieser Isolation und eine Rückkehr zur starken Bildersprache des frühen deutschen Expressionismus stellt das Werk von Künstlern wie A. R. Penck (*1939) und Georg Baselitz (*1938) in den siebziger Jahren dar. Beide malten zuerst in der DDR, wo sie nicht Fuß fassen konnten, und galten lange Zeit als Außenseiter. Seit Beginn der achtziger Jahre gelten sie als Vorläufer einer ganzen Generation der sogenannten ‚Neuen Wilden‘.

Die DDR

Vierzig Jahre lang war Deutschland in zwei Staaten geteilt, die zusammen mit ihren jeweiligen Nachbarn zwei grundverschiedenen Gesellschaftsordnungen angehörten. In dieser Zeit wuchsen in beiden Staaten mehrere Generationen heran, deren Lebenserfahrung vom jeweiligen System geprägt ist. Mittlerweile ist das von den kommunistischen Parteien Osteuropas und der militärischen Macht der Sowjetunion aufgebaute System in wenigen Jahren auseinandergefallen. Die DDR gibt es nicht mehr. Noch ist es unmöglich einzuschätzen, wieweit der Sozialismus in Deutschland nur eine Episode war, oder ob nicht die dort gewachsenen Institutionen tiefere Spuren im allgemeinen Bewußtsein hinterlassen haben. Immerhin hatten sich während vierzig Jahren einige markante Unterschiede zwischen der westdeutschen und der ostdeutschen Gesellschaft herausgebildet. Wo der westliche Demokratiebegriff die Freiheit beschwor, betonte der sozialistische die Gleichheit. Durch die Umverteilung des Eigentums waren die Klassengegensätze im Osten geringer als im Westen. Die berufliche Gleichberechtigung der Geschlechter war nahezu selbstverständlich, was vor allem durch die staatliche Organisation der Kinderpflege ermöglicht wurde. Der sozialistische Staat versuchte, seinen Bürgern weitgehend die Sorge um Arbeitsplatz und Wohnung abzunehmen. Dafür war allerdings die Auswahl begrenzt und der Einfluß der Staatspartei SED nahezu unbeschränkt.

Der Sozialismus in Deutschland ist ebensowenig ,freiwillig' entstanden wie der wiederhergestellte Kapitalismus im Westen. Es war aber auch keine Fremdherrschaft. Zur ,Stunde Null' in den ersten Jahren nach dem Krieg war der Gedanke noch weit verbreitet, daß ein echter demokratischer Neubeginn die Umverteilung des Eigentums voraussetze. Die traditionelle Sympathie von Teilen der deutschen Intelligenz für den Sozialismus war noch vorhanden. Im Exil und im Widerstand gegen den Faschismus hatte der Sozialismus für viele als Identitätsstifter noch an Gefühlswert gewonnen. Der Sozialismus, der in der sowjetischen Besatzungszone eingeführt wurde, versuchte zunächst an diese Tradition anzuknüpfen. So konnte auch ein Schein von Kontinuität hergestellt werden, indem die 1933 zerschlagene politische und kulturelle Linke der Weimarer Republik ihre Arbeit wiederaufnahm. So, wie die kommunistischen Politiker im Kielwasser der Roten Armee nach Deutschland zurückkamen, um zumindest in der sowjetischen Zone die Führung zu übernehmen, kamen auch Schriftsteller und andere Kulturschaffende aus dem Exil zurück, um die kulturellen Kader des ,neuen Deutschland' zu stellen. Willi Bredel, Johannes R. Becher und Anna Seghers übernahmen führende Funktionen in der Kulturpolitik. Auch Brecht eröffnete am Schiffbauerdamm in Ostberlin sein eigenes Theater.

Die Kultur erhielt eine genau definierte gesellschaftliche Aufgabe. Sie hatte nicht nur die von vielen lange ersehnte politische Wirkungsmöglichkeit, sondern auch eine Wirkungspflicht. Sie sollte erzieherisch wirken und die Werte des Sozialismus in der Gesellschaft befestigen helfen. Die Hoffnung der Künstler und Schriftsteller, diese Aufgabe in eigener Verantwortung ausführen zu dürfen, erwies sich jedoch auch in der DDR bald als illusorisch. Die Kulturpolitik der SED beschränkte sich nicht auf den äußeren Rahmen kultureller Tätigkeit. In Wahrnehmung ihrer gesellschaftlichen Führungsrolle mischte sich die Partei zunehmend in Fragen der ästhetischen Ausführung ein. Bald wurde in der Kunst und Literatur sozialistischer Realismus nach sowjetischem Muster verlangt und von Autoren wie Hermann Kant (*1926) und Erwin Strittmatter (*1912) oder Malern wie Werner Tübke (*1929) geliefert. Nicht nur die Parteiorgane, auch der Geheimdienst in Gestalt des Ministeriums für Staatssicherheit hatte ein ungesundes Interesse an kulturellen Fragen.

Trotz bester Absichten der Kulturschaffenden ließ sich die Bevölkerung nur widerwillig zum Sozialismus erziehen. Das zeigte sich schon im Juni 1953, als die Regierung mit Hilfe sowjetischer Panzer einen Aufstand der Bevölkerung niederschlug. Der bürokratische Zentralismus erschwerte den Alltag. Der Wiederaufbau kam nur langsam zustande. Dabei beeinflußten Werte der westlichen Konsumgesellschaft ungewollt auch die Stimmung in der DDR. Der ‚erste deutsche Arbeiter- und Bauernstaat‘ mußte sich ständig an der BRD messen. Während die Industrie der BRD mit Hilfe des Marshall-Plans aufgebaut wurde, setzte sich im Osten die Demontage von Industrieanlagen fort. Der höhere Lebensstandard im Westen stellte eine ständige Versuchung dar, welche die Arbeitsfähigkeit der DDR beeinträchtigte. In den fünfziger Jahren verlor das Land fast drei Millionen Einwohner an den

Mauerbau in Berlin

213

Westen, darunter unverhältnismäßig viele qualifizierte Arbeitskräfte. Um diesen Bevölkerungsschwund zu bremsen, wurde im August 1961 mit dem Bau der Berliner Mauer die letzte Lücke im ‚Eisernen Vorhang' geschlossen. Zwar führte diese Maßnahme mit der Zeit zur erhofften wirtschaftlichen Stabilisierung der DDR, aber sie unterminierte zugleich das Vertrauen zwischen den Bürgern und ihrem Staat, indem sie die Bürger quasi zu Gefangenen im eigenen Land machte. Eine unheilvolle Kombination von Reisebeschränkungen und einer Flut von Informationen durch die westlichen Medien schuf eine ungesunde Sehnsucht nach einem idealisierten Westen. Zwei utopische Wunschbilder standen einander gegenüber. Das eine war die Selbstdarstellung des Staats in den offiziellen Medien des Landes. Das andere war ein Bild vom Westen, das ein Produkt von eigener Sehnsucht und den Idealisierungen westlicher Werbung war.

Mit der Stabilisierung der wirtschaftlichen Verhältnisse in der DDR nach dem Mauerbau trat ein Generationswechsel in der Kultur ein. Neben dem schematischen Sozialistischen Realismus entstand nun ein weniger idealisierter Realismus im Sozialismus. Christa Wolfs (*1929) früher Roman *Der geteilte Himmel* nannte zentrale Probleme der DDR beim Namen: die Produktionsschwierigkeiten, durch eine umständliche Planungsbürokratie verursacht, und die Abwerbung qualifizierter Arbeitskräfte durch den Westen. Literatur dieser Art nahm auch eine wichtige Aufgabe im sozialistischen System wahr. Sie bot sich als Kanal für eine offenere gesellschaftliche Diskussion an, die, anders als die offizielle Politik und die Medien, nicht in theoretischem Jargon haften blieb. Staat und Partei zeigten sich gegenüber solcher Offenheit mal mehr, mal weniger tolerant.

Durch die Nachbarschaft der gleichsprachigen BRD war die ostdeutsche Literatur in einer grundsätzlich anderen Situation als die vieler sozialistischer Nachbarländer. Autoren der DDR, die im dortigen offiziellen Literaturleben wenig Beachtung fanden, konnten sich Gehör über den Umweg der BRD verschaffen. Viele Bücher wurden nur oder zuerst im Westen veröffentlicht, was oft den Vorwand für polizeiliche Maßnahmen gegen Schriftsteller in der DDR lieferte. Über westliche Rundfunk- und Fernsehsendungen wurde die Diskussion dennoch in die DDR hineingetragen. Spätestens seit Ende der sechziger Jahre war dieser Einfluß von großer Bedeutung.

Seit Beginn der siebziger Jahre verstärkte die SED-Führung selbst diese merkwürdige Symbiose mit der westdeutschen Kultur, indem sie unbequeme Autoren und Künstler ausbürgerte. Der bekannteste Fall ist der des Liedermachers Wolf Biermann (*1936), selber einst freiwillig in die DDR emigriert. Seine Ausweisung zog eine Welle von Protesten und weiteren Ausbürgerungen und Ausreisen nach sich. Der Fall Biermann ist symptomatisch für das immer weiter gewachsene Gefälle zwischen dem ‚real existierenden Sozialismus‘, wie man die Realität der DDR zu nennen begonnen hatte, und den Ideen, auf die er sich ursprünglich berufen hatte. Der Sozialismus in der DDR war nach Ansicht des Schriftstellers Christoph Hein (*1944): „...gemessen an den Vorstellungen, an den eigenen Maßstäben des Mythos Sozialismus, eine Karikatur, ein Verbrechen und ein Betrug"[32]. Doch blieb das politische System selbst gefangen in der eigenen Ideologie. Probleme wie etwa das Ausmaß der Umweltzerstörung oder die Devisenknappheit, die von den Klassikern des Marxismus und Leninismus nicht vorgesehen waren, wurden lange verschwiegen. Es fehlten auch die politischen Mechanismen, sie zu meistern, und eine Reform der politischen Kultur wurde von der SED-Führung nicht in Angriff genommen. Als dann im veränderten internationalen Klima des Jahres 1989 bei immer größeren Demonstrationen Reformen gefordert wurden, brach die alte Staatsmacht, die diesen Forderungen keine politische Antwort mehr entgegenzusetzen hatte, in wenigen Wochen zusammen. Dabei zeigte sich erst richtig, wie weit Staat und System identisch gewesen waren. Der Abgang der SED machte die DDR als Staat

Öffnung des Brandenburger Tors

---

[32] Christoph Hein: ‚Unbelehrbar – Erich Fried. Rede zur Verleihung des Erich-Fried Preises am 6. Mai 1990 in Wien‘. Abgedruckt in: Freibeuter 44. 1990. S. 24-34. Zitat S. 26.

überflüssig. Bei den ersten freien Parlamentswahlen im März 1990 entschied sich die große Mehrheit für eine Politik der möglichst schnellen Vereinigung mit der Bundesrepublik Deutschland. Diese wurde dann am 3. Oktober 1990 vollzogen.

Ausblick

Je mehr man sich der Gegenwart nähert, desto schwieriger wird es, die Geschichte sinnvoll zu strukturieren. Die gleichzeitige Wirkung sich gegenseitig zuwiderlaufender Tendenzen ist allzu evident. Zwar gehorchte die Geschichte auch früher in ihrem Verlauf keinen vorhersehbaren Gesetzen, aber aus der Sicht späterer Generationen sind Prozesse erkennbar, welche die Ereignisse scheinbar in bestimmte Richtungen lenken. Die Folge der Ereignisse, die stattgefunden haben, steht fest. Ihr Zufallscharakter beschäftigt die Geschichtsforschung meistens nicht. Am fließenden Übergang zwischen Geschichte und Zeitgeschehen geht die bestenfalls scheinbare Eindeutigkeit ganz verloren.

Mit dem Ende der deutschen Teilung geht zweifellos ein Kapitel der europäischen Geschichte zu Ende. Die Kulturgeschichte seit dem Mittelalter legt Fragestellungen nahe, auf die man auch in Zukunft das Augenmerk richten kann. Dazu gehören die Spannung zwischen nationaler Einheit und regionalen Identitäten sowie das Wechselverhältnis mit anderen europäischen Ländern.

Die politische Einigung Deutschlands hat zwei sehr verschiedene Gesellschaften zusammengeführt. Das Auffallendste dürfte noch lange das wirtschaftliche Gefälle zwischen Ost und West bleiben. Vor der Einigung kannte die alte Bundespublik keine regionale Ungleichheit in solchem Ausmaß. Jedoch erklären wirtschaftliche Unterschiede nicht allein gewisse Verständigungsschwierigkeiten der ersten Zeit der Einheit. Sie ergeben sich aus der Berührung zweier Gesellschaften, die in vierzig Jahren auseinandergewachsen sind und unterschiedliche Erfahrungen gesammelt haben. Werden diese Unterschiede auf die Dauer zu einer erneuten Stärkung regionaler Identitäten führen? Welche Bedeutung wird dagegen die wiederhergestellte Hauptstadt Berlin haben? Wird sie zur dominanten Kulturmetropole wie in den zwanziger Jahren, oder bleibt der traditionelle Polyzentrismus Deutschlands erhalten?

Gewichtsverlagerungen sind auch im Verhältnis zwischen Deutschland und den Nachbarländern zu erwarten. Geraten Österreich und die Schweiz nun ganz in den Sog des großen Nachbarn? Beide erwägen die Mitgliedschaft in der Europäische Gemeinschaft (EG). Dort können sie vielleicht auch ihren Beitrag zu einem Europa der regionalen Vielfalt leisten. Seit dem Ende des Zweiten Weltkrieges sind sich die Länder Westeuropas politisch, wirtschaftlich und kulturell viel näher gekommen. Der Austausch zwischen diesen Ländern ist zur Selbstverständlichkeit geworden. Die Bundesrepublik hat diese Entwicklung immer energisch gefördert. Jetzt muß auch Osteuropa einbezogen werden, das bislang an diesem Prozeß nicht beteiligt war. Die Bundesrepublik war jahrzehntelang die östlichste Provinz des Westens. Nun ist Deutschland wieder zu einem Durchgangsland in Richtung Osten geworden. Das kann für die Aufnahme und Vermittlung kultureller Einflüsse von großer Bedeutung sein.

Vielleicht sollte man jedoch trotz aller politischen Bemühungen um europäische Integration die Bedeutung des europäischen Rahmens in der kleiner gewordenen Welt nicht überschätzen. Unübersehbar ist zum Beispiel die heutige Dynamik des Islam. Vielleicht wird Europa wieder, wie in der Antike, verstärkt außereuropäische Anregungen aufnehmen. Die allmähliche Veränderung des Weltbildes reflektiert auch den globalen Einfluß der elektronischen Massenmedien. Die politischen Ereignisse der letzten Jahre scheinen Entwicklungen zu bestätigen, die zu Beginn der achtziger Jahre im modischen wissenschaftlichen Diskurs vom ‚Ende der Moderne‘ erkannt wurden.

Das Ende der Polarität zwischen einem sozialistischen und einem nicht-sozialistischen Europa stellt Denkgewohnheiten in Frage, die viel älter sind als die Teilung selbst. Neue globale Probleme haben längst die im 19. Jahrhundert entstandenen Schemata von ‚links‘ und ‚rechts‘ überflüssig gemacht. Nach einem Jahrhundert, in dem das kulturelle Leben, ob gewollt oder ungewollt, immer wieder politisiert wurde, eröffnet die Überwindung alter Denkzwänge ganz neue Perspektiven. Spätestens in den achtziger Jahren sind Veränderungen jenseits der Ideologien unübersehbar geworden. Die letzte Phase der Entwicklung der Industriegesellschaft seit dem Krieg hat mehr Veränderungen in der Landschaft und im Stadtbild verursacht als der Krieg und mehr als jede frühere Epoche der Geschichte. Die Agrarlandschaft ist im Zuge der Kollektivierung in der DDR und durch die Flurbereinigung im Westen monoton geworden. Die westdeutsche Landschaft ist auch in besonderem Maße von der Verkehrsarchitektur verändert worden. Das Automobil, die Verkörperung des westdeutschen Wirtschaftswunders, zerfrißt die Räume, die es für die Menschen erschließt. Ganze Gebiete sind auch in den letzten Jahrzehnten als ‚Erholungsraum‘ erschlossen und zersiedelt worden. Die Bedrohung der Alpen durch Erosion ist nur ein Beispiel der Folgen. Die Verunreinigung der Luft und des Wassers bedrohen die ökologische Substanz.

Die Umweltproblematik demonstriert, wie wenig man heute noch in nationalen oder traditionellen ideologischen Kategorien denken kann. Sie legt grundlegende Ähnlichkeiten der sich lange befehdenden Ideologien frei, die ihre gemeinsame

Herkunft verraten. Beide haben gesellschaftliches Wohlbefinden mit industriellem Wachstum identifiziert. Beide stehen in einer Tradition, die seit der Renaissance die abendländische Entwicklung bestimmt, und teilen noch den Fortschrittsglauben der Aufklärung. Aber der Fortschritt der letzten Jahrzehnte ist einer, der sich vor allem quantitativ und materiell äußert. Die qualitative Entwicklung hat dagegen nicht Schritt halten können. Daraus den Schluß zu ziehen, daß der ganze Weg, den unsere technisch orientierte Zivilisation seit dem Mittelalter zurückgelegt hat, umsonst war, wäre jedoch denkbar falsch. Gerade die deutsche Geschichte zeigt die katastrophalen Folgen von Resignation, Irrationalismus und Massenwahn, wenn sie sich politisch materialisieren und das Gesellschaftssystem erfassen. Doch findet man in der Geistesgeschichte des deutschen Sprachraums immer wieder auch im positiven Sinne einen geistigen oder musischen Ausgleich für die rein materielle Entwicklung. Der gerechtfertigte Zweifel an dem heutigen Stand des industriellen Fortschritts spricht nicht gegen Fortschritt überhaupt. Schließlich ist die Idee des Fortschritts von unserem Kulturbegriff selbst gar nicht wegzudenken. Die ganze Dynamik gesellschaftlichen Tuns ist ein Fortschreiten, das zwar sinnlos erscheinen kann, das aber auch einem ‚Prinzip Hoffnung' unterstellt werden kann. Das Ziel selbst mag eine Utopie bleiben, aber Kultur hat ja gerade mit der Pflege von Utopien zu tun.

Register

Quellenverzeichnis

Bildquellen

Umschlagbild: W. Kandinsky: Almanach der Blaue Reiter. Städtische Galerie im Lehnbachhaus © VG Bild-Kunst – S. 10: Verlagsarchiv – S.14: Verlagsarchiv – S.15: Historisches Farbarchiv, Albert Messerklinger, München – S. 16: Kunsthistorisches Museum, Wien – S. 17: Verlagsarchiv – S. 21 SCALA, Antella/Florenz – S. 24: Kirchenkreisamt, Hildesheim – S. 28, 29: Historisches Farbarchiv Albert Messerklinger, München – S. 31: Amt für Lübeck-Werbung und Tourismus, Lübeck – S. 34 Verkehrsamt der Stadt Köln, © R. Gaertner – S. 37, 38, 40: Archiv Gerstenberg, Wietze – S. 44 Museo del Prado, Madrid – S. 46: Bayerische Staatsgemäldesammlungen, München – S. 51 Historisches Farbarchiv, Albert Messerklinger, München – S. 58: Wiener Tourismusverband – S. 60 66, 73: Süddeutscher Verlag, Bilderdienst, München – S.68: Historisches Farbarchiv, Albert Messerklinger, München – S. 75: Bayerische Staatsbibliothek, München – S. 78: Süddeutscher Verlag Bilderdienst, München – S. 81: Historisches Farbarchiv, Albert Messerklinger, München – S. 87, 89 91, 95, 96: Süddeutscher Verlag, Bilderdienst, München – S. 98: Archiv Gestenberg, Wietze – S. 102 Schackgalerie, München – S. 104: Süddeutscher Verlag, Bilderdienst, München – S. 108: Hamburger Kunsthalle, © Elke Walford – S. 109: Bildarchiv Preussischer Kulturbesitz, Berlin – S. 111: Neue Pinakothek, München – S. 113: Verkehrsmuseum Nürnberg – S. 115: Bildarchiv Preussischer Kulturbesitz, Berlin – S. 118: Niedersächsisches Museum, Hannover – S. 120, 121: Süddeutscher Verlag, Bilderdienst, München – S. 128: Bildarchiv Preussischer Kulturbesitz, Berlin – S. 134, 137 Süddeutscher Verlag, Bilderdienst, München – S. 139: Archiv Gerstenberg, Wietze – S. 140: Heinrich Heisch, München – S. 143: Süddeutscher Verlag, Bilderdienst, München – S. 145: Ullstein Bilderdienst, Berlin – S. 147: Österreichische Galerie, Wien – S. 151: Ullstein Bilderdienst, Berlin – S. 154: Bildarchiv Preussischer Kulturbesitz, Berlin – S. 156: Historisches Farbarchiv, Albert Messerklinger, München – S. 160: Süddeutscher Verlag, Bilderdienst, München – S. 161: © VG Bild-Kunst, Bonn, 1994 – S. 164: Ullstein Bilderdienst, Berlin – S. 167: Verlagsarchiv – S. 170: Interfoto, München – S. 172: © VG Bild-Kunst, Bonn, 1994 – S. 175: Süddeutscher Verlag, Bilderdienst, München – S. 177: Kunsthalle Hamburg – S. 181, 188, 191: Ullstein Bilderdienst, Berlin – S. 193: aus: Großer Historischer Weltatlas, 3. Teil, Bayerischer Schulbuchverlag, München. Heinrich Heisch, München – S. 198, 200, 203, 208, 213, 215: Süddeutscher Verlag, Bilderdienst, München

Textquelle
S. 158: aus: Jacob van Hoddis "Weltende". © Arche Verlag AG Raabe + Vitali, Zürich